老年歯科医学用語辞典

第3版

Dictionary of Gerodontology

一般社団法人
日本老年歯科医学会 編
Japanese Society of Gerodontology

医歯薬出版株式会社

This book is originally published in Japanese under the title of :

ROUNEN-SHIKAIGAKU YOGO-JITEN
(Dictionary of Gerodontology)

Editors :
Japanese Society of Gerodontology

© 2008   1st ed.
© 2023   3rd ed.

ISHIYAKU PUBLISHERS, INC.
  7-10, Honkomagome 1 chome, Bunkyo-ku,
  Tokyo 113-8612, Japan

第 3 版の発刊に寄せて

　ご存知のように超高齢社会の進展はますます加速しています．さらに新型コロナウイルスの蔓延のために高齢者の医療や介護はますます難しく，厳密さを要求されるようになってまいりました．このような状況では，意見や情報を伝え合うための言葉はきわめて重要です．ある分野のある言葉は別の分野では，まったく，ということはないかもしれませんが，やや違った，斜め上のことを意味する，ということは多々あると考えられ，その認識の違いがインシデントにつながる可能性も多いと思われます．高齢者の口腔の健康に責任を持つ本会は，老年歯科医学の礎とし，専門職間の連携を正確かつスムーズにすることを意図し，用語集の発刊と改訂を重ねてまいりました．

　近年では，IT，IOT そして AI といった新技術が社会や医療の基盤となりつつあります．また，フレイルやオーラルフレイルといった新しい概念が成熟しつつある段階となって参りました．このようにさまざまなことが流動している状況での用語集の改訂は実に大変な作業であったと思われます．学術用語委員会のメンバーや各用語の執筆や改訂をお願いした方々には改めて御礼を申し上げます．

　そして，本用語辞典を手に取られた皆様におかれましては，ぜひ活用していただきたいと思います．「やばい＝すごくおいしい」となってしまったように，言葉は使えば使うほどその地位が確たるものになっていきます．高齢者医療の中で SNS などさまざまなツールで連絡をするときにも，本書を参考に正しい意味でやり取りしていただきたいと思います．そして第 4 版の改訂のためにぜひ多くのご意見をお寄せください．

　最後に，みなさまの老年歯科医学へのご貢献に厚く感謝申し上げます．

2023 年 3 月
一般社団法人日本老年歯科医学会
理事長　　水口　俊介

第3版 序文

　初版が2008年3月，ついで第2版が2016年3月に出版されました．この間においても，老年歯科医学は日々進歩を遂げるとともに，学会会員も4,200名余りとなりました．第2版の出版から年数経過し，保健・医療・福祉（介護）分野においても，日々新たな専門用語が導入されています．特に，老年歯科医学会は保健・医療・福祉（介護）分野にもまたがる分野でもあります．正しく用語を理解していなければ，専門職間でのコミュニケーションを図るうえで大きな混乱のもとになりかねません．そのため老年歯科医学に関連する学術用語を的確に理解し，使用することが重要です．

　また，第2版では「フレイル」「オーラルフレイル」などなじみのある用語に関する定義が，はっきりしない時期に出版する運びになりました．そこで，第2版に収載された用語の再整理，収載される用語の解説確認・修正を行いつつ，約100語の新たな専門用語に英文表記と学術的解説を加えて，改訂第3版では1,150語を収載した辞典となりました．

　用語は，時代とともに次々と新しく誕生し，一方で使われなくなり廃語になります．用語は学問の発展に極めて重要で，多くの老年歯科医学に関連する学術用語が歯科医学の教育，研究および臨床において使用されています．学会発表や論文投稿のみならずに，日々における知識と技術の向上に役立たせていただき，本学会の学術的発展につながることを念頭に編集してまいりました．本書が，会員各位にとって少しでも貢献できることを学術用語委員会一同，祈念致しております．

　最後に今回の改訂にあたり，学術用語委員会の委員のみならず，歯科医学会各分野の先生方にご協力頂いたことに深く感謝するとともに，学会事務局，医歯薬出版株式会社編集部に多大なる援助をいただきましたことに，心より厚く御礼を申し上げます．

2023年3月
一般社団法人日本老年歯科医学会学術用語委員会
委員長　大神　浩一郎

第 2 版の発刊に寄せて

　2008 年 3 月に発刊されました『老年歯科医学用語辞典』が,明るい素敵な表紙と充実した内容で第 2 版として生まれ変わりました.近年では,インターネットを利用して用語を調べる方も多いと思われますが,その内容がどの程度信頼できるのかは不明です.本用語辞典に関しては,用語の選択と執筆を一般社団法人日本老年歯科医学会学術用語委員会が中心となり,日本老年歯科医学会が責任を持って担当いたしました.2012 年から那須郁夫学術用語委員長のもとで第 2 版の改訂計画が開始され,2014 年から眞木吉信学術用語委員長がその事業を引き継ぎ,多くの方々のご協力の下ここに完成いたしました.関係各位のご尽力に心から敬意を表します.

　用語というものは生き物で,時代と共に変わっていきます.そして,使用される領域によって同じ意味をさす用語が異なり,同義語が複数ある場合も多いようです.また,同じ用語でもすべての人が同じ意味で使用しているとは限らず,それらをまとめる苦労は計り知れません.本学術用語委員会も大変苦心されたことと思いますが,ここにその成果として素晴らしい用語辞典が誕生したことを心から喜ばしく思います.

　この用語辞典は,歯科関連職種以外の領域の方にも利用できるようになっており,大変有益なものと思います.必ずや多くの方に論文執筆や学会発表の際などに有効に利用していただけると確信しております.数年後には第 3 版を発刊する予定でおりますので,ご意見をいただければ幸いです.

　結びに,本用語辞典の発刊に携わられた方々に深甚なる感謝の意を表します.

2016 年 3 月
一般社団法人日本老年歯科医学会
理事長　　櫻井　薫

第2版　序文

　「高齢社会」「超高齢社会」のみならず，「フレイル（ティ）」「サルコペニア」「ロコモティブシンドローム」など横文字の用語まで，さらには口腔機能や保健機能食品に代表される栄養に関する定義のはっきりしない，いわゆる学術用語があふれている時期に，『老年歯科医学用語辞典』の改訂版（第2版）が発行される運びとなった．

　平成6年（1994年）に日本老年歯科医学会に用語検討委員会ができ，毎号の学会誌に掲載された用語解説をまとめて，平成20年（2008年）に本学会の法人化記念として『老年歯科医学用語辞典』が出版されてから7年が経過した．その間も，日本における高齢化は急速に進み，介護分野のみならず保健・医療分野においても，2025年問題を目前にして，さまざまな対応策がとられているところである．したがって，この分野では日々新たな専門用語が導入され，保健・医療・福祉（介護）の現場においては専門職間のコミュニケーションを図るうえで大きな混乱の元になる可能性すら否定できない．さらに，初版の時には混乱を避けて棚上げしてしまった，「口腔ケア」の問題にも決着をつける必要があった．そこで，2015年度だけでも4回の学術用語委員会を開催し，足りない部分は常時メールによる意見交換を行い，最終段階では理事の先生方より貴重なご意見をいただいた．内容的には，日本歯科医学会および各学会の用語集を参考に，約200語におよぶ新たな専門用語に英文表記と学術的な解説を加え，初版の875語に対して本書は1,000語をはるかに超える，新しい時代に相応しい辞典となった．

　一方，初版の発行時には2,000名台半ばであった学会員は3,100名を上回るほど増加したため，財務には増刷分の予算措置をお願いすることによって，ようやく本会会員へ1冊ずつ寄贈できることになった．学会報告と論文作成のみならず，学会員各位の知識と技術の向上に役立てて頂くとともに，本学会の学術的発展につながることを祈念している．

　奇遇にも初版時と同様，今回の改訂に際しても学術用語委員会を預かった私としては，学術用語委員会のこの上ないメンバーのみならず，歯科医学各分野の重鎮といわれる先生方の協力が得られたことに深謝するとともに，医歯薬出版株式会社関係諸氏に謝意を表したい．

2016年3月
一般社団法人日本老年歯科医学会学術用語委員会
委員長　　眞木　吉信

老年歯科医学用語辞典の発刊に寄せて

　有限責任中間法人日本老年歯科医学会からこのたび『老年歯科医学用語辞典』が発刊される運びとなりました．今回の発刊に至る道程は決して平坦ではありませんでした．学会の発展にともない，多くの会員が学術大会に参加して熱い討論を行うたびに，用語の統一が必要であることを誰しもが強く感じましたが，本学会は基礎から臨床各科のいろいろな分野の会員で構成されており，学際的であるがゆえに用語の問題は深刻でした．特に学会誌では，使用する用語の統一は重要であり，学会誌に掲載された用語は本学会が承認したものと同等の重みをもちます．平成6年（1994年），本学会に用語委員会がつくられ，編集委員会と連絡を取りながら作業が始まりましたが，老年歯科医学はわが国では初めての分野であり，すでに先行使用されていた各用語は混乱していました．学術専門用語は，大多数の方が理解し了承していただけるものでなければ何ら意味がありません．最初の用語委員会は会誌掲載論文から老年歯科医学に関連する用語を抽出する作業から始められ，平成10年になってようやく形をなし，老年歯科医学会誌の巻末に老年歯科医学用語集という形で掲載されました．当時は580語の解説でしたが，委員会業務として着実に継続され，用語委員会と編集委員会の共同作業で平成11年，平成12年と毎年用語を増やし，それらが老年歯科医学会誌に順次掲載されました．
　会員からは好評の雑誌掲載版ではありましたが，老年歯科医学の急速な発展とともに，臨床面だけでなく教育面および研究面においても用語の重要性が認識され，辞典としての出版が切望されました．今，『老年歯科医学用語辞典』を手にできることは，本学会会員のひとりとして大きな喜びです．
　長年にわたり用語の収集から，一語一語の解説に誠心誠意ご尽力いただきました関係者の皆様に心より感謝申し上げます．
　今後，本辞典をより一層充実したものに育てることができるのは，これを座右に置かれる皆様です．気がつかれた点のご指摘や，新しい用語の追補などをいただければ，改訂版へ反映されることと思います．

2008年3月
有限責任中間法人日本老年歯科医学会
理事長　山根　源之

序　文

　老年歯科医学か高齢者歯科医学か，高齢化社会か高齢社会か，臨床分野では口腔乾燥症か口腔乾燥感かなど，老年歯科医学会の学術大会で発表された内容や，学会誌に使用されている学術用語には，幾多のあいまいな言葉と適切とは思えない用語が見られるため，これらの解説と学会誌への掲載論文に適した用語の選択を目的として，1994年9月に組織されたのが老年歯科医学会の用語委員会である．当時は大阪歯科大学の上田　裕教授が委員長で，メンバーは学会誌の編集を担当していた高江洲義矩教授，海野雅浩教授，井上　宏教授の4人体制であった．上田教授は医学部出身ということもあり，老年歯科医学に関する用語の分類で委員会を方向付け，編集委員会のメンバーを包含して，学会誌の掲載論文よりキーワードを収集するという大変な作業から，1998年には580語を8項目に分類して『老年歯科医学用語集』という形で，老年歯科医学会誌に掲載した（12巻3号）．この頃は，社会の高齢化とともに介護保険制度の制定などもあり，保健・医療・福祉分野の用語はめまぐるしく変わると同時に新しい用語が次々と造語されてくるため，1年後の1999年には，選定された用語が900語にのぼる改訂版が掲載された（14巻1号）．さらに2000年には正確を期した増補改訂版が一部用語の解説とともに出された（15巻2号）．この号から学会誌には逐次用語集に選定された用語の解説が掲載されることになった．この間，編集委員長が日本大学松戸歯学部の那須郁夫助教授に交代したが，これまでの方針は変わらず用語の解説は継続され，また，新しい学術用語の収集も繰り返されて，2007年まで掲載された（22巻1号）．

　老年歯科医学は基礎から臨床まで，生命科学から社会科学まで，保健・医療・福祉の幅広い分野にわたる学際的な研究領域であり，学術用語も多岐にわたり，細心の注意を払いながら使用するか，または独自の造語をするか，意外と自由な雰囲気がこれまではあった．そして，エイジングに対するアンチエイジングや生活習慣病に対するメタボリックシンドロームなどまだまだ新しい用語が追加される世界でもある．しかし，医療に加えて介護も予防の時代を迎えた現在，技術中心のタテ割りの専門分野で構成され，老年医学や保健・福祉分野も包含する本学会としては，用語委員会が組織された当初の目的を全うするために，老年歯科医学学術用語の解説・整理と選択の指針を

提示することが急務であると考えた．

　委員会では，これまで老年歯科学会誌に掲載されてきた用語解説をもとに，評議員の先生方よりご意見をいただき，既に掲載された用語の加筆・修正・削除を行った．また，本書のために新規の用語解説も追加した．用語解説のうち，摂食嚥下関係は昭和大学の向井美惠教授，栄養学関係は東京歯科大学の山中すみへ客員教授に検討をいただいた．本書の編纂過程において，ご協力をいただいた関係者には，心より感謝申し上げたい．

　最後に本書が，今後の社会情勢の変化や学術の進歩にともない，さらなる充実がはかられるとともに，老年歯科医学を中心とするさまざまな分野に貢献することを願うものである．

　　　　　　　　　　　　　　　　2008 年 3 月
　　　　　　　　　　　　　　　　日本老年歯科医学会用語検討委員会
　　　　　　　　　　　　　　　　　　　委員長　　眞木　吉信

一般社団法人 日本老年歯科医学会　学術用語委員会

(委員は五十音順)

委 員 長　大神浩一郎	委　員　大久保真衣（幹事兼任）
副委員長　三浦　宏子	委　員　大渡　凡人
担当役員　羽村　　章	委　員　小野　高裕
	委　員　蔵本　千夏
	委　員　阪口　英夫
	委　員　弘中　祥司
	委　員　細矢　哲康
	委　員　山内　智博
	委　員　吉成　伸夫

執筆者一覧 (五十音順)

井上　　宏（大阪歯科大学）	金久　弥生（明海大学保健医療学部）
伊藤加代子（新潟大学医歯学総合病院）	久保田一政（くぼた歯科クリニック）
植田耕一郎（日本大学歯学部）	蔵本　千夏（浅井病院）
潮田　高志（多摩北部医療センター）	阪口　英夫（陵北病院）
梅本　丈二（福岡大学医学部）	櫻井　　薫（東京歯科大学）
枝広あや子（東京都健康長寿医療センター研究所）	佐藤　裕二（昭和大学歯学部）
	下山　和弘（東京医科歯科大学）
大神浩一郎（東京歯科大学）	新庄　文明（保健福祉文化南光基金）
大久保真衣（東京歯科大学）	菅　　武雄（鶴見大学歯学部）
大野　友久（浜松市リハビリテーション病院）	杉原　直樹（東京歯科大学）
	杉山　哲也（東京歯科大学）
大渡　凡人（九州歯科大学）	田中　　彰（日本歯科大学新潟生命歯学部）
小笠原　正（よこすな歯科クリニック）	玉置　勝司（神奈川歯科大学）
小野　高裕（新潟大学大学院）	田村　文誉（日本歯科大学口腔リハビリテーション多摩クリニック）
小原　由紀（東京都健康長寿医療センター）	
柿木　保明（九州歯科大学）	戸原　　玄（東京医科歯科大学大学院）
柏﨑　晴彦（九州大学大学院）	中川　量晴（東京医科歯科大学大学院）

中島　純子（東京歯科大学）
那須　郁夫（日本大学松戸歯学部）
中根　綾子（東京医科歯科大学大学院）
羽村　　章（日本歯科大学生命歯学部）
平野　浩彦（東京都健康長寿医療センター）
弘中　祥司（昭和大学歯学部）
深山　治久（東京医科歯科大学大学院）
細矢　哲康（鶴見大学歯学部）
眞木　吉信（東京歯科大学）
松尾浩一郎（東京医科歯科大学大学院）

三浦　宏子（北海道医療大学歯学部）
山内　智博（がん・感染症センター都立駒込病院）
山根　源之（東京歯科大学）
山根　　瞳（アポロ歯科衛生士専門学校）
吉成　伸夫（松本歯科大学）
米山　武義（米山歯科クリニック）
渡邉　郁馬（アポロ歯科衛生士専門学校）
渡邊　　裕（北海道大学大学院）

凡　例

1. 本書（第3版）は，2016年3月に発行した『老年歯科医学用語辞典第2版』をもとに，それ以降の新規用語約100語を加え，また用語解説の見直しを行い編纂したものであり，一般社団法人日本老年歯科医学会の承認を得たものである．
2. 使用漢字については，最も一般的に使用されているものとしたが，歴史的に正字体が使用されているものについては，正字体とした．
　　例）「蝕」→「蝕」，「嚢」→「囊」，「頬」→「頰」
3. 解説は表現の簡明化をはかり，歯科医学以外の保健・医療・福祉関係者も理解できるような内容とした．
4. 掲載は英語の略称なども含めて，五十音順とした．また，英語の略称の使用頻度が高いと考えられる用語については，略称の項目に解説を付した（例：ADL）．
5. 細菌名のアルファベット表記については，すべてイタリック体とした．
6. 索引として挙げた用語は，見出し語とその英語標記に，本文中の主要な学術用語を加えたものである．
7. 英語標記に関しては，他の表現を否定するものではないが，現状で一般的と思われるものに限定して掲載した．また，わが国独特の用語については，英語標記が確定していないため，用語を直訳し掲載した．
8. 病名などに使用されている人名に関しては，本書が歯科医学のみならず，隣接分野の関係者にも使用されることを考え，原則的にカタカナ表記とした．

あ

RRS あーるあーるえす
rapid response system

院内心停止の発生を防ぐために，事前に患者の変化を発見，介入し，予後を改善するシステム．心停止が起きる患者の多くは，その前に意識，平均動脈圧，脈拍数，呼吸数になんらかの異常所見があるので，集中治療医，看護師，理学療法士などの集中治療専門のチームが適切な処置を行う．そのためには，患者急変の発見，患者急変に対応するチーム，実績の集積とシステムの成果のフィードバック，システムの設置運営の4つの要素が必要とされる．

RSST あーるえすえすてぃー
repetitive saliva swallowing test
➡ 同義語 反復唾液嚥下テスト

IADL あいえーでぃーえる
instrumental activities of daily living

高齢者の日常生活における能力障害を評価する指標のうち，買い物，食事の準備，簡単な家事，洗濯，電話，交通機関の利用，薬の服用，金銭管理など，ADLの障害よりもやや軽い段階での障害を示すための指標．手段的日常生活動作と訳す．高齢者の良好なQOLを達成するためには，リハビリテーションや介護の場面で，ADLで評価する直接身体機能にかかわる身の回りの動作や移動に関する項目に加えて，IADLで評価する生活に関連する動作もあわせて十分に検討することが必要である．

同義語 手段的日常生活動作
関連語 ADL，生活機能

ICF あいしーえふ
international classification of functioning, disability and health
➡ 同義語 国際生活機能分類

ICD-10 あいしーでぃーてん
international classification of diseases

疾病および関連保健問題の国際統計分類のこと．国際疾病分類ともいう．異なる国や地域から異なる時点で集計された死亡や疾病のデータの体系的な記録，分析，解釈および比較を行うため，世界保健機関（WHO）が作成した分類である．ICD-10が長く使用されてきたが，後継のICD-11が2022年2月にWHOにて正式発効したため，日本語版が完成次第，ICD-11が適用される．

関連語 国際生活機能分類

アイヒナーの分類 あいひなーのぶんるい
Eichner's classification

上下顎間の咬合接触状況の分類法の1つで，中心咬合位が上下顎の残存歯によりどの程度安定した状態で支持されているかを評価するもの．上下顎の左右側小臼歯部と大臼歯部を4つの咬合支持域に分けて，それぞれの咬合関係の存在の有無により，A1～A3，B1～B4，C1～C3のグループに分類する．

関連語 咬合支持

悪液質 あくえきしつ
cachexia

基礎疾患により引き起こされる，通常の栄養サポートでは完全に回復することができず，脂肪量の減少の有無にかかわらず，骨格筋の持続的減少を特徴とする多因子性の代謝異常の症候群．明確な診断基準はなく，臨床症状として，成人では体重減少，小児では成長障害が認められ，進行性の機能障害に至る．また食欲不振，炎症，インスリン抵抗性，筋タンパク分解を高頻度に認める．飢餓，加齢による筋肉量の減少や，うつ病，吸収障害や甲状腺機能亢進とは異なる病態である．

同義語 カヘキシア

悪性症候群 あくせいしょうこうぐん
neuroleptic malignant syndrome

抗精神病薬の投与中，または抗パーキンソン病薬の中止や減量など投与量の変更にともない認められる高熱，意識障害，錐体外路症状および発汗や頻脈などを主徴とする症候群．ドーパミン D_2 受容体阻害作用を有する薬剤であれば発症の可能性があるといわれている．抗精神病薬または抗パーキンソン病薬による治療の既往のある患者で原因不明の38℃以上の発熱，筋強直が認められた場合には，本症候群を疑う．

アクティブガイド あくてぃぶがいど
active guide

「健康づくりのための身体活動基準2013」に基づき，実践的な手段を示した「健康づくりのための身体活動指針」のこと．アクティブガイドは1,000歩のウォーキングに相当する運動に要する時間である10分に着目し，「＋10（プラステン）：今より10分多く体を動かそう」をコンセプトとしており，身体活動を増やし運動習慣を確立するための行動変容に役立つ情報提供を図るツールとして策定された．また，年代ごとに運動時間の目標を16～64歳は1日60分，65歳以上は1日40分と定めている．

関連語 健康日本21（第二次）

亜酸化窒素吸入鎮静法 あさんかちっそきゅうにゅうちんせいほう
nitrous oxide inhalation sedation

低濃度の亜酸化窒素（笑気）を鼻マスクから吸入させて，意識を失わせずに不安や緊張を和らげ，歯科治療を円滑に行うことを目的とした鎮静方法．通常は20〜30％の亜酸化窒素を酸素80〜70％とともに専用の吸入器を用いて吸入させる．鎮痛効果は不完全なので，痛みをともなう処置の際には局所麻酔が必要になる．絶対的禁忌はないが，鼻閉を起こしている患者や生体内閉鎖腔のある場合には使用できない．最近では，亜酸化窒素は二酸化炭素，メタンに次いで3番目に地球温暖化への影響が大きい温室効果ガスである，という指摘がある．

関連語▶ 精神鎮静法

アタッチメント　あたっちめんと
attachment

　可撤性義歯の支台装置の1つ．支台歯側に付着する固定部と義歯側に付着する可撤部からなる．両者が嵌合することで義歯の維持が図られる．歯冠外アタッチメント，歯冠内アタッチメント，根面アタッチメント，バーアタッチメント，製作法により自家製アタッチメントと既製アタッチメント，力の伝達特性により緩圧アタッチメントと非緩圧アタッチメントに分類される．

関連語▶ 支台装置

アタッチメントロス
あたっちめんとろす
attachment loss

　歯肉の上皮組織および結合組織による歯面への付着が炎症などにより喪失し，歯肉溝底またはポケット底の位置がセメント-エナメル境から根尖側へ移動すること．歯周組織の喪失を意味し，アタッチメントレベルが増加する．

アテローム硬化　あてろーむこうか
atherosclerosis

➡ 同義語 粥状硬化

アドバンスケアプランニング
あどばんすけあぷらんにんぐ
advance care planning（ACP）

　終末期においても患者の意思や価値観が尊重され，家族が受けるストレスを小さくするために，身体機能が保たれているうちに，今後の治療やケアの方向性と内容について，患者，家族，医療従事者で協議し，共有するプロセス．人生会議ともよばれる．

同義語 ACP，意思決定支援，人生会議
関連語▶ シェアード・ディシジョン・メイキング，DNAR指示

アドヒアランス　あどひあらんす
adherence

　医療行為や薬物療法において，医

師が提供する情報などを患者が理解，合意し，患者自身の意志で実行あるいは服薬すること．コンプライアンスも似たような意味で用いられてきたが，患者が医師の決定に一方的に従う，といったパターナリズムの意味合いをもつ．アドヒアランスが患者中心であるのに対し，コンプライアンスは医療者中心であるといえる．このため，世界保健機構（WHO）は，2001年に，コンプライアンスの代わりに，アドヒアランスを使用するよう推奨した．

関連語▶薬剤コンプライアンス，多剤投与

アフタ性口内炎　あふたせいこうないえん
aphthous stomatitis

口腔粘膜にできる直径数ミリ程度の円形または楕円形の有痛性の潰瘍で，周囲には紅暈とよばれる境界明瞭な紅斑がみられる．1～数個のアフタをともなった発現頻度の高い炎症性の病変である．約10日～2週間ほどで完治するが，再発する場合があり，何度も繰り返しできる場合は再発性アフタ性口内炎とよばれる．好発部位は，おもに口唇粘膜，舌（とくに舌尖部，舌側縁部），頰粘膜で，口蓋，咽頭に発生することもある．原因は，感染，食物アレルギー，自己免疫疾患，遺伝，栄養障害，ホルモン異常，ストレスなどが報告されているが明確にされていない．原因が不明なため根治療法がなく，対症療法が主体で，明らかな誘因があればその除去が必要となる．一般的な治療法は，副腎皮質ステロイド薬の外用が有効である．そのほかには，硝酸銀による腐食，ビタミンB剤投与，抗アレルギー薬の投与も有効とされる．

アポトーシス　あぽとーしす
apoptosis

多細胞生物を構成する細胞の死に方の一種．個体をよりよい状態に保つために積極的に誘導される，管理・調節された細胞の自殺，すなわちプログラムされた細胞死．語源的には「apo（離れて）」と「ptosis（落ちる）」という造語であり，細胞が膨潤し死んでいくネクローシス（necrosis，壊死）の対義語として，1972年にKerrらによって定義された．ネクローシスは，細胞小器官が膨張し，核は比較的保たれつつ，全体が膨化し，細胞融解に至り，偶発的に受動的な細胞死を起こす．これに対してアポトーシスは，遺伝子により制御されて起こり，細胞質や核が凝縮され，全体が縮小して細胞死に至る．

アミロイドβ　あみろいどべーた
amyloid-β

脳内で生成される40個ほどのアミノ酸からなるペプチドで，加齢により蓄積が進む．アルツハイマー病患者の脳では，アミロイドβが過剰に産生されて蓄積して老人斑を形成することにより，神経細胞が死滅して記憶障害を引き起こすという説が有力視されている．

アルツハイマー病　あるつはいまーびょう
Alzheimer's disease

老人斑と神経原線維変化の出現，神経細胞の脱落を特徴とする脳の病的変化による疾患であり，認知症の半数以上を占める．老人斑の主要構成成分はアミロイドβ，神経原線維変化の主要構成成分は，リン酸化された微小管結合タンパク（タウ）である．緩徐に認知機能の低下が進行するが，近時の記憶障害（とくにエピソード記憶）から発症することが多い．記憶障害や見当識障害，実行機能障害などの中核症状はほとんどのケースにみられ，進行とともに強くなる．行動・心理症状では徘徊と妄想（とくに物盗られ妄想）が多くみられる．認知症の進行緩和を目的に，コリンエステラーゼ阻害薬やNMDA受容体拮抗薬などの治療薬がある．中等度以上に進行すると食事や食具を認識できなくなることから食思不振を招くことがあり，視覚的な調整（わかりやすく盛りつける）などの対処方法が推奨される．重度では丸飲みや窒息のリスクが高まるため，食事中の声かけでペース調整を行う．

関連語 認知症

アルマ・アタ宣言　あるま・あたせんげん
Alma Ata declaration

「すべての人々に健康を」を掲げ，1978年に，カザフスタン共和国の旧首都アルマ・アタ（現名アルマトゥイ）にて開催された世界保健機関（WHO）とUNICEFの合同会議において採択された．宣言では，プライマリヘルスケアが人々にとって欠くべからざる必須の基本的な人権であるという認識に基づき，あらゆる国々において政府や公的機関から地域の民間組織に至る多くの機関と住民の参加のもとに，実現可能な方法により，健康増進，疾病予防と医療，リハビリテーションのあらゆる分野の健康確保の取り組みを実現するための方策を提示すべきであるという原則が示された．当初は，これまで医療や保健対策において資源が不足していた，いわゆる発展途上国において「すべての人々に健康を」保障するために，プライマリヘルスケアの開発をもはや待つことのできない課題として示した．しかし，わが国では同年，宣言の趣旨に基づく第1次健康づくり対策が開始され，プラ

イマリヘルスケアの理念は先進国においても重要な課題と認識が広がり，1986年の第1回ヘルスプロモーション国際会議におけるオタワ憲章の採択に結びついている．

関連語 ▶ プライマリヘルスケア

ARONJ あろんじぇ
anti-resorptive agents-related osteonecrosis of the Jaw
➡ **同義語** 骨吸収抑制薬関連顎骨壊死

安静時唾液 あんせいじだえき
resting saliva

味覚や咀嚼などの唾液分泌を促すような刺激がない状態でも，つねに分泌されている少量の唾液のこと．分泌量は精神状態，体位，明るさ，薬物に影響され，また性差や日内変動の存在する可能性がある．安静時唾液量の平均値は約 0.3 mL/分である．

安静時唾液を採取する方法には，患者に肘を膝の上にとどめて前向きの姿勢を維持させ，舌，頬，顎を動かせないようにし，自然に口から唾液が垂れるようにする排液法や，1分間に1～2回唾液を定期的に吐き出す吐出法がある．シルマー試験紙などの濾紙を用いた方法もある．

関連語 ▶ 刺激唾液

安楽死 あんらくし
euthanasia, mercy killing

不治の病に冒されてその病苦が強く，かつ救命回復の見込みのない死期の迫った病人が，そのことを知らされたうえで，十分な考慮に基づいた本人の明確な希望により，医師そのほかの者が薬物などを使ってできるだけ苦痛のない方法で死なせること．

実施する方法が本人の生命を短縮する（積極的安楽死）ときは，刑法上の殺人罪または嘱託殺人罪の要件に該当するとされている．

一方，医療処置を講じても病人の死期をわずかしか延長できず，それが単に苦痛を与えるにすぎないとき，生命維持のための処置を講じない場合（消極的安楽死）や，このときモルヒネなどを死の苦しみを緩和するために用いる場合（間接的安楽死）があるが，これらの行為自体は生命を短縮しない．この場合でも当然本人の同意が必要であり，ときには意思確認に無理がある場合や死期の予測が困難な場合などもあって論議をよぶことがある．

スイスでは1942年に，オランダでは2001年にいわゆる安楽死が合法化され，その後ベルギー，ルクセンブルク，米国のいくつかの州，アジアでは，台湾，韓国など，法的対応を開始した国，地域が出現している．

関連語 尊厳死

い

EEG いーいーじー
electroencephalogram
→ 同義語 脳波

EMG いーえむじー
electromyogram
→ 同義語 筋電図

eGFR いーじーえふあーる
estimated glomerular filtration rate

　GFR（糸球体濾過量）は，腎糸球体で血液中の物質が濾過される速度をいうが，これを血清クレアチニンから推算したもの．腎機能を表す指標であり，慢性腎臓病（CKD）の重症度分類に用いられる．たとえば，CKDはeGFR＜60をいう（単位はmL／分／1.73 m^2）．わが国における算出式はeGFR＝194×（血清クレアチニン，単位：mg/dL）$^{-1.094}$×年齢$^{-0.287}$（女性：×0.739）である．
同義語 推算糸球体濾過量
関連語 クレアチニン

ECG いーしーじー
electrocardiogram
→ 同義語 心電図

EAT-10 いーとてん
The 10-item Eating Assessment Tool

　問診票を用いて嚥下機能を簡単に評価するためのツールの1つ．飲み込みの問題により体重減少や外出が妨げられるか，飲み込みが苦痛か，さらには液体や固形物，錠剤を飲み込むときに努力が必要かなどを4段階10項目で評価する．合計点は40点であり，誤嚥の検出をする場合は3点以上を用いるとよいとされる．嚥下の効率や安全性に問題があるかを測るもので妥当性と信頼性は検証されているが，飲み込むことに対してどのような問題を抱えているかという設問が多いために，現在経口摂取をしていない対象への質問には向かない．

医学的リハビリテーション
いがくてきりはびりてーしょん
medical rehabilitation

　疾病の治療と並行して患者の心身機能の向上と維持を目的として行われるリハビリテーションの対象となる障害者にはいくつかの問題が重複して存在し，リハビリテーションもその領域に応じて，医学的リハビリテーション，教育的リハビリテーション，職業的リハビリテーションおよび社会的リハビリテーションの4つに分けられる．医学的リハビリ

テーションはほかの分野に先立って，障害の発生とともに疾病の治療と並行して患者の心身機能の向上と維持を目的として行われるものである．アプローチとしては機能障害の回復，能力低下の予防あるいは能力の再獲得のために，内科的・外科的治療をはじめ，理学療法，作業療法，言語聴覚療法などが総合的に行われる．高齢者の自立支援においては，口から物を食べるという食生活面での機能回復は重要な位置を占める．口腔領域の治療や口腔衛生の管理をリハビリテーションの一環として行うことによって，単に生命を維持するだけでなく，高齢者の人間性の維持，回復，さらにはQOLを高めることにもつながる．

関連語 リハビリテーション

胃管 いかん
gastric tube

経管栄養法に用いるチューブのうち，先端部を胃内に留置するもの．ポリ塩化ビニルやポリウレタン，シリコーン製などがある．鼻から挿入する場合は，経鼻胃管，経鼻栄養チューブ，マーゲンゾンデ，経鼻カテーテル，NGチューブなどとよばれる．

関連語 経管栄養法

易感染性患者 いかんせんせいかんじゃ
compromised patient

病原微生物の生体内への侵入や感染を防ぐ感染防御機構が低下し，容易に感染症が成立する病態の患者．感染症は，病原体の感染力に関する因子と，生体の感受性や免疫などに関する因子との相互作用で成立する．したがって，生体の抵抗力が低下すると，病原体側の因子が弱くても容易に感染する．副腎皮質ステロイド薬使用者，気管切開後の患者，高齢者などがこれにあたる．そのため，歯科治療においても十分配慮する必要がある．

生きがい いきがい
purpose in life, reason for living, Ikigai

人が生きていくために必要な，生きている甲斐がある，あるいは生きている喜びがあると感じること．たとえば，本来あるべきにもかかわらずそれまで欠乏していた，食物，自由，愛が満たされ夢や希望がかなったときや，小さな発明，発見であっても工夫や努力の積み重ねにより新しいものをつくりだせたり，みつけられたりしたとき，個人の利害を超えて，他者の役に立ったと確かめられたときなどに感じられるとされる．高齢者にとっては，元気であることすなわち健康とともに，生き生

きしていること，すなわち生きがいは大いなる関心事である．ある者にとってなにが生きがいとなるかは個人的な事柄で千差万別であり，また，他人に強制されたり判断されたりされるものではないのは当然である．そのため，国の施策においても，老人クラブなどの社会活動においては地域性が尊ばれるようになり，高齢者個人の経験や知識，技能を生かした，いわゆる高齢者の生きがい就労支援事業が全国各地で試みられている．

関連語 ▶ QOL

息こらえ嚥下　いきこらええんげ
supraglottic swallow

早期の咽頭への垂れ込み，または喉頭蓋による喉頭口の閉鎖不全により，嚥下中またはその直前に誤嚥を生じるケースに有効な代償的およびリハビリテーション的な手技・方法．嚥下前に息止めを指示し，声帯閉鎖をさせることにより，喉頭内への食物の侵入があっても気管内への侵入を阻止することで誤嚥を回避する．嚥下中の誤嚥の予防と気管に入り込んだ飲食物を喀出する効果もある．指示内容としては，嚥下前に少量の吸気を指示し，嚥下後に「ハー」と呼気を促すことが有効とされている．効果が得られない場合にはビデオ嚥下造影検査（VF）で確認し，ほかの手技と併用などの工夫が必要である．

移行義歯　いこうぎし
transitional denture

比較的早期に残存歯の抜去とそれにともなう義歯の新製が見込まれるが，一度に抜歯せずに，徐々に抜歯し，その部位に増歯増床を行い，円滑に最終義歯への移行が行えるように配慮した義歯のこと．適応能力の低下している高齢者の補綴治療には有効である．

意識障害　いしきしょうがい
disturbance of consciousness

なんらかの原因で意識（自身と周囲を明確に認識できる状態）が障害されること．傾眠，昏迷，半昏睡，昏睡の4種類に分けられる．傾眠とは，放置しておけば眠ってしまうが，よびかけなどの軽度の刺激でも覚醒する状態で，応答や行動は散漫である．昏迷は，意識は保たれているが，外界の刺激にまったく反応せず精神活動が停止してしまっているかのようにみえる状態．半昏睡とは疼痛刺激にのみ反応し，腱反射，角膜反射などの各種の反射は障害される状態．昏睡とは音や疼痛刺激に対してまったく反応しない状態である．

意思決定支援 いしけっていしえん
patient decision support system

➡ 同義語 アドバンスケアプランニング

維持歯 いじし
abutment tooth

➡ 同義語 支台歯

萎縮性胃炎 いしゅくせいいえん
atrophic gastritis

　胃粘膜に長期間にわたって炎症が生じることで，粘膜の破壊と修復が繰り返され胃粘膜が薄くなった状態．持続する上腹部の不快感，疼痛，膨満感などの症状がみられ，食直後に強くなる傾向がある．萎縮性胃炎にともなう内因子欠乏によるビタミンB_{12}吸収障害により悪性貧血がみられる．萎縮性胃炎の組織像では炎症性変化が粘膜全層に及び，固有胃腺は減少，消失し，上皮の萎縮が認められ，リンパ球浸潤が増加する．萎縮性胃炎の胃粘膜の多くには*Helicobacter pylori*が存在し，原因の1つとされている．

萎縮性舌炎 いしゅくせいぜつえん
atrophic glossitis

　舌乳頭の萎縮のため舌表面が平滑となり，舌苔が形成されないため舌は赤くみえる．発赤や腫脹，疼痛をともなう場合もあり，摂食障害を引き起こす．強い灼熱感を呈したり，潰瘍形成がみられる場合もある．鉄欠乏性貧血，悪性貧血，シェーグレン症候群などに併発し，鉄欠乏性貧血にともなう場合はプランマー・ビンソン症候群の一症状として出現し，悪性貧血にともなう場合はハンター舌炎とよばれる．

関連語 ➡ 舌炎

異食（症） いしょく（しょう）
pica

　栄養的に価値がなく，通常，食物として摂取することのない，紙，土，ゴムなどを食べること．精神障害（自閉スペクトラム症，知的能力障害，統合失調症など）の患者にしばしば併発する．ある種の寄生虫症，貧血，認知症などが背景となっても発症する．異食があった場合，窒息や中毒への対応が必要となるため，なにを食べたか必ず確認する．

一次医療 いちじいりょう
primary medical care

　地域の医療機関（かかりつけ医）で最初に提供される総合的・包括的な医療．通常の疾病や外傷の治療に加えて，疾患予防や健康管理など，さらに日常生活に密着した地域における保健医療を提供する．患者の疾病・障害などの状況により，専門的な医療機能をもつ医療機関との連携を行う．

関連語 医療圏，二次医療，三次医療

一次予防　いちじよぼう
primary prevention

　疾病になる前のいわゆる予防のこと．一般に疾病の予防とは，疾病の発生に対立する概念であり，発病を未然に防ぐことをさすが，疾病の自然史の観点からは，疾病の治療と回復，社会復帰も含めた概念を予防と考えることができる．この考えでは，狭義の予防を一次予防と名づけ，治療を二次予防，リハビリテーションは三次予防としている（Leavel and Clark）．

　一次予防はさらにその内容を健康な人々に対する健康教育，栄養指導，生活習慣の改善，定期健康診断などの一般的な健康増進対策と，特定の疾病予防を目的とした予防接種，個人衛生，生活改善などの特異的予防対策に分けている．

同義語 第一次予防
関連語 二次予防，三次予防

一次予防事業対象者
いちじよぼうじぎょうたいしょうしゃ
subjects with primary prevention for long-term care

　介護保険の第1号被保険者を対象にした生活機能の維持または向上を図るための事業への参加者であり，主として健康な高齢者が該当する．以前は一般高齢者施策対象者といわれていたが，介護予防においても疾病予防の考え方を導入し，現在の呼称となった．生活機能の維持や向上に向けた一次予防事業にて，介護予防の基本的な知識の普及を図るとともに，地域への積極的な参加やボランティアの育成などを支援している．

関連語 介護予防

一般病床　いっぱんびょうしょう
beds for general patients

　疾患や外傷などで入院するなど，病状が変化する可能性の高い急性期の患者を対象とする病床のこと．医療法により，病床は①結核病床，②精神病床，③感染症病床，④一般病床，⑤療養病床の5つに分類される．一般病床は二次医療圏で病床数が規定される．全体の病床数のなかで一般病床は約89万床を占め，もっとも多い．

関連語 療養病床，医療法

移動歯科診療車
いどうしかしんりょうしゃ
mobile dental clinic, mobile dental van

➡ **同義語** 歯科診療車

異味症　いみしょう
heterogeusia

味覚障害の1つで，本来の味をほかの味に感じること．そのほかの味覚障害には，口のなかでいつも味がする自発性異常味覚，すべての味をいやな味に感じる悪味症，甘味だけ，あるいは塩味だけなどの特定の味覚だけわからない解離性味覚障害，まったく味を感じない無味症（味覚消失）などがある．味覚障害の原因は，薬剤の副作用の頻度が高い．次いで亜鉛の欠乏，心因性，口腔疾患，風邪などであり，そのほか，舌炎，糖尿病，甲状腺疾患，高血圧，ビタミンB_2やビタミンAの欠乏，胃・十二指腸潰瘍，肝臓病，腎臓病，唾液分泌障害，放射線障害，脳腫瘍，脳出血，頭部外傷，顔面神経麻痺，中耳炎や中耳の手術などでも起こる．

医療　いりょう
medical services, medical care

医学の知識をもった専門職（医師）が診療所や病院などにおいて，診断に基づき，器械・器具や設備，薬物などを用いて，専門的手法・技術により病気を治療すること．現代社会では，社会保障の一分野として位置づけられ，わが国では国民全員が医療保険制度のもとで医療の提供を受けることができる．

医療法に医療提供の理念が示され，国民が安心・信頼して質の高い医療を受けるために，これまでに医療に対する情報提供，医療機能の分化・連携，医師不足への対応，医療安全の確保，医療従事者の質の向上が進められてきた．しかし，社会保障制度は医療のみで成り立つものではなく，制度持続のために，病院・病床機能の分化・強化，在宅医療の推進，医師確保対策，チーム医療の推進が実施されつつある．

さらに，地域包括ケアシステム構築と相まって，今後，高齢者に対する医療提供は，高齢者の住居，生活支援，介護と連携しながら進められる．

医療介護総合確保推進法
いりょうかいごそうごうかくほすいしんほう
act concerning the promotion of community healthcare and caregiving

正式名称は「地域における医療及び介護の総合的な確保を推進するための関係法律の整備等に関する法律」．高齢化がさらに進行するなかで，医療・介護提供体制の枠組みの再構築や，医療・介護を対象とした新たな税制支援制度の確立，地域包括ケアシステムの体制構築などを行い，地域における医療と介護の総合的な確保を推進することを目的として，2014年に制定された．医療介護総合確保推進法は，医療法や介護

保険法などのいくつかの関連法の一部改正から構成されている．

関連語 地域医療構想

医療計画　いりょうけいかく
hospital and health planning

医療法に基づき，都道府県が医療圏の範囲や医療圏ごとの基準病床数を定めた計画のこと．第5次医療法改正によって，疾病構造の変化や医療の確保といった地域課題に対応するため5疾病・5事業および在宅医療について，都道府県における医療計画の作成と推進が求められた．歯科口腔保健の推進に関する法律との連携も明記された．なお，歯科保健医療の充実が，在宅で療養する患者が質の高い生活を送るうえで重要な役割を果たすことなどから，在宅歯科医療の提供など患者の歯科口腔保健を推進する体制についても明示することが定められた．

関連語 5疾病・5事業，医療法

医療圏　いりょうけん
medical care zone, medical service area, medical care area

日本の地域医療において医療提供の体制を整備する単位．都道府県ごとに一次，二次，三次の医療圏を設定している．一次医療圏は，日常的な医療サービスが充足できる圏域で，ほぼ市町村を単位とする．二次医療圏は，総合病院，救急医療など専門的な医療サービスが充足できる圏域で，中核病院や保健所を単位とする．医療計画で設定された二次医療圏は，全国で335圏域である（2020年）．三次医療圏は，がんセンター，脳外科などの高度専門医療が充足できる圏域で，北海道（6つ設定）を除いて各都道府県とも1医療圏である．

関連語 一次医療，二次医療，三次医療

医療事故　いりょうじこ
medical accident

医療にかかわる場所で，医療者の過失・過誤の有無を問わず，医療の全過程において発生するすべての人身事故．患者に身体的，精神的被害が生じた場合だけでなく，医療行為とは直接関係のないところで起きた事故や，医療者が被害を受けた場合も含まれる．医療者が注意を怠って患者に被害が及ぶ医療過誤は医療事故の一類型とされる．医療事故を防止するため，各施設は医療事故を防止する委員会を設置し，事故防止マニュアルを作成するなど予防に努めることが求められている．

医療ソーシャルワーカー　いりょうそーしゃるわーかー
medical social worker (MSW)

保健医療機関において，社会福祉

の立場から患者やその家族の抱える経済的・心理的・社会的問題の解決・調整を援助し，社会復帰の促進を図る業務を行う職種．具体的な業務範囲として，入院している患者の退院支援や社会保障の案内や説明，医師の診療業務の補助などがある．厚生労働省が定める医療ソーシャルワーカー業務指針には下記内容が定められている．①療養中の心理的・社会的問題の解決，調整援助，②退院援助，③社会復帰援助，④受診・受療援助，⑤経済的問題の解決，調整援助，⑥地域活動．

医療費適正化計画
いりょうひてきせいかけいかく

medical care expenditure regulation plan

　国民の高齢期における適切な医療の確保を図る観点から，国と都道府県が包括的に医療構造改革を進めるための計画．根拠法は「高齢者の医療の確保に関する法律」であり，2008年度より開始されている．医療費だけに特化した計画ではなく，既存の3計画（医療計画，健康増進計画，介護保険事業支援計画）の改正・追加を含めて，これまで第一期・第二期医療費適正化計画が実施されてきた．2018年度からは第三期医療費適正化計画が開始され，住民の健康増進に関する目標や医療の効率的な提供の推進に関する目標値などが定められている．

関連語 高齢者医療確保法

医療法
いりょうほう

medical care act

　医療を提供する体制の確保を図り，国民の健康の保持に寄与することを目的とし，医療提供の理念を規定するとともに，病院，診療所などの医療提供施設の開設，管理や整備，推進に関する事項を定めた法律．医療提供の理念においては，生命の尊重と個人の尊厳の保持を旨とし，提供される医療は医療の担い手と医療を受ける者との信頼関係に基づいた良質かつ適切なものでなければならず，医療提供の場所にかかわらず効率的に提供されなければならないとしている．この理念に基づく，国および地方公共団体の責務についても定められている．

　わが国の医療提供の場となる医療機関の種類と定義について，病院，診療所，介護老人保健施設，助産所などについて定めるとともに，これらの医療機関の開設（休止，廃止），および医療機関の管理について根本を規定している．さらに，医療機関の人員，施設設備の条項とこれらに対する指導監督に関する条項により，わが国の医療水準の維持・推進に寄与する法律でもある．

そのほか，地域における医療計画を作成し，医療資源の偏在の解消と医療施設間の連携を図ることや，公的医療機関の設置，医療法人制度および医業などの広告の制限および診療科名の制限などについて規定している．2022年2月に，医師の長時間労働には適切に対応すべきであることが追加された．

関連語 医療計画，医療連携，5疾病・5事業

医療保険　いりょうほけん
medical insurance,
medical expense insurance,
medical treatment insurance,
medical care insurance

疾病，死亡，出産などの事故による短期的な経済的損失について保険給付をする制度．わが国での公的医療保険は，受けた医療にかかった費用を被保険者に給付する「現金給付」の方式ではなく，医療そのものを給付する「現物給付」の方式をとっている．かかった費用はあとから保険者が医療機関に支払う．

医療保険は大きく被用者保険と地域保険に分類され，被用者保険には全国健康保険協会管掌健康保険，組合管掌健康保険，国家公務員，地方公務員，私立学校教職員の各共済組合があり，地域保険としては退職者や自営業者らを対象とする国民健康保険がある．被用者のための医療保険では，被保険者である被用者本人だけでなく，その者の扶養する被扶養者についても給付が行われる．このほか，医療保険各制度の拠出金と公費を財源に都道府県を単位とした広域連合が運営する後期高齢者医療制度，被用者保険からの拠出金を主財源に国民健康保険の一部門（国の承認により組合管掌保険も実施）として運営される退職者医療制度がある．

関連語 国民健康保険，被用者保険

医療連携　いりょうれんけい
medical cooperation

地域の医療機関がみずからの施設の機能や規模，特色，地域の医療の状況に応じて医療の機能分担と専門化を進め，各々の地域のニーズに見合った地域完結型医療を提供するための一連の取り組みのこと．具体的には，診療所と病院の連携（病診連携）を含め，各医療機関や健診機関などが相互に円滑な連携を図り，各々の医療機関の有する機能を効果的につなげることにより，継続性のある適切な医療を地域レベルで提供する．医療法で定められている地域医療支援病院では地域医療連携室を設置し，地域医療連携を推進している．

関連語 医療法，地域医療支援病院

イレウス いれうす
ileus

　腸管麻痺によって腸管蠕動が低下した状態．イレウスには機械的イレウスと機能的イレウスがある．機械的イレウスには，腹部手術後の腸癒着や悪性腫瘍などによる閉塞性イレウスと，腸管がねじれて血流障害が生じる絞扼性イレウスがある．機能的イレウスには，支配神経の異常による麻痺性イレウスと，腸管の不規則な蠕動亢進による痙攣性イレウスがある．腸管の通過障害が生じ，嘔吐や腹痛，便やガスが出にくくなるなどの症状があり，基本的に入院加療が必要となる．若年者に比べると高齢者は悪性腫瘍を含めたさまざまな疾患に罹患しやすいので，イレウスを発症するリスクも大きくなる．

胃瘻 いろう
gastrostomy, gastric fistula, gastrostomia

　腸管栄養による経管栄養法で，経口摂取が困難な状態の患者に対する人工的水分栄養補給法（artificial hydration and nutrition：AHN）の1つ．胃壁を切開して瘻孔を形成し，栄養チューブを介して栄養剤や水分を直接胃に送り込むことで栄養を摂取させる．AHNとしては比較的安全で有効な方法であるが，患者本人の意思との乖離やQOLの観点から議論されることが多くなっている．

関連語 胃瘻造設術，PEG

胃瘻造設術 いろうぞうせつじゅつ
gastrostomy

　胃瘻をつくるための術式．現在ではPEG（経皮内視鏡的胃瘻造設術）が主流となっている．胃壁，皮下組織，皮膚を貫通させた瘻孔を形成し，カテーテルを固定する．胃内固定はバルーン型とバンパー型が，体外固定はボタン型とチューブ型がある．これらは定期的な交換が必要である．

関連語 胃瘻，PEG

印象材 いんしょうざい
impression material

　口腔内の形態や模型など，再現したい対象物の陰型を採得する材料のこと．口腔内で使用する印象材に望まれる性質は，生体為害性がなく，患者に不快感を与えず，印象精度が高く，操作性がよいことなどである．印象材は硬化後の弾性の有無により弾性印象材と非弾性印象材に分類される．弾性印象材は寒天印象材，アルジネート印象材，ゴム質印象材，アクリル系機能印象材であり，非弾性印象材はインプレッションコンパウンド，ワックス印象材，酸化亜鉛ユージノール印象材，印象用石膏である．

印象採得 いんしょうさいとく
impression taking

　口腔内や顔面などの形態を再現するためにその陰型を製作する操作のこと．採得した陰型に模型材を流し込んで模型を製作する．正確な診断や精度の高い治療のためには適正な模型製作が必須である．そのためには正確な印象採得が必要である．印象の対象物の状態や印象採得の目的により，印象材および印象術式が選択される．研究用模型を製作するために行う印象は概形印象とよばれ，既製トレーとアルジネート印象材が用いられることが多い．作業用模型を製作するために行う印象は，最終印象，精密印象とよばれる．またほかに口腔内スキャナーで形状計測を行う方法（光学印象法）も用いられている．

咽頭ケア いんとうけあ
pharynx care

　咽頭粘膜の清拭，貯留している痰の除去また嚥下反射を誘発させるなど，咽頭への刺激を与えるケアのこと．咽頭粘膜を刺激することで摂食嚥下や発音などの機能の維持や回復に役立つ．口腔衛生管理を徹底することで咽頭部の細菌数が経時的に減少する．咽頭ケアを行う際は食事前あるいは食事と食事の間に行い，食後すぐのケアは避けるべきである．

院内感染 いんないかんせん
hospital infection

　病院などの医療機関で新たに病原体に感染すること．入院あるいは通院する高齢者は感染に対する抵抗力が弱い場合が多く（易感染性），通常では発症しにくい日和見感染による感染症が問題になる．

　経路と臓器ごとにみると，口腔や鼻腔から気道を通じて感染する呼吸器感染，尿道カテーテル使用による尿路感染，そのほか各種カテーテルによる菌血症や敗血症，褥瘡や術瘡などの皮膚・粘膜感染などがある．

　とくに多剤耐性菌による感染が院内感染問題を深刻にしている．これらのうち高頻度で報告されるのは，緑膿菌，黄色ブドウ球菌によるものである．多剤耐性菌による感染は，本質的に治療が困難であり，それゆえ医療側の毎日の徹底した予防対策の実施がもっとも大切である．最近では病院のみならず，高齢者が集団で生活している老人ホームなどの施設でも，インフルエンザやレジオネラによる集団的な感染による死亡例が報告されており，高齢者が利用する施設内においても施設内感染に対する十分な予防策が実施されるべきである．

関連語 ▶ 交叉感染

インフォームドコンセント
いんふぉーむどこんせんと
informed consent

患者が治療を受けるにあたって，その内容，目的，効果などについて十分な説明を受け，理解したうえで自発的に同意をすることで，医療における患者の自己決定権を実現し，その利益を保護するための過程．基本的には，医師が患者の病状，予想される予後，適応のある治療方法，治療方針，成功率，不確実性，診療行為にともなう副作用や合併症などを患者に説明し，患者がそれらを十分に理解したうえで，みずからの価値観や希望に沿った決定を下す過程である．また医師，歯科医師は，最善と考える治療方法を推奨するほかに，代替案の提示も行わなくてはならないとされる．さらに患者が決定を下す際に，外部からの強制や不当な介入がないことが条件となる．インフォームドコンセントの取得が治療方針決定に際して例外的に必要ないとされる状況として，患者が緊急な医学的処置を必要とする場合，患者に十分な判断能力がなく自己決定を下せない場合，患者が自己決定や詳細な説明を希望しない場合，さらに患者に対する説明が非常に高い確率で患者に害を与えると予想される場合がある．戦時中の非人道的な人体実験に対する反省から，臨床試験や医学研究に関するニュルンベルグの倫理綱領（1947年）や世界医師会総会のヘルシンキ宣言（1964年）に記されたもので，新薬の開発などに協力する場合にも規定が設けられている．

関連語 ▶ シェアード・ディシジョン・メイキング

インプラント いんぷらんと
implant

生体組織の欠如部を補塡するために，生体材料あるいは非生体材料を移植または嵌植する形成術，またはそれらの移植物，嵌植物の総称．う蝕や歯周病，外傷などで失われた天然歯の代わりとなるものを顎骨に嵌植することやその構造を歯科インプラント（dental implant）といい，粘膜を穿通して口腔内に露出した部分に，歯冠に相当する上部構造を連結させて，機能や審美性の回復を図る．

インプラント義歯 いんぷらんとぎし
implant denture

補綴装置の維持，支持および安定のために歯科インプラントを応用した義歯．一歯相当分の非可撤性補綴装置から可撤性の全部床義歯や顎顔面義歯まですべてのインプラント上部構造をさす．通常，義歯とはブリッジや可撤性義歯（部分床義歯，全部床義歯）などをさすが，インプラン

トはもともと欠如部位に応用するケースが多いため，上部構造として歯冠補綴装置を設計する場合もインプラント義歯とよぶ．インプラント体と上部構造との連結方法には，固定式，術者可撤式，患者可撤式の3種類がある．

インプラント周囲炎
いんぷらんとしゅういえん

periimplantitis

歯科インプラント周囲組織に生じる，口腔内常在菌の感染による炎症性病変．炎症の波及がインプラント周囲の粘膜にとどまらず，周囲の歯槽骨に明らかな吸収や変化が起きている状態であり，進行するとインプラントの脱落につながる．インプラント周囲組織の状態により，機械的なプラーク・歯石の除去，化学的洗浄，局所的・全身的な抗菌薬の投与，外科療法，インプラントの除去などの治療を行う．

インフルエンザ　いんふるえんざ

influenza

インフルエンザウイルスにより引き起こされる急性感染症のこと．冬期に多く，一般に経口・経鼻で呼吸器系に感染する．感染してから1～2日で発症し，症状は急速に出現する悪寒，発熱，全身倦怠感，筋肉痛で上気道炎をともなう．胃腸症状をともなう場合もある．抗ウイルス薬もあるが，高齢者は発熱に気づかず肺炎を併発することもあるので，ワクチンを接種しておくことが望ましい．

ウェクスラー式知能検査法（成人用）
うぇくすらーしきちのうけんさほう（せいじんよう）

Wechsler Adult Intelligence Scale (WAIS)

成人における個別的知的障害の有無を測定するための検査法．対象年齢ごとの平均得点で除してIQで表す．言語性検査と動作性検査から構成される下位検査があり，前者には，知識，理解，計数，類似，数唱，単語の各項目，後者には，絵画完成，絵画配列，積木模様，組み合わせ符号の各項目がある．これらの下位検査による回答のひずみや得点の特徴から，障害されている機能とその程度を把握する．本検査には，ほかに児童版のWISC（Wechsler Intelligence Scale for Children），幼児用のWPPSI（Wechsler Preschool and Primary Scale of Intelligence）があり，年齢層に応じて検査する．

ウェルナー症候群
うぇるなーしょうこうぐん

Werner syndrome

早老症候群の1つで，常染色体劣性の遺伝性疾患である．その90％以上にWRN遺伝子の変異が存在する．10歳までは正常に経過するが，思春期以降に発症し，白髪，禿頭，白内障，びまん性動脈硬化，骨粗鬆症，統合失調症，2型糖尿病，悪性腫瘍などをともなう．ほとんどが50歳までに死亡する．わが国で約2,000症例が報告されているが，これは世界の患者の6割を占めている．

関連語 早老症

ウェルビーイング　うぇるびーいんぐ
well-being

世界保健機関（WHO）憲章の前文に示された健康の定義「健康とは身体的・精神的および社会的に良好な状態（well-being）であって，単に病気ではないとか，虚弱ではないということではない」のなかで用いられた概念．その後，単独で用いられることがあり，人間として本来あるべき良好な状態を表す．国際ソーシャルワーカー連盟のソーシャルワークの定義においても用いられ，福利と訳されている．

う蝕症　うしょくしょう
dental caries, tooth decay

歯の硬組織の脱灰と有機性基質の崩壊をともなう口腔内細菌による感染症のこと．歯質がバイオフィルム中の細菌が産生する酸に長時間さらされると，エナメル質の脱灰と再石灰化のバランスが崩れ脱灰が進む．その後，有機性基質も細菌のタンパク分解酵素により崩壊し，う窩が形成される．大きな実質欠損がなくても歯髄炎を併発することがあり，また無髄歯になっても罹患する．高齢者では修復物のマージンに生じる二次う蝕やクラウンのなかのみえない部分でのう蝕も問題になる．また歯周ポケット内も含め歯根面う蝕や，バイオフィルムの付着しやすいクラスプの支台歯のう蝕も多い．薬物の服用や加齢による唾液の分泌不足，ADLの低下による口腔清掃自立度の低下も高齢者にとってはう蝕発生の大きな要因になる．歯周病とならび，歯科の二大疾患の1つである．

う蝕病原菌　うしょくびょうげんきん
cariogenic bacteria

う蝕の発病と進行に関係する菌．う蝕は多因子性疾患であり，原因菌も1種類ではなく，多種の口腔内常在菌が関与している．種々の酸産生菌が関与しているが，エナメル質（小窩裂溝，平滑面），象牙質，セメント質（歯根面）のどの部位をとってももっとも優勢なのは*Streptococcus mutans*や*S.sobrinus*のような

Mutans streptococci である．Mutans streptococci は菌体表面のタンパク質抗原で歯面に付着し，次いでショ糖から菌体外に不溶性グルカンを形成し，バイオフィルムとして歯面に強固に付着し，酸を産生する．小窩裂溝では付着能のない菌も定着できるので，乳酸桿菌や放線菌群も定着し酸を産生して病原性を発揮する．象牙質う蝕では Mutans streptococci のほかに，乳酸桿菌や放線菌群も検出される．セメント質（歯根面）う蝕でも Mutans streptococci が多いが S.sanguinis や Actinomyces naeslundii や乳酸桿菌も多い．①歯面に付着し増殖する，②酸産生能があり，かつ耐酸性である，③菌体内貯蔵多糖の形成能があり持続的に酸を産生できる，などがう蝕病原菌として必要な性質である．

う蝕誘発性食品
うしょくゆうはつせいしょくひん

cariogenic potential food

う蝕の発病と進行を促進する性質をもつ食品．糖質の摂取はう蝕の発病と密接に関係するが，どの糖でも同じというわけではなく，また摂取する状態も影響する．糖質のなかでもでん粉や乳糖に比べ，ショ糖，ブドウ糖，果糖は細菌が利用しやすい糖質で，う蝕の発生頻度も高い．単に含有量だけでなく，粘着性や停滞性など物理的性質も発病に関係し，同じショ糖が使われていても，トフィー，キャラメル，ウエハースなど歯に付着しやすい食品はう蝕を誘発しやすい．

うつ病
うつびょう

depression

日常生活に支障をきたすほどの抑うつ状態となる疾患．DSM-5 による大うつ病の診断基準は，①抑うつ気分，②興味・喜びの著しい減退，③食欲減退または増加，体重の減少または増加，④不眠または睡眠過多，⑤精神運動制止または焦燥，⑥疲労感または気力減退，⑦罪責感または無価値感，⑧思考力・集中力の低下，決断困難，⑨死についての反復思考，自殺念慮または自殺企画の 9 つのうち 5 つ以上（①または②の症状を含む）の症状が過去 2 週間以上にわたってほとんど毎日，ほとんど 1 日中続いており，病前の機能から変化を起こしており，臨床的に著しい苦痛，または社会的，職業的，そのほかの重要領域における機能障害があるとなっている．老年期うつ病と認知症の鑑別はしばしば容易ではない．

うつ病自己評価尺度
うつびょうじこひょうかしゃくど

center for epidemiologic studies depression scale（CES-D）

うつ病の発見を目的として，米国国立精神保健研究所（NIMH）により開発された，有用性が高く，世界中で普及しているうつ病の自己評価尺度．質問項目は20問で，過去1週間における症状の頻度を問い，「ない」「1～2日」「3～4日」「5日以上」の4つの選択肢から回答する．16点以上でうつ状態もしくはうつ病が疑われる．自記式の検査であるが，高齢者では面接者が質問項目を読み上げて評価することもある．

同義語 CES-D

運動療法　うんどうりょうほう
functional therapy

運動を治療法として用い，症状の軽減や機能の回復をめざす療法のこと．その目的には関節可動域の改善，筋力増強，心肺機能の改善，脂質・糖代謝改善，減量，転倒・けがの防止，ストレス解消などが含まれる．効果を得やすくするためには，運動の種類，強度，継続時間，実施頻度，時間帯などを考慮するとよい．

関連語 理学療法

え

鋭縁（歯の）　えいえん（はの）
sharpened edge of tooth

天然歯および修復歯，補綴歯において鋭利になった部位．その原因は硬固物の嗜好や夜間睡眠時のブラキシズムによる歯質の咬耗，破折や修復物の脱離，歯の内部でのう蝕の進行にともなう表層歯質の陥没や歯根部付近での破折などである．高齢者では，全身的な健康状態の問題から口腔衛生状態が不十分になった場合に口腔内に残根状態とともに，上記のような鋭部が発生する場合がある．意識レベルの低い高齢者などの場合，歯の鋭縁の長期放置による口腔がんの発症に注意する．対処法は鋭部と擦過する頬や舌の状況を確認し，回転切削器具を用いて，当該部位の削除と研磨を慎重に行う．

AIDS　えいず
acquired immunodeficiency syndrome

HIV（human immunodeficiency virus）の感染症が進行して免疫能が著しく低下し，厚生労働省が定める23のAIDS指標疾患（カンジダ症，クリプトコッカス症，ニューモシスチス肺炎，カポジ肉腫など）のいずれかを発症した状態．1981年に，米国人男性同性愛者6人が，きわめてまれなニューモシスチス肺炎（旧名：カリニ肺炎）で死亡した．これを後天性免疫不全症候群（AIDS）と命名し，この原因ウイルスをHIVとした．最初は男性の同性間性的接触者に多く発生したが，その後は異

性間性的接触者にもみられる．感染源は，精液，膣分泌液，血液，母乳などであり，現在ではほとんどが性感染である．HBV，HCV など肝炎との重複患者が多い．口腔症状は多く，代表的なのは口腔カンジダ症，口腔毛様白板症，帯状疱疹，壊死性潰瘍性歯肉炎などである．わが国では米国から輸入した血液凝固因子製剤（非加熱製剤）の使用により約1,500 人が感染したが，1986 年からはすべての輸血用血液の抗体検査が行われるようになり，血液製剤や輸血による HIV 感染の危険性はほとんどなくなった．一方で性交渉による HIV 感染および AIDS 発症が問題となり，厚生労働省も「AIDS に関する特定感染症予防指針」において若者などの個別施策層に対する予防，啓発にとくに力を入れるべきとしている．抗 HIV 薬 ART（antiretroviral therapy）の登場で，CD4 陽性 T リンパ球数の推移をみながら比較的早期に治療を開始することで治療効果が上がり，AIDS そのもので死亡する患者が減少し，AIDS 患者の高齢化がみられる．

同義語 後天性免疫不全症候群
関連語 HIV

HIV　えいちあいぶい
human immunodeficiency virus

AIDS 発症の原因となるウイルス．体液中の免疫能を担う CD4 陽性 T リンパ球に感染し，時間の経過とともに CD4 陽性 T リンパ球は破壊されその数を減少する．そのため免疫力は低下して，血中のウイルス量は逆に増加していく．HIV 感染を治療せず放置すると著しく免疫能が低下した状態になり，ニューモシスチス肺炎などの日和見感染症やカポジ肉腫などの AIDS 指標疾患が発症する．HIV に感染しても AIDS を発症しなければ自覚症状はなく，発見が遅れる．HIV 感染を早期に発見するためには HIV 検査を受ける必要がある．検査で HIV 感染が判明した場合，CD4 陽性 T リンパ球数の経時的計測で AIDS 発症の可能性が予知される．1997 年頃から AIDS に対する効果的な多剤併用療法である ART（antiretroviral therapy）が登場してからは，CD4 陽性 T リンパ球数を定期的に検査して，一定の減少時点でただちに治療を開始するようになった．その結果，AIDS 発症も抑えられ，コントロールが可能となり，ほかの慢性疾患患者と同様に，長期療養しつつ通常の生活を送ることが可能となった．AIDS の全身的な症状に先がけて HIV 感染の初期に口腔症状として口腔カンジダ症や口腔毛様白板症の発症をみることが多く，歯科での早期発見の機会が増え，早期治療につ

ながっている．HIV 陽性者の歯科治療は，HIV の感染力が HBV あるいは HCV に比べてきわめて弱いことから，スタンダードプリコーションを徹底すれば問題はない．しかし HIV 陽性者については，必要な歯科診療だけでなく，積極的な口腔衛生管理を行うことが，口腔カンジダ症や歯周病の予防，ひいては食道カンジダ症やカンジダ性肺炎，さらには AIDS の発症を防止する意味で重要である．

関連語　AIDS

HDS-R えいちでぃーえすあーる
Hasegawa's dementia scale revised
同義語　改訂長谷川式簡易知能評価スケール

栄養アセスメント えいようあせすめんと
dietary assessment, nutritional assessment

種々の栄養指標を用いて，個人あるいは集団の栄養状態を評価，判定すること．低栄養状態であると，疾病からの回復の遅れ，合併症の悪化，免疫力の低下が起こり，薬物使用量の増大や入院日数が長くなるなど種々の不都合が生じる．このため対象者のなかから低栄養状態にある者を抽出し，適切な処置を行う必要がある．とくに高齢者では個人差が大きいので，標準的な数値は役立たない．2005年10月から介護施設では，各個人ごとのアセスメントが要求されている．栄養アセスメントの方法としては，一般的には身体計測（Anthropometric methods），生化学検査（Biochemical methods），臨床検査（Clinical methods），食事調査（Dietary methods）から得た情報をもとに，個人や集団の栄養状態を総合的に判断している．これらパラメータの頭文字から，栄養アセスメントの ABCD という．また，栄養状態を一時点でとらえようとする静的アセスメント，積極的に栄養療法を行い，栄養状態の改善を経時的に判定する動的アセスメント，各種のパラメータを組み合わせて，危険度の判別，予後あるいは治療効果の推定を行う予後栄養アセスメントがある．

関連語　食事診断

栄養過剰 えいようかじょう
overnutrition

摂取した栄養素の量が，体内で利用されるより多い場合をいう．糖質，脂質，タンパク質の過剰摂取によるおもな症状は肥満で，過剰分は脂肪として蓄積される．肥満の結果，二次的に脂質異常症，高インスリン血症，耐糖能の低下，血中 FFA（血清中遊離脂肪酸）値の上昇などが起こる．ビタミンや無機質については，

通常の食品で過剰摂取を招くことはまれであるが，栄養剤や栄養補助食品の服用で，過剰摂取による健康障害（過剰症）が起こりうるので注意が必要である．加齢とともに運動量が少なくなるので，バランスのとれた食事摂取が大切である．

栄養機能食品 えいようきのうしょくひん
food with nutrient function claims

身体の健全な成長，発達，健康の維持に必要な栄養成分の補給，補完を目的とした食品．13種類のビタミン，6種類のミネラル，n-3系脂肪酸の含有量が国の基準を満たしている場合は，定められた栄養機能を表示でき，国への届け出や審査を受けなくても販売することができる．

関連語 保健機能食品，特定保健用食品

栄養ケアマネジメント
えいようけあまねじめんと
nutrition care management

ヘルスケアサービスの一環として，個々人に最適な栄養ケアを行い，その実務遂行上の機能や方法，手順を効率的に行うためのシステム．施設長または管理者の管理のもと，管理栄養士を中心としたサービスを提供する．施設長または管理者は，医師，管理栄養士，サービス管理責任者，看護職員および生活支援員そのほかの職種が共同して栄養ケアマネジメントを行う体制を整備し，入所（児）者の口腔衛生管理，摂食嚥下機能などに問題がある場合には，歯科医師などとの連携がとれるように体制を整備する．管理栄養士は，入所（児）者に適切な栄養ケアを効率的に提供できるよう関連職種との連絡調整を行い，看護職員および生活支援員は，入所（児）者の全身状態，日常的な生活状況（食事状況，身体活動，食行動）について，管理栄養士に情報提供を行う．

関連語 栄養指導

栄養サポートチーム
えいようさぽーとちーむ
nutritional support team (NST)

医師，歯科医師，薬剤師，看護師，栄養士などの専門職で構成される栄養管理チームのこと．病院内などではNSTとよばれる．低栄養になると体力，免疫力も低下するため，感染症などの発生頻度が高くなることから，栄養管理が重要となる．栄養サポートチームの役割は，栄養評価，栄養管理のチェック，最適な栄養管理法の指導と提言，栄養管理にともなう合併症の予防，早期発見，治療，栄養管理上のコンサルテーション，経済効果による医療費の削減，早期退院や社会復帰の支援，QOLの向上，新しい知識の啓発などにわたる．業務の内容は，①回診，②ランチタ

イムミーティング，③コンサルテーションであり，適正な栄養管理は，感染対策，リスクマネジメント，褥瘡ケア，クリニカルパスなどの分野の基本ともなる．

[同義語] NST

栄養士　えいようし
dietitian, nutritionist

厚生労働大臣の指定した養成施設で2年以上研修し，都道府県知事免許を受けて栄養摂取の指導に従事する者．

[関連語] 管理栄養士

栄養指導　えいようしどう
nutrition guidance, nutrition counselling, nutrition education

栄養の知識を伝え，食生活に関する具体的な指導や援助を行って，健康の維持・増進をめざす実践的な活動．歯科臨床のなかでの栄養指導は，対象者が正しい食習慣を身につけ，歯科疾患の治療あるいは予防の効果を促進することにあるが，指導内容が口腔に偏りすぎると，その改善はなかなか望めない．食生活の改善が全身の健康にかかわることを含めての指導が必要である．

[関連語] 食事指導

栄養状態　えいようじょうたい
nutritional status

身体に栄養素がどの程度供給され，保持され，代謝されているかをいう．各種身体計測値や，窒素の出納，血中の栄養素量，酵素活性などで判断する．栄養状態が改善することで，健康の維持・増進が図られるとともに，感染症や脳血管疾患による死亡が減少し，平均寿命も延びる．

栄養素等摂取量
えいようそとうせっしゅりょう
quantity of nutrient intake

国民健康・栄養調査の結果から求められる栄養摂取状況のこと．年齢階級別，性別ごとに国民の栄養摂取状況の値が提示される．エネルギー摂取量は1985年以降で減少傾向にある．また，エネルギー摂取量に占める炭水化物の比率は減少傾向，脂質の比率は増加傾向にある．生活習慣病予防のためには，食事摂取基準と栄養素等摂取量の両者のバランスを保つことが求められる．

[関連語] 国民健康・栄養調査，日本人の食事摂取基準（2020）

栄養方法　えいようほうほう
way of nutrition

栄養補給の方法のこと．栄養法ともいう．生体を維持するためには，一定のエネルギーと各種栄養素の補給が必要であるが，疾病になると代謝が異常になり，補うべき栄養素の

量が異なってくる．また，手術や薬剤による難治性疾患の治療が進んできたが，その結果として全身状態の低下や栄養障害も多くなっている．したがって，病態を考慮した，適切な栄養補給が重要となっている．栄養方法は，経腸栄養法と経静脈栄養法に分けられ，経腸栄養法はさらに経口栄養法と経管栄養法に分けられる．経口栄養法はもっとも自然な方法で，食物形態としては普通食から流動食まで各種ある．経口摂取で必要な栄養量を満たすことができないとき，食物を消化吸収しやすい状態にして，経管栄養法を行う．経口摂取ができなかったり，治療に支障がある場合，経口摂取量が著しく少ないときは経静脈栄養法を行うことがある．

関連語 経管栄養法，経腸栄養法

栄養補助食品　えいようほじょしょくひん
nutritional supplementary food

2004年に「健康食品」にかかわる制度が見直される以前に使用されていた名称．栄養成分を補給し，あるいは特別の保健の用途に用いる食品のうち錠剤，カプセルなど通常の食品の形態でないものを定義していた．現在，国が制度化している名称ではない．

同義語 サプリメント

AED　えーいーでぃー
automated external defibrillator

心室細動と無脈性心室頻拍を自動診断し，電気的除細動を与えるようにアドバイスする体外式の除細動器．電流の発生に必要な本体と人体に装着する電極パッドから構成される．AED音声に従い心電図の電極を兼ねるパッドを前胸部に貼ると，自動的に心電図診断を開始し，必要なら除細動を行うよう促す．心肺蘇生の手順に応じて，胸骨圧迫や人工呼吸を促したり，心電図解析や除細動を行う際には離れる，などの具体的な指示も伝える．心肺蘇生は意識がなく呼吸が停止し，脈が触れない場合にすみやかに開始する処置であるが，脈の触れない原因が心室細動または脈なし心室頻拍が除細動の適応となる．心肺蘇生には必須の機器である．

同義語 自動体外式除細動器
関連語 除細動器

ASO　えーえすおー
arteriosclerotic obliteration,
arteriosclerosis obliterans

➡ 同義語 閉塞性動脈硬化症

ALS　えーえるえす
amyotrophic lateral sclerosis

上位運動神経細胞と下位運動神経細胞の著しい脱落により，進行性に

筋力低下と萎縮をきたす神経変性疾患．男性に多く，40歳以上で発症率が上昇する．5～10％が遺伝性である．有病率は10万人あたり2～7人である．ADL低下にともない転倒リスクが高くなり，球麻痺が進行すると嚥下障害をきたす．呼吸筋力も低下するため呼吸不全となり，人工呼吸器を装着しなければ，発症後約2～5年で死に至る．

[同義語] 筋萎縮性側索硬化症

ACP えーしーぴー
advance care planning

➡ [同義語] アドバンスケアプランニング

ADL えーでぃーえる
activities of daily living

「ひとりの人間が独立して生活するために行う基本的な，しかも各人ともに共通に毎日繰り返される一連の動作群をいう（日本リハビリテーション医学会）」．日常生活動作などと訳す．もともとは高齢者の運動機能や，リハビリテーションの効果を評価するための指標であったが，高齢者の介護計画作成や要介護高齢者の実態把握に際しても用いられるようになった．そのため，使用者の目的に合わせて少しずつ異なるADLが使用されている．それらのADLに共通するのは，入浴，更衣，食事，起居動作，歩行，トイレ，外出などであり，評価は「自立して行える」「介助を必要とする」「できない」などとする．厚生省（現厚生労働省）はこれに関連して，1991年「障害高齢者の日常生活自立度（寝たきり度）判定基準」を作成し，そのなかでADLを構成するいくつかの項目を用いている．

[同義語] 日常生活動作
[関連語] IADL，生活機能，障害高齢者の日常生活自立度

SRP えすあーるぴー
scaling and root planing

歯に沈着した歯肉縁上・縁下の歯石とポケット内歯根面の病的歯質を，各種スケーラーを用いて機械的に除去し，生物学的に為害性のない滑沢な歯根面を得ること．このうち歯石そのほかの沈着物を除去することをスケーリング，歯根面の粗糙なセメント質などを除去して根面を滑沢化することをルートプレーニングという．ルートプレーニングにより生物学的に為害性にない根面をつくることで，結合織性付着・上皮性付着を得やすくし，歯周病の治療に役立てる．

[関連語] 歯石除去

SAS えすえーえす
sleep apnea syndrome

➡ [同義語] 睡眠時無呼吸症候群

ST えすてぃー
speech therapist
➡ 同義語 言語聴覚士

SDS えすでぃーえす
self-rating depression scale
➡ 同義語 自己評価式抑うつ性尺度

SDM えすでぃーえむ
shared decision making
➡ 同義語 シェアード・ディシジョン・メイキング

SpO₂ えすぴーおーつー
percutaneous oxygen saturation
➡ 同義語 経皮的動脈血酸素飽和度

エックス線透過像
えっくすせんとうかぞう
radiolucency

　エックス線がほかの部位より透過し，画像上では黒くみえること．放射線を人体に照射すると，人体の臓器や骨などの硬さや厚さ，空気などに応じて異なる放射線透過率を示す．エックス線検査により得られたフィルム上では，放射線の透過の度合が強いほど透過光として認識する．たとえば高齢者における骨粗鬆症のエックス線像では，脊椎骨やそのほかの骨は，骨梁構造の減少による透過性の増加，すなわち透過像を示す．しかし，通常30％以上の骨が失われない限り，エックス線像上で（放射線透過性として）診断できない．

エナメル質 えなめるしつ
enamel

　歯冠の表面を被覆する硬組織で，生体でもっとも硬度が高い．エナメル芽細胞が形成した小柱と小柱間質よりなるが，約96％がハイドロキシアパタイトの結晶からなるため，硬い反面もろい．エナメル芽細胞はエナメル質を形成し終わると消失するため，外傷やう蝕で欠損した部分のエナメル質の再生は起こらない．エナメル質は痛みを感じないが，エナメル－象牙境に近づくと象牙質が反応する．

エナメル上皮腫 えなめるじょうひしゅ
ameloblastoma

　顎骨に発生する代表的な良性上皮性歯原性腫瘍．歯原性腫瘍のなかでもっとも発生頻度の高い良性腫瘍である．10～30歳代が好発年齢で，下顎大臼歯部から下顎枝が好発部位である．ほとんど顎骨中心性に発生する．エックス線像は多房性もしくは単房性の透過像を呈する．約半数は埋伏歯をともなう．歯原性腫瘍の世界保健機関（WHO）の分類（2017年）では通常型，亜分類として単囊胞型，骨外型/周辺型（軟組織に発

生する），転移性エナメル上皮腫に分類される．治療法としては摘出・掻爬術などの顎骨の保存外科療法が用いられているが，上顎では部分切除術，下顎では辺縁切除術，下顎区域切除術も用いられる．

NST　えぬえすてぃー
nutritional support team
➡ 同義語 栄養サポートチーム

NMスケール　えぬえむすけーる
NM Scale
認知症が疑われる被験者の日常生活行動を観察し，スコア化することにより知的機能の低下を評価する簡易テスト．①家事・身辺整理，②関心・意欲・交流，③会話，④記銘・記憶，⑤見当識の5つの項目を正常（10点）から不能など（0点）で評価し，その総計スコアで認知症の重症度を判定評価する．認知症の有無の確定診断ではなく，結果により精密検査が必要である．

同義語 N式老年者用精神状態尺度

NCD(s)　えぬしーでぃー（ず）
non-communicable disease(s)
非感染性疾患の略称であり，わが国では従来から用いられている生活習慣病とほぼ同義語と考えられている．とくに「がん」「循環器疾患」「糖尿病」「COPD（慢性閉塞性肺疾患）」は代表的なNCDであり，2013年5月に国連および世界保健機関（WHO）が発表した「NCDの予防と管理に関するグローバル戦略の2013年〜2020年行動計画」では，これらの4大NCDと4つの行動リスク要因（タバコ，不健康な食生活，運動不足，過度の飲酒）を取り上げている．NCDは途上国でも有病者率が急激に増加しており，世界の全死亡数に占めるNCDの割合は2015年データにおいて71％に達している．WHOではNCDsと表記されることもある．

関連語 メタボリックシンドローム，生活習慣病，COPD

N式老年者用精神状態尺度
えぬしきろうねんしゃようせいしんじょうたいしゃくど
NM Scale
➡ 同義語 NMスケール

NSAID(s)　えぬせいど（ず）
non-steroidal anti-inflammatory drug(s)
➡ 同義語 非ステロイド系抗炎症薬

エプーリス　えぷーりす
epulis
歯肉に生じた良性の限局性腫瘤．一般的に男性よりも女性に多く，歯間乳頭部に好発する．妊娠性エプーリス，肉芽腫性エプーリス，線維性

エプーリス，血管腫性エプーリス，骨形成性エプーリスなどに分類される．発生要因として，修復物・補綴装置などの機械的刺激や，慢性的な炎症性刺激，卵胞ホルモンや黄体ホルモンなどの内分泌異常などがあげられる．表面は平滑あるいは凸凹で，有茎性，分葉状を呈し，発育は緩慢である．治療法は外科的切除である．

MRSA　えむあーるえすえー
methicillin-resistant *Staphylococcus aureus*

➡ 同義語　メチシリン耐性黄色ブドウ球菌

MSQ　えむえすきゅー
mental status questionnaire

　認知症の重症度を判定する評価尺度．Kahnらによって作成された．見当識に関する質問5項目，一般的な記憶に関する質問5項目からなる．日本版の作成にあたり，問題文が変更され，米国大統領ではなく総理大臣の名前をたずねる問題になっている．また判定基準も日本の状況に合うように変更されている．

MNA　えむえぬえー
mini nutritional assessment

　65歳以上の高齢者の栄養状態を簡単に評価するためのツールの1つ．基本的には問診にて過去3か月間の食事摂取の減少，体重減少，および自力で歩けるかなどを評価するが，BMIもしくはふくらはぎの周囲長の実測値を評価項目の1つとして用いる．MNAの初期評価6項目を独立させて簡易版として開発されたものがMNA-SF（mini nutritional assessment-short form）である．MNAは18項目で合計30点，MNA-SFは6項目で合計14点で評価する．MNAの場合24～30点は栄養状態良好，17～23点は低栄養のおそれあり，16点以下は低栄養，MNA-SFでは12～14点は栄養状態良好，8～11点は低栄養のおそれあり，7点以下は低栄養と判定する．栄養状態の判定目的に用いるものであり，嚥下機能の状態の把握などに用いるものではない．

MMSE　えむえむえすいー
mini-mental state examination

　高齢者の認知機能のスクリーニングを行うための代表的な国際評価スケールのこと．見当識，記憶力，計算力，言語的能力，図形的能力などを総合的に評価し，30点満点で評価する．24点以上で正常，20点未満では中等度の知能低下，10点未満では高度な知能低下と判断する．改訂長谷川式簡易知能評価スケールとも高い相関性を有している．物の名前や単語の説明などの課題を中心

に認知機能の異常を大まかに評価することができ、実施時間も比較的短い.

[同義語] ミニメンタルステート検査
[関連語] 改訂長谷川式簡易知能評価スケール

MMPIテスト えむえむぴーあいてすと
Minnesota multiphasic personality inventory
➡ **[同義語]** ミネソタ多面人格目録

MOF えむおーえふ
multiple organ failure
➡ **[同義語]** 多臓器不全

MCI えむしーあい
mild cognitive impairment
➡ **[同義語]** 軽度認知障害

MWST えむだぶりゅーえすてぃー
modified water swallowing test
➡ **[同義語]** 改訂水飲みテスト

遠隔医療 えんかくいりょう
telemedicine

通信技術を活用した健康増進、医療に関する行為. 医療従事者(医師・看護師など)、介護関係者(ケアマネジャー・ヘルパーなど)、患者などの各関係者間で、必要な情報の伝達・提供・共有を、ネットワークを介して迅速かつ円滑に行えるようにすることで、地域にあまねく隔たりのない医療・介護サービス環境を実現するために行われる.

嚥下 えんげ
swallowing, deglutition

飲食物を口腔から咽頭、食道、胃へと運搬する一連の動作.

嚥下圧測定 えんげあつそくてい
swallowing manometry

嚥下時の咽頭および食道入口部の圧力を測定すること. 嚥下の際に起こる食塊の咽頭から食道への移送は、咽頭内に生じた圧力と食道に生じた陰圧によって起こる. 嚥下時の圧力を測定することで、嚥下時の内圧の変化や食道入口部の弛緩を把握することができるため、脳血管疾患や神経筋疾患による嚥下障害の評価や手術の適応を検討するのに有用である. 食塊に対する咽頭の作用を把握するためには咽頭食道部のビデオ嚥下造影検査と同時に行う必要がある.

嚥下訓練 えんげくんれん
swallowing training

嚥下障害や嚥下困難のある者に対する嚥下のリハビリテーションの一部であるが、実際には機能の改善を求める訓練法だけでなく、障害に応じて機能の代償を求める代償法の習

得が多く含まれる．姿勢などをはじめとした食環境も含まれていることが多い．障害に応じて誤嚥を起こさないように安全な嚥下ができるようにすることが中心となる．食品を用いずに行う間接訓練と食品を用いて行う直接訓練に大別される．直接訓練は誤嚥の危険をともなうため，通常は間接訓練が先行して行われる．また，適切な食品の選択，食品の加工法，環境の整備なども含めて行われる．

嚥下サポートチーム
えんげさぽーとちーむ
swallowing support team

嚥下障害をもつ患者に対して有効なサポートを行うための多職種からなるチームのこと．主治医および各科医師，歯科医師，看護師，栄養士・管理栄養士，言語聴覚士，理学療法士，作業療法士，歯科衛生士，薬剤師などからなる．病院内で活動しているチームが多いが，チームの構成や活動の範囲に決まりがあるわけではない．

嚥下障害　えんげしょうがい
dysphagia, swallowing disorders

古典的には食塊を口腔から胃へ送り込む移送の過程に起こる障害のことで，口腔期，咽頭期，食道期の障害をさしている．しかし最近では，嚥下が本来の機能を発揮させるメカニズムは，食物を認知し，口腔に取り込み，咀嚼するといった，口腔期よりも前の段階である認知期，準備期より関与することが知られるようになった．したがって，摂食，咀嚼，嚥下をそれぞれ単独のものとしてとらえず，食べ物を認知することに始まり，食塊が胃に送られるまでの一連の移送の障害を「摂食嚥下障害」として扱うことが多くなった．障害は，一連の流れを阻害するすべてのものをさし，原因は，器質的（形態が原因），機能的（おもに中枢が原因），心理的とさまざまである．"dysphagia" も，語源的にみるとギリシャ語の "dys-" と "phagein" からきていて，"dys-" は異常や困難を，"phagein" は食べることを意味している．すなわち，単に嚥下の障害というよりも後者のような広い意味をもっていることになる．これらのことから，"dysphagia" は「摂食嚥下障害」，"swallowing disorder" は「嚥下障害」というように分けて用いられる場合もある．

嚥下食　えんげしょく
dysphagia diet, modified diet for dysphagic persons

➡ 同義語 嚥下調整食

えんげしょ

嚥下食ピラミッド
えんげしょくぴらみっど
dysphagia diet pyramid

　管理栄養士の金谷により発表された，食事の難易度の分類．レベル0〜2が均一な物性のものをさしており，これらを嚥下訓練食とよんでいる．レベル3〜5が不均一な物性のものをさし，主食でいうと，全粥，軟飯，米飯にあたる．

[関連語] ユニバーサルデザインフード

嚥下性肺炎
えんげせいはいえん
aspiration pneumonia

➡ [同義語] 誤嚥性肺炎

嚥下造影検査
えんげぞうえいけんさ
videofluoroscopic examination of swallowing

➡ [同義語] ビデオ嚥下造影検査

嚥下調整食
えんげちょうせいしょく
modified diet for dysphagic persons, dysphagia diet

　嚥下機能障害に配慮して調整された食事のこと．日本では嚥下障害患者向けの食事に対して統一された名称が存在せず，施設や病院においてさまざまな名称が用いられていたために，2013年に日本摂食嚥下リハビリテーション学会が発表した分類．ユニバーサルデザインフード，嚥下困難者用食品許可基準，高齢者ソフト食，嚥下食ピラミッドなど，ほかの分類と合わせた分類の早見表も紹介されている．食事は大きく5段階，トロミは3段階で分類されている．

[同義語] 嚥下食
[関連語] 介護食

嚥下痛
えんげつう
odynophagia

　嚥下運動にともなって生じる疼痛．口腔，咽頭，食道領域の異物，炎症，外傷，潰瘍などがおもな原因となる．

嚥下内視鏡検査
えんげないしきょうけんさ
videoendoscopic evaluation of swallowing（VE）

　直径3mm程度の内視鏡を経鼻的に挿入したまま食物を摂取させて咽頭・喉頭を観察し，嚥下の状態を観察すること．ビデオ嚥下造影検査と同様に誤嚥の有無のみならず，訓練の適応決定にも利用できる．さらに，近年では移動が困難な患者に対して，訪問診療時に嚥下内視鏡検査を用いる報告が増えている．また誤嚥を検出する能力はビデオ嚥下造影検査に劣らないと報告されている．

[同義語] VE，FEES

嚥下反射
えんげはんしゃ
swallowing reflex

食物をゴクンと飲み込むときに、軟口蓋が挙上すると同時に舌骨および喉頭が挙上し、かつ咽頭収縮および食道入口部が開大することにより、食塊が咽頭から食道に送り込まれる一連の反射的な運動．嚥下反射中は、声門が閉鎖され、呼吸はいったん停止する．

嚥下補助床　えんげほじょしょう
auxiliary appliance for swallowing, prosthetic appliance for swallowing disorders

➡ 同義語 嚥下補助装置

嚥下補助食品　えんげほじょしょくひん
supplementary food for swallowing

調理上の工夫として、増粘剤（とろみ調整食品）を液状の食品やきざみ食、ミキサー食に混ぜることによりトロミをつけ、飲み込みやすくした補助食品．

摂食嚥下障害がある場合、栄養摂取ができなくなり低栄養に陥るだけでなく、誤嚥性肺炎も起こしやすい．従来は経管栄養法や経静脈栄養法に頼っていたが、最近では障害の程度を評価し、食べる機能の回復を図る努力がなされるようになってきた．直接訓練に用いる食品の条件は、①密度が均一、②適度な粘度があってバラバラになりにくい、③口腔や咽頭を通過するとき変形しやすい、④粘膜に付着しにくい、などである．

増粘剤の原材料はデキストリンやでん粉などである．水分に混ぜ比較的粘度の低い状態、つまりポタージュ状やヨーグルト状にするもの、きざみ食やミキサー食にも使えるもの、粘度の少し高い形態、すなわちマヨネーズ状からムース状にするものなどさまざまである．

嚥下補助装置　えんげほじょそうち
auxiliary appliance for swallowing, prosthetic appliance for swallowing disorders

おもに口腔の形態を変えることで嚥下機能を補助するための装置．軟口蓋挙上装置（palatal lift prosthesis：PLP）、舌接触補助床（palatal augmentation prosthesis：PAP）などがある．軟口蓋挙上装置は、軟口蓋の機能不全による鼻咽腔閉鎖機能（口蓋帆咽頭閉鎖機能）の改善をおもな目的とする．舌接触補助床は、送り込みの改善の目的で固有口腔の容積を減じ、制限のある舌の運動範囲で送り込みが可能になるよう補助する．

同義語 嚥下補助床

嚥下誘発試験　えんげゆうはつしけん
swallowing-provocation test

嚥下機能を評価する方法の1つ．口腔咽頭に感覚刺激を与えてから、

嚥下反射が誘発されるまでの時間を測定して嚥下機能を評価し，不顕性誤嚥の予測などに用いる．嚥下誘発試験（SPT）は，筋電図，圧トランスデューサー，レスピトレースなどの装置を用いて嚥下機能を評価する．しかし，簡単に行える検査ではないため，SPTをより簡素化し，嚥下誘発の有無に焦点を当て，経鼻細管のみで行える簡易嚥下誘発試験（simple swallowing provocation test：SSPT）が考案された．方法は，カテーテルを鼻腔から口腔咽頭に挿入して呼気終末に合わせてそのカテーテルから常温の水を注入し，嚥下反射が誘発されるまでの時間を測定する．患者の負担も少なく，特別な装置を使用しないため，ベッドサイドで容易に行うことができる．また，この方法は感覚刺激を鼻腔より直接口腔咽頭へ与えることができるため，嚥下反射に影響するほかの要因を除外して嚥下機能を評価することができる．

エンドオブライフケア
えんどおぶらいふけあ
end of life care

人生の最終段階までその人らしく生きることができるように支援するケアのこと．医師などの医療従事者から適切な情報の提供と説明がなされ，それに基づいて医療・ケアを受ける本人が多専門職種の医療・介護従事者から構成される医療・ケアチームと十分な話し合いを行い，本人による意思決定を基本としたうえで，人生の最終段階における医療・ケアを進めることがもっとも重要な原則である．

関連語 終末期医療

延命治療 えんめいちりょう
life-prolong treatment, life-support treatment, life-sustaining treatment

どのような治療によっても死を避けることができない患者に対し，死を少しでも先に延ばすための医療．とくに人工呼吸器や血液透析，人工心肺，心肺補助装置などの使用や薬物療法など，なんらかの医療介入を行わないとただちに死に至る患者や，治療方法がなく死を迎える時期が数時間から数か月後の患者に対して行われる．通常，単に命を長らえるための医療と考えられている．

関連語 終末期医療

お

往診 おうしん
home visit, house call

在宅医療の提供方法の1つ．定義は「依頼時のみ訪問する外来診療の延長線上に位置する診療」である．

訪問診療が定期的に患者の居宅にて計画的な治療を提供するのに対し，往診は緊急の出張診療であり，内容は大きく異なる．

関連語 在宅医療，訪問診療

嘔吐反射　おうとはんしゃ
gag reflex

咽頭から物質を除去する生体防御機構のこと．咽頭の後方を軽く触れると，咽頭筋の収縮が起こり，嘔吐運動が起こる．嘔吐反射は延髄の髄室の毛様体背部にある中枢によって調整され，この中枢は脳幹の呼吸および心臓血管の調節域の近くにある．求心性の刺激は，咽頭，胃腸管のほか，肝臓，胆嚢，膀胱，子宮および腎臓のような内臓や大脳皮質，さらに耳の半規管を含む身体の多くの部分からこの領域に送られてくる．嘔吐の原因となる運動性の刺激は，三叉神経，顔面神経，舌咽神経，迷走神経，舌下神経などを経由して嘔吐の中枢に伝えられる．

OE法　おーいーほう
intermittent oro-esophageal feeding

➡ **同義語** 間欠的口腔食道経管栄養法

OT　おーてぃー
occupational therapist

➡ **同義語** 作業療法士

オーバーデンチャー　おーばーでんちゃー
overlay denture

1歯または数歯の天然歯，あるいはインプラントの上を覆う可撤性義歯のこと．天然歯の場合には，歯冠歯根比の改善が必要な骨吸収の著しい歯を保存する症例や患者の全身状態や希望により抜歯できない症例が適応である．一般的には歯冠部を削除して，コーピングを施し，義歯への垂直圧の支持に利用する．歯冠を削除せずに天然歯を義歯床で被覆する場合もある．抜歯をしないため歯根膜の圧受容体が残り，さらに残存歯周囲の歯槽骨の保存にも役立つ．また各種根面アタッチメント，テレスコープクラウンなどにより積極的に義歯の維持に貢献させる場合もある．全身疾患のため安全に抜歯できないことの多い高齢者の補綴治療において有効であるが，歯が義歯床で被覆されているので，う蝕や歯周疾患に罹患しやすい欠点がある．

同義語 オーバーレイデンチャー

オーバーレイデンチャー　おーばーれいでんちゃー
overlay denture

➡ **同義語** オーバーデンチャー

OHAT おーはっと
oral health assessment tool

　口腔内の問題を，8項目（口唇，舌，歯肉・粘膜，唾液，残存歯，義歯，口腔清掃，歯痛）に分け，健全から不良までの3段階で評価する口腔スクリーニングツール．自分で口腔内の問題を表出できない要介護高齢者の口腔問題を発見するために，Chalmersらによって開発された．粘膜の衛生状態や口腔乾燥だけでなく，義歯の不適合や破折，う蝕や残根なども評価されるのが特徴である．いずれかのOHATスコアが2点以上だと歯科依頼を検討とされている．OHAT日本語版（OHAT-J）も利用されている．

オーラルジスキネジア
おーらるじすきねじあ
oral dyskinesia（OD）

　舌，口腔，下顎，口唇などをたえずモグモグと動かすような不随意運動のこと．とくにパーキンソン病の治療薬である向精神薬エルドパなどの副作用として問題視されている．しかし，高齢者のなかには投薬とは無関係にこの不随意運動が発症する場合があり，特発性のオーラルジスキネジアと称し，その原因に，歯および義歯が関係している場合が多い．同義語としてorofacial dyskinesia, facio-lingo masticatory dyskinesia, perioral dyskinesia, orolingual dyskinesiaなどがある．舌捻型，舌挺出型，なめずり型，口唇運動型，咀嚼型，顎前方突出型，呼吸型などのタイプがある．運動には，規則性のあるものと不規則なものがある．治療法は現在のところ薬物療法が主で，ほかの療法はあくまでも補助療法である．しかし，薬物療法にはシーソー現象（ドーパミン作動薬とコリン作動薬との強弱でオーラルジスキネジアとパーキンソニズムとが交互に発現する副作用）があり，慎重に行われるべきである．

　関連語　ジスキネジア

オーラルセルフケア
おーらるせるふけあ
oral self care

➡ 同義語　セルフケア

オーラルディアドコキネシス
おーらるでぃあどこきねしす
oral diadochokinesis

　舌，口唇，軟口蓋などの構音器官の運動の速度や巧緻性などを発音状況で評価するもの．発達障害，後天的障害などによって生じた構音障害や発音障害の評価試験として用いられ，Portnoyらによる報告がある．わが国では，口腔機能低下症の診断などの口腔機能評価として用いられ，器質的な機能低下だけでなく，

加齢による機能低下などの評価として用いられている．被検者に，指定した音を繰り返し，なるべく早く，一定時間発音させ，その回数やリズムを評価する．口唇の動きを評価するには"pa"，舌の前方の動きを評価するには"ta"を，舌の後方の動きを評価するには"ka"の発音で評価する．また，これらの異なった音を連続発音させることにより評価する方法もある．

オーラルフレイル おーらるふれいる
oral frailty

2014年に日本で提唱された概念であり，2019年に，「老化にともなうさまざまな口腔の状態（歯数・口腔衛生・口腔機能など）の変化に，口腔健康への関心の低下や心身の予備能力低下も重なり，口腔の脆弱性が増加し，食べる機能障害へ陥り，さらにはフレイルに影響を与え，心身の機能低下にまでつながる一連の現象および過程」と定義された．現在も概念の検討が継続されている．

関連語 フレイル

オーラルリハビリテーション
おーらるりはびりてーしょん
oral rehabilitation

ヒトの顎口腔系（歯のみならず歯周組織，顎関節，筋肉，神経系）の形態と機能および審美を改善することを目的にし，咬合の基準を歯と歯の関係だけにとどめず，頭蓋と下顎の関係にまで拡大し，咬合をより広い立場から観察しようとする一連の臨床術式の総称．全歯が歯冠補綴を必要とするとは限らず，1歯，2歯の補綴でも目的にあった治療であればオーラルリハビリテーションとよぶことができる．

オタワ憲章 おたわけんしょう
Ottawa charter

1986年にカナダの首都オタワで開催された世界保健機関（WHO）の国際会議にてヘルスプロモーションについて提唱した憲章．「人々がみずからの健康をコントロールし，改善できるようにするプロセス」をヘルスプロモーションと定義した．さらに「健康」については，「人生の目的や生きる目的でなく，毎日の生活資源である」としたほか，「社会的・個人的な面での資源」であることを強調している．

関連語 ヘルスプロモーション

音波歯ブラシ おんぱはぶらし
sonic tooth brush, sonic wave tooth brush

1990年代に開発された微振動タイプの電動歯ブラシ．リニアモーターの技術を利用し，N極とS極を1秒間に約500回というスピード

で切り替えることによりブラシを毎分約3万回音波振動させることで音波（周波数20〜20,00Hz）を生じさせ，プラークを除去する歯ブラシ．音波の高速振動によって，ブラシの毛先が接していない周囲2mmの部分の汚れを落とすことができるとされている．また，音波が口腔内の細菌に直接作用して，細菌の連鎖を破壊するとされる．使用方法は電動歯ブラシと同様である．しかし，電動歯ブラシ以上に振動があるので，乳幼児や高齢により自分で操作できない者には好ましくない．

関連語 歯ブラシ

か

ガーグルベースン がーぐるべーすん
gargle basin

含嗽水を受けるのに用いる片側のくぼんだ容器で，膿盆を深くした形である．プラスチック製のものが多く，口唇を当てたときに不快でないよう縁が少し厚くなっている．口腔清掃指導や在宅指導のときは，適当な容器をディスポーザブルとし，含嗽水を吐き出しやすいように口唇のあたるところをカットして用いるとよい．

カーテン徴候 かーてんちょうこう
curtain sign

脳血管疾患などにより，片側性の咽頭筋麻痺が原因で咽頭後壁の運動が阻害され，舌圧子で舌を圧下して，嘔吐反射惹起時，また「ア」「エ」の発音時，麻痺側が非麻痺側にカーテンを引くように偏移する動きをいう．また，咽頭後壁などへの機械的刺激によって生じる咽頭絞扼反射の際にも障害がある場合にみられる．脳血管疾患などの後遺症（摂食機能障害）のスクリーニングとして本徴候の有無のチェックは有効である．

介護 かいご
care

高齢となったり，障害があって日常生活を営むうえで困難がある者を見守ったり，援助したり，あるいは家族に援助法を指導したりすること．介護，看護ともに本人のもっている力を発揮できるように生活援助をすることであるが，看護は看護師が疾病の治療や健康管理と密接につながった日常生活の援助を行うことであり，介護は福祉関係者や家族が行う身辺援助をいうものである．最近では単に技術的なことだけでなく，人間が生きていくなかで，よりよい人と人とのかかわりに関する行為であると考えられている．「介護」のつく言葉はたくさんあるが，まだ社会的に承認された定義はない．

関連語 介護保険

介護医療院 かいごいりょういん
integrated facility for medical and long-term care

　2017年の介護保険法の改正により，住まいと生活を医療が支える新たな介護保険施設として創設された．要介護高齢者の長期療養・生活のための施設であり，主として長期にわたり療養が必要である者に対し，療養上の管理，看護，医学的管理の下における介護および機能訓練そのほか必要な医療ならびに日常生活上の世話を行うことを目的とする．重篤な身体疾患を有する者や身体合併症を有する認知症高齢者を主対象とするⅠ型（介護療養病床相当）と，比較的安定した状況を主対象とするⅡ型（老人保健施設相当以上）があり，医師や介護職員などの人員配置基準が異なる．

関連語 介護療養型医療施設

開口器 かいこうき
mouth gag

　患者の口に装着し，開口状態を保持するために用いる装置．素材はステンレススチール，プラスチック，ゴム，木などがある．開口障害，長時間の開口困難な場合の歯科治療に利用される．名称として，唇開口器，口角鉤，バイトブロック，オーラルワイダー，オーラルバイト・スリム，リップワイダー，ワイド・ビューアー，開口器（ハイステル氏）などがある．

開口障害 かいこうしょうがい
trismus,
disturbance of mouth opening,
limitation of mouth opening

　顎運動にかかわる組織がなんらかの原因で一過性あるいは持続的に障害を受け，開口運動が制限された状態．その原因は，関節性，炎症性，外傷性，腫瘍性，筋性，神経性，瘢痕性などがある．障害の部位で分けると，顎関節部の障害と顎運動にかかわる筋群（咬筋，側頭筋，内側翼突筋，外側翼突筋，顎二腹筋，顎舌骨筋，オトガイ舌骨筋）の障害である．筋群の障害には間接的に筋群を支配する神経が関与する．開口障害の病態には強制的に開口を試みても開口距離がほとんど改善しない場合と，患者自身に開口させた状態から手指や開口訓練器で強制的に開口させれば疼痛などをともなうが開口距離の増加するものがある．前者は骨性顎関節強直症のような器質的障害が多い．また，関節円板の前方転位によって下顎頭の前方移動が制限されるような顎関節円板障害で起こることもある．後者は炎症や腫瘍，外傷性瘢痕などで，筋や軟組織の伸展が障害される場合に起こる．臨床で多いのは，下顎智歯周囲炎の周囲組

織への拡大による疼痛のための開口障害である．高齢者では，完全埋伏の智歯が下顎歯槽骨の吸収で，相対的に口腔内に歯冠が露出して周囲炎を起こすことがある．

関連語 牙関緊急

介護サービス かいごさーびす
care service

　介護保険において，要介護認定を受けて常時介護が必要とされた要介護者に，介護の必要性に応じて実施されるサービスのこと．26種類54サービスが公表されている．要介護に認定された場合には介護給付，要支援の場合には予防給付とよばれる．利用できるサービスは大別して8つあり，①介護の相談と介護サービス計画の策定である居宅介護支援，②自宅で受けられるサービス［訪問介護（ホームヘルプ），訪問入浴，訪問看護，訪問リハビリ，夜間対応型訪問介護，定期巡回・随時対応型訪問介護看護］，③施設などへの日帰りで受けられるサービス［通所介護（デイサービス），通所リハビリ，地域密着型通所介護，療養通所介護，認知症対応型通所介護］，④施設などで生活しながら受けられるサービス［介護老人福祉施設（特別養護老人ホーム），介護老人保健施設（老健），介護療養型医療施設，特定施設入所者生活介護(有料老人ホーム，軽費老人ホームなど)，介護医療院］，⑤訪問・通い・宿泊の組み合わせ［小規模多機能型居宅介護，看護小規模多機能型居宅介護（複合型サービス）］，⑥短期間の宿泊［短期入所生活介護（ショートステイ），短期入所療養介護］，⑦地域密着型サービスとよばれる地域に密着した小規模施設など［認知症対応型共同生活介護（グループホーム），地域密着型介護老人福祉施設入所者生活介護，地域密着型特定施設入所者生活介護］，⑧福祉用具の使用［福祉用具貸与，特定福祉用具販売］がある．

　また介護サービスは，在宅の要介護者に対する居宅サービスと，介護保険施設の入所者に対する施設サービスおよび地域密着型サービスの3つに分けられる．

介護サービス計画
かいごさーびすけいかく
care plan

　要介護者に必要な介護を提供するための計画．ケアプランともよばれる．介護保険制度における介護サービス計画では，要介護者が適切に介護サービスを利用できるよう，心身の状態や環境，本人および家族などの希望を踏まえ作成される．介護サービス計画には，「居宅サービス計画」と「施設サービス計画」がある．「居宅サービス計画」は自己作

成することもできるが，通常は居宅介護支援事業者に依頼する．「施設サービス計画」は，介護老人福祉施設，介護老人保健施設，介護療養型医療施設のなかから選択し，一般に介護支援専門員が作成する．介護サービス計画の作成の手順は，次のとおりである．①課題分析（アセスメント）を実施：要介護の状況を把握，分析し，これによって絞り込まれた問題点を解決すべく目標の設定を行う．②原案を作成：課題に対するケア項目を組立て，具体的な計画を立案するという手順を踏む．③原案をもとにサービス担当者会議（ケアカンファレンス）を開催：介護支援専門員が実際のサービス担当者や主治医などを召集して，原案をもとに検討を行う．④介護サービス計画の確定：サービス担当者会議を踏まえて，要介護者などの同意を得て確定する．確定した介護サービス計画は市町村に届け出る．そして，その介護サービス計画は介護保険証に添付され，利用時にサービス提供事業者に提示しサービスを受けることになる．

[同義語] ケアプラン

介護支援専門員
かいごしえんせんもんいん

care manager

　介護保険法第7条第5項において，介護支援専門員とは，「要介護者又は要支援者（以下，要介護者など）からの相談に応じ，及び要介護者などがその心身の状況等に応じ各種サービス事業を行う者などとの連絡調整等を行う者であって，要介護者などが自立した日常生活を営むのに必要な援助に関する専門的知識及び技術を有するものとして介護支援専門員証の交付を受けたもの」と位置づけられている．居宅介護支援事業所や介護保険サービス事業所，地域包括支援センターなどに配置されている介護支援専門員の具体的な業務は，対象者の望む，自立した生活を営むために必要なアセスメントにもとづく介護サービス計画の作成や介護保険サービスを受けるための連絡調整，サービス担当者会議の開催運営，給付管理業務，介護認定代行申請などがある．また，介護保険施設にも配置義務があり，ここではアセスメントにもとづく介護サービス計画の作成，介護サービス計画の実施，介護サービス計画の見直しなどがおもな業務となる．

[同義語] ケアマネジャー

介護食
かいごしょく

care food, nursing care meal

　経口摂取に困難のある要介護者や障害者に供するために工夫された食事のこと．かつてのきざみ食やミキ

サー食が相当する．現在では嚥下調整食として摂食嚥下機能に合わせた段階的難易度を有する食物形態に進歩している．国内の医療・福祉関係者が共通して使用できる食事（嚥下調整食）およびトロミについての段階分類は日本摂食嚥下リハビリテーション学会より嚥下調整食分類2021として公開されている．

関連語 嚥下調整食

介護認定審査会
かいごにんていしんさかい
certification committee of needed long-term care

認定調査員が作成した調査票と主治医意見書に基づく一次判定結果で推計される要介護度と認定調査票の特記事項および主治医意見書の内容を比較し，介護認定審査会委員の経験や専門性の観点から介護に要する時間を勘案して，最終的な要介護度の判定（二次判定）を行う．市町村単位で設置されており，その委員は保健・医療・福祉に関する学識経験者で構成されている．介護認定審査会の判定結果は，保険者である市町村へ通知される．

関連語 要介護認定，介護保険法

介護福祉士 かいごふくしし
certified care worker

「社会福祉士及び介護福祉士法」（1987年）により，社会福祉士とともに創設された福祉専門職（国家資格）．介護福祉士の名称を用いて，専門的知識，技術をもって，身体上または精神上の障害があることにより日常生活を営むのに支障がある者について，心身の状況に応じた介護（医師の指示のもとの喀痰吸引を含む）を行い，または，本人やその介護者に対して介護に関する指導を行う専門職である．資格を取得するには，介護福祉士指定養成施設を卒業する，介護福祉士国家試験に合格するなどがあり，登録を要する．

関連語 社会福祉士

介護保険 かいごほけん
long-term care insurance

1997年12月に公布され，2000年度から在宅および施設の要介護者（おもに高齢者）を対象とした保健・医療・福祉の総合的なサービス制度．市町村および特別区が保険者（運営主体）となり，国，都道府県，医療保険者，年金保険者がこれを支援する．介護保険の給付を受けるためには，市町村による要介護認定，要支援認定の審査を受けなければならない．このうえで保険給付の内容や介護保険料とそれにともなう自己負担（原則1割）が決定される．2006年度には介護予防もこの制度のもとで給付が受けられるようになった．

介護保険は要介護高齢者を地域で支えるための保健・医療・福祉にわたる各サービスが総合的，一体的に提供されるところに特徴がある．歯科保健サービスについても，ほかの医療職種や行政と緊密な連携をとりながら，対象となる要介護高齢者の心身の状況に応じて適切に提供されることが必要である．このためには，まず，介護保険の仕組みへの関与，すなわち要介護認定委員会のメンバーに登録され，介護サービス計画のなかに歯科口腔介護の内容を導入し，サービス担当者会議（ケアカンファレンス）に参加するといった，基本的な参加の意思表示と介護保険システム全体に関する知識と理解が必要とされる．

関連語 介護，介護保険法，介護予防

介護保険施設　かいごほけんしせつ
long-term care facility

介護保険制度では，入所者に介護サービスを提供する施設を介護保険施設と定義しており，介護老人福祉施設，介護老人保健施設，介護医療院（介護療養型医療施設は2023年度末に廃止予定）の3つが規定されている．また，今後増加が見込まれる認知症の高齢者や要介護者に対応するため，2006年度から新たな類型として地域密着型サービスが創設された．このなかに地域密着型介護老人福祉施設が規定されている．

関連語 介護老人福祉施設，介護老人保健施設，介護療養型医療施設，地域密着型介護老人福祉施設

介護保険法　かいごほけんほう
long-term care insurance act

要介護状態になった高齢者が，介護や機能訓練などの保健・医療・福祉にわたる介護サービスを，本人の選択に基づき総合的に利用できることを目的として，1997年に成立し，2000年から施行された法律．40歳以上の者を対象とした強制保険で，保険料を納め，介護が必要になったときに保険給付を受けて介護サービスを購入する社会保険制度である．

関連語 介護保険

介護予防　かいごよぼう
long-term care prevention

高齢者が要支援・要介護状態にならないために行う予防，および介護が必要になった場合でもそれ以上悪化しないように改善を図ること．2006年度より介護保険制度のなかで，市町村の地域支援事業として推進されている．現在，地域支援事業には介護予防・日常生活支援総合事業（以下，総合事業），包括的支援事業，任意事業があり，2017年4月より地域支援事業は見直され，すべての市町村で総合事業を実施して

いる．なお，総合事業は要支援者と虚弱高齢者を対象として行う介護予防・生活支援サービス事業と一般の高齢者を対象として行う一般介護予防事業がある．

関連語 介護保険

介護予防・生活支援サービス事業対象者
かいごよぼう・せいかつしえんさーびすじぎょうたいしょうしゃ

subjects with long-term care prevention/ life support service

要介護状態，要支援状態にはないが，そのおそれがあると考えられる 65 歳以上の高齢者を対象として実施する介護予防事業の該当者のこと．以前は二次予防事業対象者とよばれていた．要支援者と 65 歳以上で基本チェックリストにより事業対象者と判定された者が利用できる．ボランティアや民間企業など多様な方向から住民主体による要支援者を中心とする自主的な通いの場などでの介護予防と生活支援サービスを受けることができる．

関連語 介護予防，通いの場

介護療養型医療施設
かいごりょうようがたいりょうしせつ

medical institution for long-term care

医療法に基づき，病状が安定期にある要介護者に対し，医学的管理のもとに介護そのほかの世話や必要な医療を行う施設のこと．介護療養病床ともいう．病状が安定している長期療養患者で，カテーテル装着などの医学的管理が必要な要介護者を対象としている．介護保険が適用される施設のなかでは，医療機能がもっとも高い．療養病床の再編にともない，介護療養型医療施設は 2023 年度末に廃止される予定である．

同義語 介護療養病床
関連語 介護医療院，療養病床

介護療養病床
かいごりょうようびょうしょう

long-term care bed(s)

➡ 同義語 介護療養型医療施設

介護老人福祉施設
かいごろうじんふくししせつ

nursing welfare facility for the elderly

介護保険法に基づき，常時介護が必要で在宅介護が困難な要介護者（原則要介護 3 以上）を対象とし，施設サービス計画に基づく入浴，排泄，食事などの介護，機能訓練，健康管理，療養上の世話を行う施設．看護職は常時配置されているが，医師は嘱託（非常勤）でよいとされている．通称，「特養」といわれる．

関連語 介護保険施設，介護老人保健施

設，地域密着型介護老人福祉施設，特別養護老人ホーム

介護老人保健施設
かいごろうじんほけんしせつ

nursing health care facility for the elderly, health care facility for the care of the elderly

病状安定期にあり，入院治療をする必要はないが，リハビリテーションや看護，介護を必要とする要介護者を対象とし，看護，医学的管理下における介護および機能訓練，そのほか必要な医療や日常生活上の世話を行い，その有する能力に応じ自立した日常生活を営むことができるようにすることを目的とした施設．介護保険法での施設サービスの1つとして位置づけられており，常勤の医師のほか，看護職員，理学療法士，作業療法士または言語聴覚士の配置が必要である．通称，「老健」といわれる．

関連語 介護保険施設，介護老人福祉施設

改床法
かいしょうほう

rebase

➡ **同義語** リベース

疥癬
かいせん

scabies, itch

皮膚の感染症の1つである．感染源はヒゼンダニというダニである．皮膚の角質にヒゼンダニが寄生することで発症する．ヒトからヒトに接触感染する．症状はアレルギー反応による激しいかゆみであり，指の間や頸部，腋窩，手首，下腹部，陰部などに赤い丘疹が生じる．外用薬と内服薬で治療される．口腔衛生管理を含め，なんらかの処置が必要な場合は感染予防に努める．高齢者施設で集団発生することがある．

外側翼突筋
がいそくよくとつきん

lateral pterygoid muscle

4つの咀嚼筋の1つ．下顎の内側にほぼ水平に位置する．上頭の起始は，蝶形骨大翼の側頭下稜から，下頭の起始は，蝶形骨翼状突起外側板外面から起こり，ほぼ水平に後外方に向かって集まり，停止は下顎骨の関節突起，関節包，関節円板である．外側翼突筋は下顎頭を前方に引くので，片側だけが働けば，下顎骨は反対側に動く．両側が働けば，下顎骨全体が前方に動き，あるいは両側の下顎頭が前方に動いて開口する．支配神経は下顎神経の外側翼突筋神経である．

関連語 咀嚼筋

改訂長谷川式簡易知能評価スケール
かいていはせがわしきかんいちのうひょうかすけーる

Hasegawa's dementia scale revised (HDS-R)

1974年に長谷川らが開発した長谷川式簡易知能スケール（HDS）の改訂版で，認知症のスクリーニングを目的とした評価方法．認知機能を評価する質問項目は，①年齢，②日時の見当識，③場所の見当識，④3つの言葉の記銘，④計算，⑤数字の逆唱，⑥3つの言葉の遅延再生，⑦5つの物品記銘，⑧野菜の名前，⑨言葉の流暢性の9項目で構成され，30点満点中20点以下を認知症の疑いありと判定する．10分以内にできる簡単な検査なので，医療機関以外でも広く使用されている．

同義語 HDS-R

改訂BDR指標
かいていびーでぃーあーるしひょう

BDR index, assessment of independence for brushing, denture wearing, mouth rinsing

1993年に「寝たきり者の口腔衛生指導マニュアル作成委員会」が口腔清掃の自立度判定基準として作成した．歯磨き（brushing），義歯着脱（denture wearing），うがい（mouth rinsing）の3項目と，歯磨きの状況（巧緻度，自発性，習慣性）について「自立」「一部介助」「全介助」の3段階と介護困難の有無により評価するもの．BDR指標は口腔健康管理実施の目安となるもので，そのほかの判定方法と併用して用いることで，寝たきりの高齢者のそれぞれのレベルに応じた口腔健康管理の指導や支援により細かく対応することができる．

同義語 口腔清掃自立度判定基準

改訂水飲みテスト
かいていみずのみてすと

modified water swallowing test (MWST)

冷水3 mLを患者の口腔底に注いで嚥下させ，嚥下反射の有無，むせ，呼吸の変化により嚥下機能を評価するスクリーニングテスト．嚥下反射なし，呼吸切迫，湿声，むせのいずれかが出た場合を誤嚥ありと判定する．3回繰り返し，3回とも上記の異常所見がみられなかった場合を誤嚥なしと判定する．

同義語 MWST

潰瘍性大腸炎 かいようせいだいちょうえん
ulcerative colitis

大腸に限局したびまん性のびらんあるいは潰瘍を形成する原因不明の疾患．難病に指定されている．患者数は増加し続けている．再燃と寛解を繰り返し，長期経過で大腸がんリスクが上昇するといわれている．若年者の発症が多い疾患であるが，高齢者でも発症例は存在する．しかし，

その経過は不良であることが多いといわれている．治療は寛解導入療法と維持療法に分けられる．坐剤や注腸などの局所製剤，あるいは内服の5-アミノサリチル酸製剤（5-ASA）を用いるが，治療の中心となるのは5-ASAである．

> 関連語　難病

下顎位　かがくい
mandibular position

上顎に対する下顎の限界運動範囲内における三次元的な位置関係をいう．上下顎の歯の接触関係（咬合位）や顎関節内の下顎頭の位置（顆頭位），筋の活動によって決まる位置（筋肉位）など種々の下顎位が存在し，下顎運動の解析や診断や補綴装置製作時の基準位として応用される．とくに上下顎の歯列が最大に嵌合する下顎位である咬頭嵌合位は，咀嚼時の最終経路の終末位として重要視される．そのほかに，下顎安静位，顆頭安定位，中心位などが基準位として臨床的に応用される．

下顎運動　かがくうんどう
mandibular movement

基準とした上顎に対する歯列，下顎頭を含む下顎全体の相対的な運動のこと．主として下顎骨に付着する筋によって生じるが，咬合面形態の協調作用を得て，下顎頭が関節窩内で移動し，下顎が上下，前後，左右へ回転，滑走をともなって移動する三次元的な運動をいう．下顎運動は，空口時に意識的に行う基本的下顎運動と，これらの運動を複雑に組み合わせて行う生理的な運動である機能的下顎運動とに大きく分けられる．基本的下顎運動には，前方，後方，側方への滑走運動と，習慣性開閉口運動，タッピング運動および蝶番運動がある．機能的下顎運動には咀嚼，嚥下，発音などの生理的運動があり，随意的にコントロールは可能であるが，咀嚼運動中枢による反射的な半自動的運動でもある．

非生理的な運動として，ブラキシズムや口腔の悪習癖としての運動もある．

下顎運動は顎関節の解剖学的形態，咀嚼筋の活動状態，歯の咬合面形態，咬合接触様式のすべての要素が関与した結果として行われるので，下顎運動を解析することにより，咀嚼筋や顎関節の状態をある程度は診断することができる．とくに顎口腔機能異常の検査や診断においては下顎運動の検査は欠かせないものである．

下顎骨骨折　かがくこつこっせつ
fracture of mandible

顔面部の骨折においてもっとも頻度が高い．直達骨折のほか介達骨折

の頻度が高く，複線骨折を生じることが多い．下顎角部，関節突起部，正中部，犬歯部など構造的に脆弱または外力の集中しやすい部位に好発する．受傷部位により，咬合不全，顔貌変化，開口障害，舌根沈下，オトガイ部知覚鈍麻などの症状を呈することがある．治療法は観血的に整復し，組織内固定を行うか，非観血的に骨片を整復し，組織外固定を行う．組織外固定は顎内固定と顎間固定に分けられる．

関連語 顎顔面骨折

かかりつけ医 かかりつけい
family doctor

最新の医療情報に基づき，健康に関する患者からの相談に応じ，必要に応じて専門医や専門医療機関を紹介するなど，身近で頼りになる地域での医療・保健・福祉に関する総合的な能力を有する医師のこと．かかりつけ医は，地域医療のみならず地域保健や福祉にも大きく関与し，すべて世代の健康づくりに大きく寄与する．

関連語 かかりつけ医機能，かかりつけ歯科医，かかりつけ歯科医機能

かかりつけ医機能 かかりつけいきのう
family doctor function

かかりつけ医において患者へのプライマリケアを行ったうえで，必要に応じて専門医や専門医療機関に適宜紹介し，特定の病院に患者が集中することを回避するなど，外来医療の機能分化を図る機能のこと．歯科医療との連携および情報共有もかかりつけ医機能に含まれる．

関連語 かかりつけ医，かかりつけ歯科医，かかりつけ歯科医機能

かかりつけ歯科医 かかりつけしかい
family dentist

安全・安心な歯科医療の提供のみならず医療・介護に係る幅広い知識と見識を備え，歯・口腔の健康に関する患者からの相談に応じ，生涯にわたって継続的に適切な歯科医療と口腔健康管理を行うなど，地域保健医療の一翼を担う者としてその責任を果たすことができる身近で頼りになる歯科医師のこと．

関連語 かかりつけ医，かかりつけ医機能，かかりつけ歯科医機能

かかりつけ歯科医機能 かかりつけしかいきのう
family dentist function

かかりつけ医や関連職種との情報共有・連携を図り，患者が在宅医療・介護サービスを利用する場合でも口腔疾患の重症化予防のための継続管理を行う機能のこと．

関連語 かかりつけ歯科医機能強化型歯科診療所

かかりつけ歯科医機能強化型歯科診療所
かかりつけしかいきのうきょうかがたしかしんりょうじょ
dental clinic with enhanced dental care by family dentist

地域包括ケアシステムにおける地域完結型医療を推進していくため，厚生労働大臣が定めた施設基準に合致し地方厚生局などに届け出た歯科診療所のこと．う蝕や歯周病の重症化予防，そして摂食機能障害や歯科疾患に対する包括的で継続的な管理を行うことにより，新たな診療報酬や加算が得られる．

関連語 ▶ 在宅療養支援歯科診療所

牙関緊急 がかんきんきゅう
trismus

開口筋（咀嚼筋）の痙攣によって食いしばり状態となり，口が開かない症状．破傷風の初期の特徴的な症状で，ヒステリーやてんかん発作でもみられる．開口障害の程度はさまざまで，指が1〜2本なんとか押し込めるくらいのものからまったく開かないものまである．

関連語 ▶ 開口障害

架橋義歯 かきょうぎし
fixed partial denture, bridge

➡ 同義語 ブリッジ

顎炎 がくえん
jaw inflammation

顎骨とそれを被覆している周囲軟組織の炎症で，根尖性歯周炎や辺縁性歯周炎，智歯周囲炎から波及した顎骨骨髄炎，顎骨骨膜炎，顎骨周囲膿瘍などをさす．これらが進行すると舌下隙，顎下隙，翼突下顎隙などへ炎症が波及し，顎骨周囲の蜂窩炎となる．原因としては，多くは口腔内常在菌の細菌感染によるものであるが，物理的・化学的要因による非細菌感染性のものもある．抗菌薬は細菌性のものに有効であり，非細菌性のものには一般に無効であるが，診断のために投与する場合や，二次的に歯性感染症が重複すれば投与が必要となる．

角化症 かくかしょう
keratosis

皮膚の角質層の過剰形成を示す疾患の総称．このうち老人性角化症（日光角化症）は，高齢者の顔面や手背などの長期にわたって日光（紫外線）の曝露を受けた部分に生じる．高齢になるほど発生頻度は高くなる．臨床症状はいろいろで，鱗屑の固着した紅斑やいぼ状の病変で，角質増殖が強いと皮角（皮膚の角質性突起物）を形成する．悪性度の低い有棘細胞癌を生じることもある．

顎間固定 がくかんこてい
intermaxillary fixation

おもに下顎骨骨折の整復後に確実な安静を図るため，対合歯列と緊密に咬合させ，筋活動の影響を抑制した状態を維持させるために行う固定．非観血的整復固定術では顎内固定と併用し，観血的整復固定術を行う際は，術中の咬合復元および術後の安静維持の際に適用される．残存歯の状態により，エリックアーチバー，シューハルトシーネ，三内式線副子，顎間固定用スクリュー（IMFスクリュー）などを使用して行う．

顎関節 がくかんせつ
temporomandibular joint (TMJ)

下顎骨の上端にある左右一対の関節．下顎頭と側頭骨鱗部との間で複雑な運動（滑走と回転）をすることができる．顎関節は複合関節で下顎頭は関節円板で覆われ，関節腔は上関節腔と下関節腔に分けられる．蝶番運動は下関節腔で下顎頭が回転することによって行われ，滑走運動は円板と側頭骨関節隆起との間の上関節腔で主として行われる．そして，回転と滑走が左右の関節で協調して営まれ複雑な運動を遂行することができる．加齢的変化として骨の退行性変化によって下顎骨の変形や関節窩の平坦化が生じる．

同義語 TMJ

顎関節雑音 がくかんせつざつおん
temporomandibular joint noise (sound)

下顎運動の際に顎関節部に生じる異常音．顎関節症の初発症状として高頻度に出現する．顎関節雑音発生の原因は，下顎頭と下顎窩およびその間に位置する関節円板の相互関係による．クリック音やクレピタス音などがある．

関連語 クリック音，クレピタス音

顎関節症 がくかんせつしょう
temporomandibular joint disorders

顎関節や咀嚼筋の疼痛，顎関節雑音，開口障害ないし顎運動異常を主要症状とする障害の包括的診断名である．顎関節症の病態は咀嚼筋痛障害（Ⅰ型），顎関節痛障害（Ⅱ型），顎関節円板障害（Ⅲ型）および変形性顎関節症（Ⅳ型）に分類される．

顎関節脱臼 がくかんせつだっきゅう
dislocation of temporomandibular joint

顎関節脱臼は，顎関節運動の固有の範囲を超えて下顎頭が下顎窩より逸脱し，多くは前方に転移している状態で自力で復位しない状態．通常は下顎窩，関節隆起，下顎頭などの形態や靱帯，関節包，筋などにより過剰な運動は制限されている．顎関節脱臼は，①単純性顎関節脱臼，②

習慣性顎関節脱臼，③陳旧性顎関節脱臼，に分けられる．
①単純性顎関節脱臼は大きく開口したときに発症し，整復不能になった状態．
②習慣性顎関節脱臼は開口運動の際に，脱臼と整復を繰り返す状態．とくに高齢者では関節結節の平坦化などが原因となる．
③陳旧性顎関節脱臼は脱臼後整復されることなく経過（約4週程度）し慢性化した状態で，徒手的整復が困難となり，観血的整復術が施行されることもある．

脱臼の症状としては，耳珠前方の皮膚の陥没，嚥下障害，流涎が起こる．片側の脱臼の場合は下顎の片側の変位，両側の脱臼の場合は開口を呈する．

徒手的整復はヒポクラテス法（術者が患者の前に立つ）とボルカース法（術者が患者の背面に立つ）がある．

顎関節痛　がくかんせつつう
temporomandibular joint pain, arthralgia, arthrodynia

顎関節部およびその周辺の疼痛．大部分は下顎運動時や圧痛としてみられ，同部の化膿性炎症の場合を除き自発痛は少ない．疼痛は顎関節痛と咀嚼筋痛に分けられる．そのほか，三叉神経痛や帯状疱疹後神経痛などの神経障害性疼痛，口腔（歯科）心身症の心因的症状などがある．顎関節のような比較的深部の関節では，その周囲組織の痛みも関連痛として感じられる場合があり，疼痛部位の識別が困難なことが多い．この痛みは顎関節症の主症状で，除痛は大きな治療目標となる．しかし，器質的障害が明白な場合を除いて，疼痛発現の機序は不明な点が多く，顎関節痛がみられる疾患の診断は，生活習慣や心因的要因も含めて総合的に判断する必要がある．最近は筋膜の慢性炎症である筋膜痛も考えられている．

顎顔面骨折　がくがんめんこっせつ
fracture of maxillofacial bone

急速な高齢化にともない，高齢者の活動性も向上し，高齢者の外傷が増加している．65歳以上の高齢者の顎顔面骨折は全骨折患者の約8％を占め，男性の割合が多い．受傷原因は転倒，転落がもっとも多く，次いで交通事故によるものである．部位別では下顎骨単独骨折がもっとも多く，次いで頰骨頰骨弓骨折である．高齢者の下顎骨骨折における骨折線は，関節突起がもっとも多い．治療は，下顎骨骨折では非観血的処置が多くを占め，観血的処置は少ない．頰骨頰骨弓骨折では経過観察が多く，観血的処置は少ない．処置後の経過

はおおむね良好であるが，関節突起骨折に起因する開口時の下顎の偏位や知覚異常が残存する症例が少数みられる．

顎顔面補綴装置
がくがんめんほてつそうち
maxillofacial prosthesis

腫瘍，外傷，炎症，先天奇形などが原因で，顎骨とその周囲組織に生じた欠損に対し，失われた機能と形態の回復を図る目的で用いられる装置の総称．とくに体の表面に装着する顔面補綴装置をエピテーゼ，これに対し口腔内に装着する顎義歯などの顎補綴装置をプロテーゼという．

関連語　顎義歯

顎義歯
がくぎし
denture for defected jaw

腫瘍，外傷，炎症，先天奇形などが原因で，顎骨とその周囲組織に生じた欠損に対し，欠損部の閉鎖を図る義歯に準じた形態と機能を有した補綴装置．

関連語　顎顔面補綴装置

喀痰吸引
かくたんきゅういん
sputum sucking, sputum suction

呼吸器で生成（分泌）される粘液を吸引カテーテルを用いて機械的に吸引除去すること．気道浄化法の1つ．医療行為であるが，所定の研修を受けた介護職員などが吸引を実施できるようになった．日本呼吸療法医学会よりガイドラインが発表されている．

顎堤
がくてい
alveolar ridge, residual ridge

歯の喪失によって生じる骨吸収後に，残留した歯槽骨あるいは顎骨と顎堤粘膜によって形成される堤状の高まりのこと．歯槽骨は歯の喪失直後から6か月間で大きな吸収を起こし，顎堤の形態的変化をもたらす．その後の吸収は小さくなるが経時的に持続し，骨吸収の程度は全身的および局所的な要因により影響される．顎堤は有床義歯を支持し，咀嚼力など機能時に生じる力を負担（粘膜負担）することから，顎堤の形態，性状，上下顎顎堤弓の対向関係は，義歯の維持・安定に影響を与え，義歯の予後を決定する重要な因子となる．

同義語　歯槽堤

顎堤形成術
がくていけいせいじゅつ
alveoloplasty

顎堤の著しい吸収により，義歯の製作や歯科インプラントの埋入が困難な顎堤に対しての手術．①相対的顎堤形成術：軟組織の付着位置の移動により顎堤と周囲軟組織の位置関係を改善するもの．おもに義歯の製

作のために用いるもの．②絶対的顎堤形成術：おもに歯科インプラントの埋入を目的に骨移植などにより，顎堤の高径の増量を図るもの．
同義語 歯槽堤形成術

架工義歯　かこうぎし
bridge
➡ 同義語 ブリッジ

鵞口瘡　がこうそう
thrush
➡ 同義語 口腔カンジダ症

片麻痺　かたまひ
hemiplegia
片側の上下肢の麻痺．頸髄より上位の皮質脊髄路の障害による上下肢の運動麻痺．大脳や脳幹部などの障害においてみられる．もっとも多い原因は脳血管疾患であり，病変と反対側に麻痺が発生する．
関連語 脳血管疾患

過鎮静　かちんせい
deep sedation
精神鎮静法で鎮静状態が過度になった状態．とくに静脈内鎮静法においては，急速なあるいは大量の薬剤の投与により鎮静が過剰になると，入眠してしまい，よびかけに応じず意思の疎通がとれなくなる．さらに，意識消失にともなう舌根沈下などの呼吸器系や血圧低下など呼吸循環器系の抑制が生じることがある．この場合には処置を中断し，気道を確保する．拮抗薬を投与するなどすみやかな対処が求められる．

顎骨囊胞　がっこつのうほう
cyst of the jaw
顎骨に発症した囊胞性疾患の総称．歯原性と非歯原性の囊胞に分けられる．歯原性囊胞には，歯根囊胞，含歯性囊胞，歯原性角化囊胞などがあり，非歯原性囊胞には，鼻口蓋管囊胞，術後性上顎囊胞などがある．また，偽囊胞として単純性（外傷性）骨囊胞，静止性骨空洞，脈瘤性骨囊胞がある．エナメル上皮腫などの腫瘍性病変なども鑑別疾患となり注意が必要である．

活性酸素　かっせいさんそ
reactive oxygen species, active oxygen
活性酸素は不安定で，ほかの物質と反応しやすい性質，すなわち酸化させる性質をもつ．活性酸素の増加は細胞の老化を引き起こし，細胞のがん化や生活習慣病の原因の可能性が指摘されている．予防には抗酸化物質の摂取が推奨されており，それには各種ビタミンなどがある．ストレスやタバコ，アルコールの過剰摂取，紫外線などが活性酸素増加の原

因といわれている.

カッツ指数　かっつしすう
Katz index

日常生活を送るために最低限必要な動作である基本的日常生活動作（basic activities of daily living：BADL）の評価方法の1つ．入浴，更衣，トイレの使用，移動，排尿・排便，食事の6つの各項目について，自立（1点），介助（0点）で評価し，自立度の高い順にA～Gまでの7段階で総合判定を行う．

関連語　ADL

可撤性義歯　かてつせいぎし
removable denture

患者または術者が着脱できる義歯．有床義歯または可撤性ブリッジなどがある．

関連語　義歯

可撤性補綴装置　かてつせいほてつそうち
removable dental prosthesis

患者または術者が着脱できる補綴装置．有床義歯または可撤性ブリッジなどがある．

関連語　義歯，可撤性義歯

カヘキシア　かへきしあ
cachexia

➡ 同義語　悪液質

ガマ腫　がましゅ
ranula

口腔底に発症した粘液貯留囊胞．舌下腺，顎下腺導管（ワルトン管）に関連して発症する．

病変の位置で以下の3つに分類される．
①舌下型：顎舌骨筋上の囊胞
②顎下型：おもに顎舌骨筋後方から顎下部の囊胞
③舌下顎下型：①②を貫通して存在する囊胞

粥食　かゆしょく
rice gruel

水を多くして米を軟らかく炊いたもの（粥）が主食となっている食事のこと．米を炊く際の米と水の割合で，全粥，七分粥，五分粥，三分粥に分かれている．全粥は米1に対して水5の割合，七分粥は米1に対して水7の割合，五分粥は米1に対して水10の割合，三分粥は米1に対して水15の割合で炊いたものをいう．

通いの場　かよいのば
common meeting place for long-term care prevention

高齢者をはじめ地域住民が，他者とのつながりのなかで主体的に取り組む，介護予防やフレイル予防に資する月1回以上の多様な活動の場・

機会のこと．介護予防・日常生活支援総合事業における一般介護予防事業を地域で展開する拠点として大きな役割を担う．通いの場において，歯科衛生士が口腔機能向上プログラムの指導や口腔機能などに関する簡易アセスメントを行うことにより，高齢者がより参加しやすく，かつ効果的なプログラムが提供される体制づくりに役立つ．

関連語 高齢者の保健事業と介護予防の一体的な実施

空嚥下 からえんげ
dry swallow

口腔内に食塊が存在しない状態で唾液を意識下で嚥下すること．おもに嚥下障害患者に対する嚥下の訓練法，食塊の咽頭・食道残留除去法，嚥下障害のスクリーニング法である反復唾液嚥下テストに用いられている．嚥下の訓練法は，空嚥下を行わせることで，嚥下パターンの獲得（口腔期から咽頭期，食道期への連携）を目的としている．食塊の咽頭・食道残留除去法は，嚥下後空嚥下を施行することで，嚥下時に咽頭や食道内に残留した食塊の除去を促す．嚥下障害のスクリーニング法である反復唾液嚥下テストは，被験者に座位をとらせ，できるだけ多くの回数を空嚥下するように指示し，嚥下運動時の喉頭挙上・下降運動を触診で確認し，30秒間に起こる嚥下回数を観察値とする．30秒間に嚥下回数3回がスクリーニング値の目安となっている．

関連語 嚥下，反復唾液嚥下テスト

加齢 かれい
aging, ageing

一般には，新年または誕生日を迎えて年齢を増やすことといわれているが，加齢は受精とともに始まり生涯にわたる時間的経過にともなう生体の緩慢な変化である．老化という言葉を広義に使う場合には，加齢と老化は同義になる．しかし，老化は個体の身体的成長が終了し，成熟期を迎えた後の変化をさす．

関連語 老化

間欠的口腔食道経管栄養法
かんけつてきこうくうしょくどうけいかんえいようほう
intermittent oro-esophageal tube feeding

食事のときだけ口から食道にチューブを挿入して，流動食を注入する経管栄養法のこと．自然の経口摂取に近いので，食道ー胃の反射も生理的で注入速度も速くでき，下痢や腹部膨満感も少ない．

この方法は家庭でも本人あるいは家族（介護者）が手技を修得すれば十分可能な方法となる．食事のときのみの使用なので，患者の苦痛も少

なく，美容上もよい．チューブを留置したままにしないので，気道感染の危険性も比較的少ない．

ただし，消化管になんらかのチューブ通過障害がある場合や，解剖学的理由などで気管にチューブが入りやすい場合は適用できないので，内視鏡などによる事前の十分な検査が必要である．

|同義語| OE法
|関連語| 経鼻経管栄養法，経管栄養法

観血的整復法 かんけつてきせいふくほう
open reduction

口腔外科領域では，おもに上下顎の骨折に用いられる手術で，骨折部位を手術により旧位に整復するもの．多くの場合，整復後は固定を行う．おもにプレート，スクリューによる固定が行われるが，ワイヤーによる骨縫合を選択する場合もある．

看護 かんご
nursing

病人やけが人の手当てや世話をすること．また，それを職業とする者が看護師である．看護業務は，わが国では「傷病者もしくはじょく婦（産婦）に対する療養上の世話または診療の補助」と保健師助産師看護師法で規定されている．

看護必要度 かんごひつようど
level of need for nursing care

正式名称は重症度，看護・医療必要度．入院患者の重症度と活動行為，提供されるべき看護の必要量から患者の医療の需要度を測る指標．看護業務を可視化し，医療需要に対して適正な看護師の配置を図り，適正な入院料を示すことが目的である．呼吸ケアの要否や救急搬送後の入院などのモニタリングおよび処置などに関する評価8項目（A評価），移乗や口腔清潔，食事摂取などの患者の状態に関する評価7項目（B項目），手術などの医学的状況に関する9項目（C項目）の計24項目で評価する．

|関連語| 看護

間質性肺疾患 かんしつせいはいしっかん
interstitial lung disease

おもに肺間質（肺中核）の線維化と慢性的な炎症により，肺胞におけるガス交換が困難になる疾患の総称．間質性肺疾患は，単一の疾患ではなく，さまざまな肺疾患から成り立つ．分類は，原因が明らかなものと，不明なものに分けられる．前者には薬剤，環境，職業などを原因とする間質性肺疾患がある．後者は特発性間質性肺炎とよばれ，特発性肺線維症，サルコイドーシスなどが含まれる．このうち，特発性肺線維症は間質性肺疾患のなかでもっとも多

く，高齢者で増加し，予後は不良である．その診断から死亡までの中央値は3年といわれている．一方，サルコイドーシスは若年者に多いが，予後は比較的良好である．もっとも多い症状は呼吸困難であり，そのほかに頻呼吸，咳嗽，発熱，体重減少などがある．合併症には，低酸素症増悪，心血管疾患，肺高血圧症，感染症などがある．治療は間質性肺疾患の種類により異なるが，グルココルチコイド，免疫抑制剤などが用いられる．

関連語 肺炎，自己免疫疾患

間接訓練 かんせつくんれん
indirect therapy

摂食嚥下障害に対する訓練のうち食物を使わないものをさす．嚥下機能が低下し食物を使った経口摂取の練習（直接訓練）が不可能な患者，もしくは経口からの栄養摂取をしているが，むせなどなんらかの嚥下障害を疑わせる症状がある場合に，食物を使わずに嚥下機能を改善させるために行う訓練である．マッサージやストレッチ，リラクゼーションまたは筋力トレーニングなどがある．

関連語 直接訓練，摂食機能訓練

関節リウマチ かんせつりうまち
rheumatoid arthritis

複数の関節に慢性炎症が生じ，関節の骨が破壊される自己免疫疾患で女性に多い．遺伝的要因に外的因子が加わり発症すると考えられているが，詳細は不明である．手，足などの比較的小関節に初発することが多く，進行すると関節構造変化や運動機能障害のほか，皮膚潰瘍などの関節外病変を合併することがある．顎関節に関節炎が生じると，開口障害をきたす．治療には薬物療法（抗リウマチ薬，免疫抑制薬，ステロイド薬など），リハビリテーション，手術などがある．多くの場合，ステロイド治療を行われるが，口腔カンジダ症の発症や長期投与による薬剤性骨粗鬆症に対しての骨修飾薬の使用など口腔管理も重要である．

感染根管治療 かんせんこんかんちりょう
infected root canal treatment

歯周組織に為害作用を及ぼす根管内の感染源を機械的ならびに化学的に除去し，根管を封鎖して口腔と歯周組織の交通を遮断するための一連の処置．感染源には細菌，感染歯質ならびに歯髄残渣などがある．感染歯質は根管切削器具により機械的に除去し，細菌や歯髄残渣などの軟組織は次亜塩素酸ナトリウム溶液や薬剤により化学的に除去する．根管拡大や根管形成によって生じたスミヤー層は，EDTA溶液などを用いて除去する．感染源の除去後の根管

感染性心内膜炎
かんせんせいしんないまくえん
infective endocarditis

弁膜や心内膜，大血管内膜に細菌集簇を含む疣腫（vegetation）を形成し，菌血症，血管塞栓，心障害などの多彩な臨床症状を呈する全身性敗血症性疾患（感染性心内膜炎の予防と治療に関するガイドライン2017年改訂版）．一度発症すると多くの合併症を引き起こし，命の危険につながる疾患であるため，早期に専門家による的確な診断・治療を受ける必要がある．抜歯だけでなく歯周処置など歯科治療は多くの場合観血処置をともなうため，処置をきっかけに一過性の菌血症が生じると，非細菌性血栓性心内膜炎などのリスク部位に菌が付着・増殖し，疣腫が形成されると考えられている．そのため，とくに先天的・後天的を問わず心疾患の既往がある患者に歯科処置を行う際には抗菌薬の投与を行うなど，十分に留意する必要がある．

含嗽剤
がんそうざい
gargle

口腔内および咽喉頭の洗浄・防臭・消毒・収斂・止血・殺菌・炎症性疾患の治療や予防を行うための液体製剤（使用時，溶解する固形製剤を含む）．医薬品もしくは新範囲医薬部外品に該当し，うがい薬とも称される．殺菌消毒薬，抗菌薬，局所麻酔薬または抗炎症薬などを主成分としている．

関連語 洗口剤

眼底血圧
がんていけつあつ
ophthalmic artery pressure

眼底の網膜動脈の血圧のこと．網膜動脈は眼球内に入る前に，内頸動脈，眼動脈，網膜中心動脈の順に枝分かれして伸びている．心臓により近い側の内頸動脈や眼動脈に動脈硬化が起こることで，眼底血圧が低下し眼球全体の血流が低下する．すなわち，眼底の血管に異常があれば眼底以外の全身の血管にも同じような変化が現れている可能性が高い．このように眼底は人体で唯一細動脈を直接観察できる部位なので，高血圧や動脈硬化の検査に眼底検査が行われる．

顔面神経麻痺
がんめんしんけいまひ
facial palsy

顔面神経によって支配されている筋肉の麻痺．病態の相違から中枢性顔面神経麻痺と末梢性顔面神経麻痺に分類される．中枢性顔面神経麻痺は顔面神経核より上位の障害によって生じ，末梢性顔面神経麻痺は，そ

れより下位の障害によって生じる．中枢性顔面神経麻痺は脳出血，脳梗塞や脳腫瘍にともなってみられる．末梢性顔面神経麻痺の病因としては，外傷，新生物，中耳炎，脳炎，髄膜炎，帯状疱疹などの感染症，肉芽腫，糖尿病などによる血管障害，ギラン・バレー症候群などが知られている．

管理栄養士　かんりえいようし
registered dietitian

厚生労働大臣の指定した管理栄養士養成施設で研修し栄養士免許を得た者，または栄養士で一定期間実務に従事した者で，国家試験に合格し厚生労働大臣免許を取得した者．傷病者の療養や高度な専門性を必要とする栄養指導，施設などの給食管理や栄養改善上必要な指導を行う．

関連語▶栄養士

緩和ケア　かんわけあ
palliative care

生命を脅かす病に関連する問題に直面している患者とその家族のQOLを，痛みやそのほかの身体的・心理社会的・スピリチュアルな問題を早期に見出し的確に評価を行い対応することで，苦痛を予防し和らげることを通して向上させるアプローチのこと〔世界保健機関（WHO），2002〕．以前は，治癒の可能性がないがんなどをもつ患者や家族などに対する，人生の終末期におけるQOL向上のためのケアを意味していたが，現在ではターミナルケアと緩和ケアは分けて考えられるようになった．緩和ケアはより早期の段階からがんやAIDSなどの疾患の治療とともに行う．

関連語▶終末期医療，ターミナルケア

緩和ケアチーム　かんわけあちーむ
palliative care team

学会や診療報酬制度，各種研究，医療機関などによってそれぞれ定義見解が異なる．一般的には回復することができないむずかしい疾病により人生の最終段階を迎える患者に対し，医師・歯科医師・薬剤師・看護師・介護福祉士・歯科衛生士・臨床心理士など患者にかかわるすべての職種がチームで緩和医療を提供する体制をいう．緩和医療はわが国の診療報酬制度上，悪性腫瘍およびAIDS患者に対して行われることとされているため，対象患者が絞られて定義されている場合があるが，世界保健機関（WHO）の定義では「生命を脅かす疾患による問題に直面している患者とその家族に対して，痛みやそのほかの身体的問題，心理社会的問題，スピリチュアルな問題を早期に発見し，的確なアセスメントと対処（治療・処置）を行うことに

よって，苦しみを予防し，和らげることで，クオリティ・オブ・ライフ（QOL）を改善するアプローチである」とされ，対象患者を幅広く含めている．主治医や担当看護師と協力し，患者によりよい緩和医療を提供するために活動を行うチームのことをいう．診療報酬制度にて緩和ケアチームとして認定される構成要件としては，認定研修を受けた医師・看護師，薬剤師などの参加が定められている．一般的には身体症状の緩和を担当する医師と，心のつらさを和らげることを担当する医師，認定資格をもつ看護師のほか，歯科医師・歯科衛生士，そのほかの職種がチームの構成員として参加する．

関連語 緩和ケア

緩和精神安定薬
かんわせいしんあんていやく

minor tranquilizer

各種の不安や緊張を緩和する目的で使用される薬剤．中枢神経系に対して，抗不安作用のほか，鎮静，催眠，抗痙攣，健忘の作用などを示す．副作用として，ふらつき，脱力感，倦怠感，呼吸抑制などがある．歯科領域では，静脈内鎮静法の薬剤，ペインクリニックでの鎮痛補助薬などとして用いられる．

関連語 精神鎮静法

き

気管（内）カテーテル
きかん（ない）かてーてる

tracheal catheter

➡ **同義語** 気管チューブ

気管（内）カニューレ
きかん（ない）かにゅーれ

tracheal cannula

➡ **同義語** 気管チューブ

気管チューブ きかんちゅーぶ

tracheal tube

気道確保のために気管に挿入する管状の構造物．先端を気管内に，他方の先端を体外に出し，気道確保や人工呼吸を行う．材質はシリコーンや塩化ビニル，プラスチックがほとんどである．挿入経路によって，経鼻，経口，経気管があり，それぞれの用途に応じたチューブがある．効率よく人工呼吸を行うために先端近くにカフがついているものもある．患者の年齢，体重および体格，さらには手術内容を考慮して気管チューブの種類，長さや内径などのサイズを選択する．

同義語 気管（内）カテーテル，気管（内）カニューレ

きざみ食 きざみしょく

chopped meal

高齢者や病人の食事において，固形物を咀嚼するのには困難をともなうが，ミキサー食や流動食にするまでには至らないと判断される場合，食材の外観や風味を生かすために，献立のうち食べにくい食品を細かく切り刻んだ食事の提供法．食事を個人の尊厳の観点からみたときにきざみ食のもつ意義は大きい．条件にもよるが，常食と同様に提供された食事を本人が自分で，あるいは本人の見ている前で細かくしてから提供する工夫なども行われている．

義歯　ぎし
denture

歯およびその周囲組織の喪失によって生じた口腔の形態的，機能的ならびに審美的欠陥を回復，改善する目的で製作，装着される補綴装置もしくは装具のこと．残存歯に固着される固定性義歯と患者や術者が任意に着脱できる可撤性義歯とがある．義歯という用語は補綴装置のすべてのものを含むが，通常は歯の欠損の修復に適応されるブリッジと有床義歯をさす．さらに狭義には，固定性の補綴装置（クラウン・ブリッジ）を除き，可撤性の有床義歯のみを義歯とする考え方もある．

ブリッジとは，少数歯中間欠損に対し，残存歯またはインプラントを支台として連結補綴することにより，歯根膜やインプラント周囲骨で咬合圧を負担する義歯のことをいう．支台装置，ポンティック，連結部とで構成される．

有床義歯とは粘膜を覆う義歯床を有する義歯のことをいい，顎堤の一部を覆う形式のものを部分床義歯，全部を覆う形式のものを全部床義歯という．咬合圧は粘膜と歯根膜のそれぞれ単独あるいは両方に負担させる場合がある．また，全部床義歯は人工歯と義歯床で構成され，部分床義歯ではさらに支台装置と連結子が加わる．

そのほかにも目的によって移行義歯，暫間義歯，治療用義歯，最終義歯，材料によって金属床義歯，レジン床義歯，形態によってオーバーデンチャー，支持様式によって歯根膜負担義歯，粘膜負担義歯，歯根膜粘膜負担義歯，インプラント義歯など，多様に分類される．

関連語 即時義歯，暫間義歯，移行義歯，治療用義歯，最終義歯，可撤性義歯，可撤性補綴装置

義歯安定剤　ぎしあんていざい
denture stabilizer

義歯床の維持・安定の不足を補うために患者自身が義歯床と顎堤の間に介在させて使用する市販の材料のこと．義歯安定剤の成分と性状により義歯粘着剤（粉末タイプ，クリー

ムタイプ，シールタイプ）とホームリライナーの2種類に大別される．歯の欠損の補綴歯科診療ガイドライン2008（日本補綴歯科学会）では，「不良な顎堤形態や口腔乾燥などの義歯使用に不利な口腔内状態の高齢者では有効であると推奨される．ただし，使用方法により為害性があることは多くの報告で指摘され，短期間の使用が勧められているため，歯科医師の管理下での短期間の使用が望ましい」としている．義歯安定剤の不適切な使用状況が問題とされており，著しい顎堤吸収を引き起こす危険性が指摘されている．使用する際には歯科医師による適切な指導が必要である．

義歯修理　ぎししゅうり
repair of denture components

落下など偶発的な外力により，あるいは生体の変化のため応力が集中し，義歯が破折，破損や変形を生じた場合に，義歯を修復し形態や機能を回復させること．原因としては，患者の不注意な取り扱い，義歯床の不適合，咬合関係の不正，義歯製作過程の技工操作の不備，設計ミス，材料の強度不足などがあげられる．修理に際しては，その原因を取り除き，義歯を修復して生体との再適合を図る．

義歯床　ぎししょう
denture base

義歯の構成要素の1つで，欠損部顎堤や口蓋部を覆い，人工歯が排列される部分．顎堤に接する義歯床粘膜面（基礎面），頰・舌に接する義歯床研磨面，義歯床縁などに大別される．義歯床は咬合力を顎堤に伝達する支持の役割を担い，さらに欠損歯数の多い症例では，義歯の維持や安定に対する役割も大きくなる．義歯床と顎堤との適合に問題が生じると，義歯の安定が損なわれたり，床下粘膜に疼痛を生じたりする．対処法としては義歯調整や不適合になった義歯床を床下粘膜に適合させるリベース（改床法）とリライン（裏装法）とがある．また，義歯床には金属を用いた金属床（metal base）と，アクリリックレジンや射出成形レジンが用いられるレジン床（resin base）とがある．

義歯性潰瘍　ぎしせいかいよう
denture ulcer

義歯による圧迫や摩擦などの機械的刺激による，口腔粘膜組織の循環障害や上皮剝離によって生じる炎症をともなう有痛性の潰瘍（義歯による褥瘡性潰瘍）．舌，頰，顎堤粘膜などに潰瘍を形成し，とくに義歯床縁部に頻発する．潰瘍は孤立性，表在性で創は浅く不定形で周囲の硬結

がなく，灰白色または黄色の分泌液で覆われ，周囲粘膜の変化が少ない．しかし義歯床の不適合などが持続し，慢性化すると，組織は反応性増殖をきたし，創は深くなり，辺縁が土堤状となって硬結をきたす．その結果，義歯性線維腫などの原因となる．床のリリーフや義歯不適合の改善により数日で治癒する．

関連語 褥瘡性潰瘍

義歯性口内炎 ぎしせいこうないえん
denture stomatitis

義歯床下粘膜異常のうち Candida albicans などの感染による非特異的炎症のこと．今日では，不適合な義歯床による口腔粘膜（顎堤）の圧迫，摩擦などの機械的刺激と考えられる局所的炎症は除外されている．通常，義歯床に一致した範囲で粘膜の発赤，腫脹を主徴とするが，自覚症状をともなわないことが多い．また，粘膜からの出血，灼熱感，疼痛，口臭，不快感，口腔乾燥などをともなうこともある．治療と予防はデンチャープラークを除去して義歯を清潔に保つことである．

義歯性線維腫 ぎしせいせんいしゅ
epulis fissuratum, denture fibroma

義歯の機械的慢性刺激による粘膜の炎症反応性の増生のこと．かつては義歯性線維症の名称も用いられた．義歯床の不適合または床縁の過長，鋭利な形態，咬合圧による義歯床の沈下などの機械的刺激による床下粘膜炎症の慢性化によって生じる．好発部位は上顎歯肉唇移行部であるが，口蓋や下顎にも生じることがある．病理組織学的に肉芽型，線維型，中間型に分類される．肉芽型は，該当部位のリリーフ，ティッシュコンディショニングあるいは咬合関係の修正で消退する可能性があるが，線維型は消退しないため，必要に応じて外科的切除が必要になることもある．

同義語 義歯性線維症

義歯性線維症 ぎしせいせんいしょう
denture fibroma

➡ **同義語** 義歯性線維腫

義歯清掃 ぎしせいそう
denture cleaning

義歯の汚れを除去すること．目的は長期にわたり義歯を快適な状態に維持し，義歯の汚れに起因する疾患を予防することにある．義歯の汚れはデンチャープラーク，デンチャーペリクル，歯石様沈着物，着色に大別される．義歯床用材料として使用されている義歯床用メチルメタクリレートレジンは多孔性で吸水性に富むため，デンチャープラークが付着しやすい．義歯清掃にあたっては微

生物が形成するバイオフィルムとしてのデンチャープラークを除去する必要がある．義歯清掃方法には義歯用ブラシなどによる機械的清掃法と義歯洗浄剤による化学的清掃法があるが，両者を併用することが必要である．

関連語 ▶ 義歯用ブラシ

義歯洗浄剤　ぎしせんじょうざい
denture cleaner, denture cleanser

義歯を浸漬することによって，化学的作用で義歯表面のデンチャープラークなどの付着物や色素を除去したり，剝がれやすくする化学製剤．微生物学的な視点から必要なものである．一般的に義歯用ブラシや超音波による機械的清掃後に用いる．有効成分および洗浄作用により，①過酸化水素系，②酵素系，③生薬系，④消毒薬系，⑤酸系，⑥次亜塩素酸系に分けられる．

義歯調整　ぎしちょうせい
denture adjustment

義歯装着時および装着後に生じる人工歯，床粘膜面，床研磨面，床縁，連結子および支台装置などの不具合部分を削除や添加によって改善すること．機能的で満足な状態で使用されている義歯でも，経時的に顎堤の吸収などの生物学的変化や咬合面の摩耗などの材質的変化によって，床下粘膜に問題が生じてくる．そのため定期的に検査したうえで適切な調整を行う必要がある．

義歯不適合　ぎしふてきごう
ill-fitting denture

義歯の粘膜面，研磨面，咬合面，床縁が，周囲口腔組織や対顎の義歯との間に形態的・機能的不調和を生じている状態．装着初期であれば，義歯の設計・製作上の問題が原因であり，装着後の長期経過であれば，顎堤の経年的変化，人工歯の摩耗，残存歯の状態変化などが原因としてあげられる．適合不良な義歯を長期間使用した場合，欠損部顎堤の異常吸収を惹起し，フラビーガムの形成や義歯性線維腫を引き起こす原因となる．また支台歯は，支台装置により過負荷を受け，動揺などを生じる．したがって，義歯装着後も定期的な義歯適合状態の観察や義歯調整が必要である．

義歯用ブラシ　ぎしようぶらし
denture brush

義歯の清掃のためにつくられたブラシ．義歯は複雑な形状をしているために，デンチャープラークや食物残渣の除去に義歯用ブラシの使用が勧められている．義歯用ブラシは，効果的に清掃できるように植毛部の形状，硬さなどが工夫されているが，

その使用法が不適切な場合には義歯に摩耗が生じることがある．義歯とブラシを手にもって流水下で清掃するのが一般的である．手指の機能障害に対応して片手でも清掃できるよう，吸盤で洗面台などに固定できるブラシなども市販されている．ブラシによる機械的清掃が義歯清掃の基本であるが，義歯洗浄剤による化学的清掃もあわせて行う必要がある．

関連語 ▶ 義歯清掃

基礎疾患 きそしっかん
underlying disease, underlying medical condition

元々もっている，あるいは背景にある疾患．ある病態や医療介入などの適用を論じる際，患者がすでに有している疾患をいう．ときに，ある病態の原因であることを表していることもある．具体的な疾患をさす用語ではないが，厚生労働省が提示した，ワクチン接種の対象とする基礎疾患の基準では，慢性呼吸器疾患，慢性心疾患，慢性腎疾患，慢性肝疾患，神経疾患・神経筋疾患，血液疾患，インスリンや飲み薬で治療中の糖尿病またはほかの病気を併発している糖尿病，疾患や治療にともなう免疫抑制状態，染色体異常，重症心身障害，睡眠時無呼吸症候群，重い精神疾患，BMI 30以上を満たす肥満小児領域の慢性疾患があげられている．

基礎代謝量 きそたいしゃりょう
basal metabolic rate

生命を維持するために最小限必要なエネルギー代謝のことを基礎代謝といい，このエネルギー量を基礎代謝量という．食後12時間以上経過した早期安静覚醒時に快適な環境（20〜25℃）で測定する．日本人の食事摂取基準（2020年度版）では18〜29歳の男性で，1,530 kcal/日，女性で1,110 kcal/日である．この値は，年齢，性，体格，体温，睡眠時，栄養状態，ホルモン，労働条件，温度環境，月経，妊娠などに影響され，75歳以上の男性では，1,280 kcal/日，女性では1,010 kcal/日である．

気道確保 きどうかくほ
airway management

気道を開通させ維持すること．下顎を前上方にあげると舌が前方に動き舌根が咽頭壁から離れ，喉咽頭部が広がり気道が開く．頭部後屈によっても同じ効果が得られるので，両者を組み合わせる．経口・経鼻エアウェイやラリンジアルマスクなどの声門上器具は舌根沈下による気道閉塞の防止をおもな目的として使用される．もっとも確実な気道確保法は気管挿管で，鼻孔から挿入する経鼻気管挿管法と口から挿入する経口

機能回復訓練　きのうかいふくくんれん
rehabilitation,
functional recovery training
➡ 同義語 リハビリテーション

機能訓練　きのうくんれん
rehabilitation, functional training
➡ 同義語 リハビリテーション

機能歯　きのうし
functional tooth

健全歯，う蝕歯，歯周疾患の罹患歯，可撤性義歯および修復歯の支台などの処置歯で歯根が顎骨に植立している永久歯，かつ人工歯であっても咬合に関与しているものの総称．ただし，残根状態や動揺が著しく，咬合に関与しないものは含まない．口腔機能維持の立場から，現存歯数のみでなく，機能歯数を1つの指標とする考えもある．

機能的残気量　きのうてきざんきりょう
functional residual capacity

安静呼気位における肺内ガス量のこと．通常の安静呼吸はこのレベルから吸息し，これより高いレベルから機能的残気量まで呼息することにより行われている．安静呼気位からさらに努力して呼出しうる最大量である予備呼気量（成人で約1,000 mL）と安静呼気位から最大に息を吐き出した際に肺に残っている空気の量である残気量（成人で約2,500 mL）の和である．

関連語 ▶ 呼吸機能検査

機能的自立度評価法
きのうてきじりつどひょうかほう
functional independence measure (FIM)

代表的なADLの評価法の1つ．セルフケア8項目，移乗3項目，移動2項目に，コミュニケーション2項目，社会的認知3項目の計18項目からなる．評価レベルは自立，介助に大別し，自立2段階，介助は部分介助（3段階）と完全介助（2段階）に分け，7段階からなる．各得点は最高7，最低1となり，18項目の総得点は最高126，最低18である．バーセル指数との高い相関があり，しかも変化を感知する鋭敏度が高いことが示されている．

同義語 FIM
関連語 ▶ バーセル指数，ADL

揮発性硫黄化合物
きはつせいいおうかごうぶつ
volatile sulfur compounds

口腔由来の口臭のおもな原因物質．口腔内では硫化水素（H_2S），メチルメルカプタン（CH_3SH），ジ

メチルサルファイド［$(CH_3)_2S$］の3種類が存在する．これらの揮発性硫黄性化合物は舌苔やプラーク中の嫌気性菌が唾液，血液，剝離上皮細胞，食物残渣中の含硫アミノ酸がシステインプロテアーゼなどによって分解・腐敗されることにより産生される．とくにメチルメルカプタン，ジメチルサルファイドは歯周病の発症，進行にともなって増加する．

関連語▶ 口臭

基本チェックリスト
きほんちぇっくりすと
basic check list

各自治体が行う介護予防事業で，要介護認定で非該当（自立）の者や要介護認定を受けていない者に対して実施し，介護が必要になる可能性があると予想される者を選定する質問項目．運動，口腔，栄養，認知機能など25項目からなる．判定結果に基づき必要と判断された対象者には，介護予防事業への参加案内が行われ，活動的で生きがいのある生活や人生を送ることができるよう支援する．

偽膜性大腸炎
ぎまくせいだいちょうえん
pseudomembranous colitis

抗菌薬が腸内細菌叢を変化させ，*Clostridium difficile*が増殖し，その菌毒素により発生する腸炎．抗菌薬開始から1～2週間後に下痢，発熱，腹痛などをともない発症する．重症例では敗血症になり，30～80％の死亡率を示すという．第二・三世代セフェム系抗菌薬，アンピシリンなどの広域スペクトラムをもつ抗菌薬が原因となることが多い．原因薬物を中止するか，そのリスクが低い薬物に変更する．バンコマイシン，メトロニダゾールなどが投与される場合もある．乳酸菌製剤などのプロバイオティクスが有効という報告もある．

虐待
ぎゃくたい
abuse

自分の保護下にある弱者に対し，長期間にわたって身体的・精神的苦痛を日常的に与えることにより基本的人権を損なう行為を行うこと．身体的虐待，心理的虐待，性的虐待，経済的虐待，ネグレクトに大別される．わが国では，被虐待者になる可能性が高い児童，高齢者，障害者への虐待防止を図るため，「児童虐待の防止等に関する法律（児童虐待防止法）」（2000年11月施行），「高齢者虐待の防止，高齢者の養護者に対する支援等に関する法律（高齢者虐待防止法）」（2006年4月施行），「障害者虐待の防止，障害者の養護者に対する支援等に関する法律（障害者虐待防止法）」（2012年10月施行）

が相次いで制定された．防止体制が整備されるとともに相談対応件数も増加している．

関連語 高齢者虐待

逆流性食道炎
ぎゃくりゅうせいしょくどうえん
reflux esophagitis

　繰り返す胃食道逆流現象により，下部食道を中心にびらんや潰瘍などを形成する消化性炎症．食道の粘膜，筋層は加齢により萎縮し，蠕動も低下する．また下部食道括約筋に弛緩もみられ，胃酸逆流の引き金となっている．胃酸逆流が慢性化すると下部食道粘膜の腸上皮化が起こり，食道がん発生の素地となる．高齢者では食道裂孔ヘルニア，薬剤が一般的な誘因とされている．機能性ディスペプシアとの関連，また，嗄声，喉頭炎，喘息などの原因になると指摘されている．治療は酸分泌抑制薬の使用が主軸となっている．

吸引器
きゅういんき
aspirator, suction apparatus

　液体，気体を取り除くための器械．吸引の方法には電動式，中央配管式，サイホン式，足踏み式がある．連結した吸引瓶を陰圧にすることにより持続的に吸引させる器械を持続吸引器とよぶ．基本的には手術時の出血，滲出液，切削水，洗浄液，膿汁の吸引・除去や術後の胸腔や縦隔内の空気や血液の排気・排液などに用いられる．とくに歯科領域では，口腔内の切削器具から噴霧される切削水や唾液などの分泌物の吸引に高圧のもの（しばしば「バキューム」とよばれる）が頻繁に用いられる．口腔咽頭吸引は弱圧モード（20 kPa程度）を用いる．

関連語 口腔咽頭吸引

QOL
きゅーおーえる
quality of life

　生活の質のこと．従来は「生命の質」として，過度に延命のみを重視する医療に対する問いかけから用いられた．その後，疾病の治癒や障害の除去が十分に期待できない場合においても「生活の質」的側面の改善効果が重視されるようになり，延命あるいは治療中心の医療に対する見直しを促す言葉として用いられている．

同義語 生命の質，生活の質
関連語 生きがい

球麻痺
きゅうまひ
bulbar paralysis

　延髄から橋にかけての運動性脳神経諸核（第Ⅸ脳神経；舌咽，第Ⅹ；迷走，第Ⅻ；舌下神経核）が両側性に障害され，口唇から舌咽頭に麻痺が生じ，発語，咀嚼，嚥下障害が起

こる病態．呼吸，循環障害をともなう場合もある．多くは同時に顔面周囲筋，咀嚼筋麻痺もともない．舌萎縮がみられるのが特徴である．球麻痺をきたす代表的な疾患は，筋萎縮性側索硬化症，ギラン・バレー症候群，多発性硬化症，重症筋無力症などである．また，神経核より上位の皮質延髄路の両側性の障害で発語や嚥下が障害されることを仮性球麻痺という．

関連語 ▶ 脳血管疾患

橋義歯 きょうぎし
fixed partial denture, bridge
➡ **同義語** ブリッジ

狭心症 きょうしんしょう
angina pectoris

冠状動脈の硬化や攣縮などにより，心筋が虚血状態になり，胸部絞扼感（絞られるような胸痛）など特有の症状を示す疾患．さまざまな分類があるが，安定狭心症と不安定狭心症に分けることが多い．不安定狭心症は安定狭心症に比べて，急性心筋梗塞になるリスクが高い病態である．多くの狭心症では虚血は心内膜に限局するため，心電図ではST低下を認める．しかし，異型狭心症とよばれるタイプでは，虚血が心室壁を貫くため，STは上昇する．心電図では，そのほかにも陰性T波などを認めるが，これらの心電図変化は偽陽性，偽陰性が少なくない．確定診断には冠動脈造影などが必要である．発作に対しては亜硝酸剤（ニトログリセリンなど）が処方される．そのほかに，カルシウム拮抗薬，β遮断薬，ニコランジル，抗血小板薬，スタチンなどが症例に応じて処方される．薬物療法以外には冠動脈インターベンション（percutaneous coronary intervention：PCI），冠状動脈バイパス術（coronary artery bypass grafting：CABG）が行われる．前者は広く行われており，ステント植込み後の患者も多い．

関連語 ▶ 虚血性心疾患

胸部エックス線検査 きょうぶえっくすせんけんさ
chest X-ray examination

呼吸器・循環器系の画像検査法の1つ．立位後-前方向，側方向，斜方向，側臥位前-後方向，肺尖撮影などのさまざまな種類がある．通常，成人は立位後-前方向で，小児は前-後方向で撮影され，さらに目的に応じて異なる撮影法を追加する．脊柱，胸郭，横隔膜，肋横角，心陰影，気管，気管支，肺野および大血管などが観察でき，これらの形状，大きさ，コントラストなどによってさまざまな異常を把握できる．

局所麻酔 きょくしょますい
local anesthesia

　意識消失をともなわずに部分的に除痛を行う麻酔のこと．おもに侵襲性の低い手術や簡単な救急処置，周術期の全身麻酔と併用した鎮痛目的などで用いられる．表面麻酔，伝達麻酔，浸潤麻酔，脊椎クモ膜下麻酔，硬膜外麻酔などがある．表面麻酔はおもに，粘膜に麻酔薬を塗布する．伝達麻酔は，末梢神経束の周辺に局所麻酔薬を注入して疼痛刺激の神経伝達を一時的に遮断する．脊椎クモ膜下麻酔は，局所麻酔薬をクモ膜下腔に投与し，硬膜外麻酔は硬膜外腔に薬剤を投与する．

【関連語】浸潤麻酔

局部（床）義歯 きょくぶ（しょう）ぎし
partial denture,
removable partial denture

➡【同義語】部分床義歯

虚血性心疾患 きょけつせいしんしっかん
ischemic heart disease

　冠状動脈の狭窄や閉塞によって引き起こされる心筋虚血を原因とする，急性あるいは慢性の心疾患．虚血性心疾患には心筋が虚血になることにより，一時的に胸痛を自覚する狭心症と，冠状動脈が閉塞し，心筋が壊死を起こす心筋梗塞がある．虚血性心疾患は先進国において重要な死亡原因である．高齢者では，心筋虚血が存在するが，胸痛などの症状をともなわない無症候性心筋虚血が増加する．

【関連語】狭心症，心筋梗塞

虚弱 きょじゃく
frailty

➡【同義語】フレイル

拒食 きょしょく
sitio (sito) phobia, cibophobia

　過度の食事制限を行い重篤な体重減少をきたすようになった状態．摂食障害の1つに分類される．心理的要因，社会的要因，家庭環境など，さまざまな要因が関与している．似たような症状に，若い女性によくみられる神経性食欲不振症がある．

居宅介護サービス きょたくかいごさーびす
home care service,
domiciliary care service

　在宅で介護する際に受けられる福祉サービスのこと．介護保険法では「居宅サービス」といわれ，自宅で受けられるサービス，施設などで日帰りで受けられるサービス，短期間の宿泊，福祉用具の使用，居宅療養管理指導がある．居宅介護サービスにかかわる者は医師，歯科医師，薬剤師，看護師，歯科衛生士，言語聴

覚士，理学療法士，作業療法士，ホームヘルパー（訪問介護員）など多職種にわたる．

同義語 居宅介護支援
関連語 在宅介護，在宅ケア

居宅介護支援　きょたくかいごしえん
home care support
➡ **同義語** 居宅介護サービス

居宅療養管理指導
きょたくりょうようかんりしどう
home care management and guidance

　介護保険制度の居宅サービスの訪問サービスの1つで，要介護者または要支援者であって自宅において介護を受ける者に対して，病院，診療所または薬局の医師，歯科医師，薬剤師，歯科衛生士，管理栄養士が自宅を訪問して行う療養上の健康管理および保健指導のこと．要支援者を対象としたものは介護予防居宅療養管理指導という．なお，看護職員（保健師，看護師，准看護師）による居宅療養管理指導は2018年4月の介護報酬改定において廃止された．歯科医師は，定期的な歯科医学的管理を行い，患者や家族に対して在宅介護における留意点や介護方法についての指導や助言を行う．また歯科衛生士は，歯科医師の指示のもと，口腔内の清掃，義歯の手入れ，摂食嚥下機能に関する指導を行う．

関連語 介護保険

起立性低血圧　きりつせいていけつあつ
orthostatic hypotension, postural hypotension

　仰臥位や座位から急に立位になったとき，収縮期血圧が通常の血圧より20mmHg以上低下し，心拍数が20回/分以上増加する状態．おもに，血液が下肢に貯留することが原因となる．また，脳血流量が一過性に減少するために顔面蒼白，冷や汗，めまい，ふらつきなどが現れ，転倒することがあり，これを特発性起立性低血圧という．糖尿病，脱水，貧血，パーキンソン病，多発神経炎，薬剤服用などが原因になって起こるものを症候性起立性低血圧という．心不全など循環動態が不安定な高齢者では，仰臥位から坐位にしただけでも発症する場合があるため注意が必要である．

関連語 血圧

筋萎縮性側索硬化症
きんいしゅくせいそくさくこうかしょう
amyotrophic lateral sclerosis
➡ **同義語** ALS

菌血症　きんけつしょう
bacteremia

　本来無菌である血液中から細菌が

検出される状態をさし，歯石除去や抜歯などの外科的処置によっても生じる．健常者では，血液中の細菌は短時間で消滅するが，免疫不全者などの易感染患者や弁膜症などの心臓疾患患者では細菌が転移定着して細菌性心内膜炎や細菌性髄膜炎などを引き起こすこともある．敗血症は感染病巣の細菌が持続的または断続的に血液中に侵入し増殖している状態をさすが，菌血症との区別は明確ではない．予防と治療には抗菌薬投与が有効である．

筋減少症　きんげんしょうしょう
sarcopenia

➡ 同義語 サルコペニア

筋骨格器障害　きんこっかくきしょうがい
muscular skeletal disability

けがやさまざまな病気によって生じる筋肉，関節，靱帯，腱などの筋骨格系の障害のこと．骨折，脱臼，捻挫などのけがや，リウマチ，骨粗鬆症，腰痛症，頸肩腕症候群，骨関節症などの多岐にわたる病気がある．ほとんどの場合で痛みをともない，炎症や筋力の低下がみられることもある．関節部の障害では関節のこわばり，関節可動域の狭小や雑音が認められる．運動機能の低下した高齢者が転倒などにより骨折し，長期間臥床させておくことで二次的な寝たきりとなってしまうという問題も指摘されている．

金属床義歯　きんぞくしょうぎし
metal base denture,
metal plate denture

主要な構成要素に金属を使用し，レジンと金属のそれぞれの特長を活かして製作する義歯のこと．一般的には床部や支台装置，連結子などを一塊鋳造するワンピースキャスト法で製作され，コバルトクロム合金，金合金，純チタン，チタン合金などの鋳造床用金属が用いられる．金属の強度を活かして細く薄くでき，異物感も少なく，設計の自由度が大きいという利点がある．また，適合がよく，熱の伝導性がよいので感覚的にも良好である．

筋電図　きんでんず
electromyogram（EMG）

筋収縮にともなって筋線維が発生する活動電位を電気的波形にかえて記録した図形のこと．その波形から筋の活動様相，活動量，発現時間，リズムなどを分析できる．筋電図を記録する装置を筋電計（electromyograph）といい，神経筋系の疾患の診断など臨床的に応用される一方で，身体運動のメカニズムの解析にも利用されている．筋電図は，活動電位の性質より2つに分類される．

1つは，骨格筋を対象に筋の収縮にともなう活動電位を記録するもので，もう1つは，誘発筋電図（evoked EMG）とよばれるもので，末梢神経を刺激して，そのときに誘発される活動電位を記録する．また誘導法によって，筋全体の収縮状態や反射活動の検査に用いられる表面電極によるものと，筋線維単位の活動電位の記録や神経筋単位の活動の記録に用いられる針電極によるものに分類される．

同義語 EMG

くさび状欠損 〈くさびじょうけっそん〉
wedge shaped defect（WSD）

永久歯に生じる，う蝕が原因ではないくさび状の実質欠損．う蝕に次いで多い硬組織疾患の病変．摩耗症の一形態で加齢とともに増加し，50歳代の発現率が高く，男性よりも女性に多い．好発部位は上下顎犬歯，小臼歯で，とくに上顎左側に多い．通常，1歯単独ではなく数歯に連続して発生する．ブラキシズムが原因の場合は，とくにアブフラクションという．

欠損の形態は，尖頭あるいは咬頭頂よりの辺縁が鋭角に近く歯頸側が鈍角なものが多いが，症例によっては不規則なものもある．くさび状欠損は徐々に進行するので，慢性の刺激によって欠損に対応した歯髄腔の一部に第三象牙質が形成される場合が多い．くさび状欠損の生じた初期には患者は自覚症状がなく，ときに食物残渣の停滞や舌感による異常感を訴えるか，象牙質知覚過敏症を起こして来院するケースが多い．

クモ膜下出血 〈くもまくかしゅっけつ〉
subarachnoid hemorrhage（SAH）

クモ膜下動脈から出血をきたした病態．原因の多くは脳動脈瘤破裂である．脳卒中の約10％を占め，40～50歳代の女性に多い．脳血管疾患のなかでも死亡率が高く，約30％が死亡するといわれている．発症時の特徴は突然の激しい頭痛や意識障害であるが，軽症例では独歩で来院できる場合もある．治療では降圧，鎮静，鎮痛により，頭蓋内圧を下降させ，再出血を予防する．また，外科的介入として，発症後72時間以内にクリッピング術もしくはコイル塞栓術を行う．

関連語 動脈瘤，脳血管疾患

グラスアイオノマーセメント
〈ぐらすあいおのまーせめんと〉
glass ionomer cement

歯科用合着材，裏装材の1つで，フッ化物イオン徐放性も有するため

前歯歯頸部の充塡やシーラントにも使用される．粉の主成分はアルミノシリケートガラス，液はアクリル酸とイタコン酸，マレイン酸などとの共重合体の約50％の水溶液であり，酒石酸が約5％添加されている．グラスアイオノマーセメントは粉と液から溶出したCa^{2+}やAl^{3+}などの陽イオンとの間に起こる酸塩基反応で硬化し，未処理のエナメル質や象牙質のCaやOH基に良好に結合する．また，フッ素を徐放する特徴から，歯根面う蝕に対してはコンポジットレジンよりも有利であるが，初期硬化まで感水を避ける必要がある．

クラスプ　くらすぷ
clasp

部分床義歯の支台装置の1つ．その鉤腕が支台歯の全面あるいは一部と接触することで，義歯の支持・維持・把持の役割を果たす．製作法により鋳造鉤と線鉤があり，また形態により環状鉤とバークラスプに分類される．

関連語 ▶ 支台装置

クリック音　くりっくおん
click, clicking

顎関節雑音の1つで，「カクカク」「ポキポキ」などと表現される短く乾いた音（弾撥音）で，開口時に前方に位置していた関節円板が復位する際に発生する．クリック音発生時に疼痛はともなわない場合が多い．

関連語 ▶ 顎関節雑音

グループホーム　ぐるーぷほーむ
group home

要介護者であって認知症である者のうち，少人数による共同生活を営むことに支障がない者を対象に，共同の生活のための住居において，地域住民との交流のもとに，家庭的な環境で入浴，排泄，食事などの介護そのほかの日常生活上の世話や機能訓練が受けられることを目的とする施設のこと．定員は5人以上9人までで，居室のほかに，居間，食堂，台所などを備える必要がある．

元々精神障害者を対象に始められ，小規模地域共同住居と称した．地域社会のなかにある住居において，数人単位で一定の経済負担を負って共同生活する形態をとる．普通の生活を普通の住居で行い，地域でケアをするというノーマライゼーションの理想を現実化した方式である．この方法を認知症高齢者に試みたところ，症状の進行をゆるやかにし，家庭における介護の負担軽減に効果があったことが知られ，介護保険制度の開始により認知症対応型共同生活介護として給付の対象となった．

関連語 ▶ 介護保険，地域密着型サービス

クレアチニン　くれあちにん
creatinine

筋，神経内のクレアチンリン酸の代謝性産物で，尿酸や尿素窒素と同様に血液中の老廃物の1つである．クレアチニンは腎糸球体で濾過された後，尿細管ではほとんど再吸収されず，すみやかに尿中に排泄されるため，クレアチニン高値は腎機能障害を示す．腎機能評価のため，血清クレアチニン値，尿中クレアチニン濃度から算出するクレアチニンクリアランス，血清クレアチニン値と年齢と性別から算出する推算糸球体濾過量（eGFR）がよく用いられる．

クレアチニンクリアランス
くれあちにんくりあらんす
creatinine clearance

腎機能を評価する検査の1つ．血中クレアチニン濃度，尿中クレアチニン濃度を測定し，計算式を用いてクレアチニンクリアランスを算出する．基準値は70〜130 mL/分であるが，年齢・性別によって差がみられ，高齢者では低下する．尿中クレアチニン濃度測定には24時間蓄尿を要するため，最近では，腎機能評価に推算糸球体濾過量（eGFR）が用いられることが多い．

クレピタス音　くれぴたすおん
crepitus, crepitation

顎関節雑音の1つで，クレピテーションともいわれる．「ギシギシ」「ジャリジャリ」などと表現される不明瞭な長い音の顎関節雑音（捻髪音）である．下顎頭や下顎窩の変形や表面の粗糙化，関節円板や滑膜の変形異常などが疑われ，顎運動時にこれらがこすれて発生する．

関連語 ▶ 顎関節雑音

クロイツフェルト・ヤコブ病
くろいつふぇると・やこぶびょう
Creutzfeldt-Jakob disease

進行性の認知症的症状やミオクローヌス，錐体路・錐体外路症状を呈する予後不良の脳疾患．発生率は100万人に1人前後といわれ，発病年齢は50〜70歳代に多い．病因は外部からの感染型プリオンタンパクの進入と考えられているが，通常の状態で接触感染することはない．しかし，角膜移植，硬膜移植やヒト脳下垂体から抽出した成長ホルモンの注射などで感染したという報告があり，血液，体液などのついた器具の取り扱いには十分な注意を要する．

ケアハウス　けあはうす
care house

老人福祉法に基づく老人福祉施設に定められている軽費老人ホームの

一種．入所対象者は，自炊ができない程度の身体機能の低下などが認められ，または高齢などのため独立して生活するには不安が認められる60歳以上の者であって，家族による援助を受けることが困難な者である．

関連語 軽費老人ホーム

ケアプラン けあぷらん
care plan
➡ **同義語** 介護サービス計画

ケアマネジメント けあまねじめんと
care management

介護や支援を必要とする高齢者が適切に医療福祉保健サービスが受けられるよう，介護支援専門員が中心となり，対象者個々のニーズやディマンド，生活環境，社会資源を分析したうえで具体的なサービス内容を検討し，福祉サービス事業者や医療機関，行政と連絡調整を行い介護サービス計画を立案することによって，本人の介護生活上必要な意思決定を支援する．介護サービスの提供にあたっては，定期的にサービス内容を評価するとともに，必要に応じて介護サービス計画の修正・変更を行う．

関連語 介護支援専門員

ケアマネジャー けあまねじゃー
care manager
➡ **同義語** 介護支援専門員

経管栄養法 けいかんえいようほう
tube feeding

食事を経口摂取することができない場合や，相当な困難をともなう場合に，チューブ（管）を用いて直接消化管に栄養供給する方法のこと．短期間の場合は，経鼻経管栄養法がとられるが，本人の意識障害が重くなく，チューブの挿入に協力的な場合は，間欠的口腔食道経管栄養法のように，なるべく経口摂取に近い方法を採用する．消化管の機能は保たれているものの，総合的に判断して経口摂取が不可能な場合は，胃瘻造設により挿入した管から栄養を行う経管栄養法もある．経管栄養法の場合，逆流による誤嚥性肺炎を発生しやすいので，この点にもつねに注意が必要である．

関連語 栄養方法，経鼻経管栄養法，間欠的口腔食道経管栄養法，胃瘻造設術

携帯用歯科治療機器 けいたいようしかちりょうきき
portable dental equipment

歯科診療所に通院して治療を受けることが困難または不可能な患者に対して，歯科医師が在宅あるいは施設に出向いて行う訪問診療の際など

に用いられる携帯用の歯科治療機器のこと．マイクロモーター，バキューム，排唾管あるいはエックス線撮影装置などの歯科治療に必要な機器がコンパクトに収納でき，持ち運びできるように工夫されている．また既製品のほかに，訪問診療を行う歯科医師自身が在宅の環境に応じて診療できるように工夫した機器もある．

経腸栄養法　けいちょうえいようほう
enteral nutrition

栄養管理法には経腸栄養法と静脈栄養法がある．経腸栄養法は，栄養素を口から摂取する経口法と，チューブを用いる経管栄養法とに分けられる．消化管の機能があり，安全に使用できる場合には経腸栄養法が優先的に用いられる．経腸栄養法が不可能な場合や，治療の必要上，経腸栄養法を一時中止したほうが有利な場合のみ，静脈栄養法を用いる．

関連語 栄養方法，経管栄養法

軽度認知障害　けいどにんちしょうがい
mild cognitive impairment（MCI）

認知症の一歩手前の状態で，物忘れが主たる症状であり，日常生活への影響はほとんどなく，正常と認知症の中間ともいえる．次の5項目で定義される（e-ヘルスネット：厚生労働省）．
①年齢や教育レベルの影響のみでは説明できない記憶障害が存在する．
②本人または家族による物忘れの訴えがある．
③全般的な認知機能は正常範囲である．
④日常生活動作（ADL）は自立している．
⑤認知症ではない．

年間10～15％が認知症に進行すると考えられているため，軽度認知障害の段階で適切な治療・予防をすることにより，認知機能の回復や発症の遅延が認められることもあるため，早期の進行防止策が重要である．

同義語 MCI
関連語 老年期認知症，認知症

経鼻経管栄養法
けいびけいかんえいようほう
nasal tube feeding

経管栄養法のうち，鼻腔を通して胃，十二指腸などにチューブを留置して行う栄養法のこと．老衰，脳血管疾患，嚥下障害，進行がん，意識不明などの理由で嚥下が困難な場合に用いられる．原理的に誤嚥性肺炎を起こしやすいことやチューブの誤留置に注意を要する．あくまで短期的（2，3週間程度）な方法であり，中長期にわたる場合は胃瘻造設術を検討する．使用する栄養剤は経腸栄養剤として供給されており，さまざまな種類がある．

関連語 間欠的口腔食道経管栄養法，経管栄養法

経皮的動脈血酸素飽和度
けいひてきどうみゃくけつさんそほうわど

percutaneous oxygen saturation

動脈血酸素飽和度をパルスオキシメータによって非侵襲的に測定した値のこと．パルスオキシメータでは，酸化ヘモグロビン（HbO_2）と還元ヘモグロビン（Hb）の吸光スペクトルの差を利用し，透過した光の量を測定することにより算出する．低酸素症の早期発見として重要なデータであり，全身麻酔や集中治療のモニタ，循環不全や呼吸不全の患者管理，在宅酸素療法の評価には不可欠である．通常の値は95％以上である．

同義語 SpO_2
関連語 パルスオキシメータ

経皮内視鏡的胃瘻造設術
けいひないしきょうてきいろうぞうせつじゅつ

percutaneous endoscopic gastrostomy

➡ **同義語** PEG

軽費老人ホーム　けいひろうじんほーむ
home for the elderly with a moderate fee

老人福祉法が定める老人福祉施設の1つ．60歳以上で低所得，ADL自立の者が契約により入所する．食事提供サービスがあるA型，自炊が必要なB型，食事と生活支援サービスがあるC型（ケアハウス）がある．

関連語 老人福祉法，老人ホーム，ケアハウス

頸部郭清術　けいぶかくせいじゅつ
neck dissection

口腔がんなどの頭頸部の悪性腫瘍の所属リンパ節は頸部リンパ節である．その転移リンパ節への転移病巣の郭清手術である．根治的頸部郭清術は下顎下縁から鎖骨上にかけて，外側は深頸筋膜浅層，内側は深頸筋膜，後方は僧帽筋前縁，前縁は前頸筋外側の範囲の郭清を施行する手術である．副神経，胸鎖乳突筋，内頸静脈を温存する機能的頸部郭清術も考案され，機能の保全を図る手術とされている．

頸部聴診　けいぶちょうしん
cervical auscultation

嚥下時に咽頭部で生じる嚥下音および嚥下前後の呼吸音を頸部より聴診することで嚥下機能を評価するスクリーニングテスト．健常者の嚥下では清明な呼吸音に続いて嚥下にともなう呼吸停止，嚥下後の清明な呼気が聴診されるが，異常がある場合には嚥下反射前に咽頭へ食塊が流れ

込む音や喘鳴，咳，咳払い，湿声などが聴診される．

血圧　けつあつ
blood pressure

血管内の血液が血管の壁に与える圧力のこと．心臓は拍動により血液を送り出している．このため，血圧はつねに変動しており，そのもっとも高い圧力を収縮期血圧（systolic blood pressure：SBP）といい，もっとも低い圧力を拡張期血圧（diastolic blood pressure：DBP）という．血圧の単位はmmHg（ミリメートルマーキュリー）であり，水銀柱の高さを意味する．血圧は，理論的には心拍出量と総末梢血管抵抗の積により決定される．日本高血圧学会では「高血圧治療ガイドライン2019」で，正常血圧は，収縮期血圧120 mmHg未満，かつ拡張期血圧80 mmHg未満としている．

関連語 ▶ 高血圧

血液検査　けつえきけんさ
blood examination, blood test

血液中のさまざまな物質の量や濃度，性状を検査すること．とくに血液を対象とした検査は結果が数値で表されることから客観性が高い．おもに血液一般検査，血清学的検査，生化学的検査の3つに分けられる．血液一般検査は血球に対する検査で，造血組織の病変のほか，血液に影響を及ぼすさまざまな全身病変を知るのに役立つ．血清学的検査は細菌などの微生物に対する抗体の存在を検出する．生化学的検査では血液中のタンパク質，糖質，酵素などの成分を調べる．

血清アルブミン（値）　けっせいあるぶみん（ち）
serum albumin

おもに肝臓でつくられる血液中のタンパク質の一種で，総タンパクの約6割を占め，栄養・代謝物質の運搬，浸透圧の維持などの機能を有する．アルブミンは一般的に肝臓で生成され，アルブミン濃度が低下している場合は，肝疾患，ネフローゼや栄養失調が疑われる．以前は血清アルブミン値は栄養状態を評価するうえで，低栄養の指標となるもので，血清濃度の基準値は4.5〜5.5 g/dLで，3.5 g/dL以下といわれていた．現在では急性期患者，血液透析患者，心不全患者の栄養リスク指標GNRI（geriatric nutritional risk index）で，血清アルブミン値を利用している．

血糖値　けっとうち
blood glucose

血液中のブドウ糖の量を表す値．血糖値は糖尿病の診断基準の1つで

あり，空腹時血糖が110 mg/dL未満であれば正常型，126 mg/dL以上で糖尿病型と診断される．この数値が高い場合は，さらにブドウ糖負荷試験血糖値を測定し，糖尿病の可能性を判断する．糖尿病のほかにクッシング症候群，膵炎，肝炎，肝硬変，末端肥大症などで血糖値は高値となる．逆に血糖値が70 mg/dLに満たない低血糖の場合はインスリノーマ（膵島腺腫）などが疑われる．

関連語 糖尿病

下痢 げり
diarrhea

　健康時の便と比較して，著しくゆるい粥状または水様の便をいう．消化能力の低下や医薬品の副作用，食中毒などの感染症が原因で大腸からの水分の吸収が悪いか，腸壁から腸管内に水分が排出された場合に生じる．下痢の際には通常より多くの水分が失われるので，適切な水分補給が大切で，ぬるめのスポーツドリンクや薄めの味噌汁など，こまめに補給するとよい．

健康教育 けんこうきょういく
health education

　一般には，健康や疾病についての関心とともに予防の重要性に対する認識を高め，それらの知識を広めることが目的であり，講演会や学習会，健康教室，放送や出版物を通じた不特定多数を対象とする場合をいう．健康増進法において，健康増進事業の1つとして生活習慣病の予防などに関する健康教育事業があげられている．この場合は40〜64歳の住民を対象としている．重点課題として，歯周疾患健康教育を選定することができ，歯周疾患の予防と治療，日常生活における口腔清掃，義歯の機能と管理などの正しい理解について取り上げることが示されている．

関連語 健康相談，健康手帳

健康指標 けんこうしひょう
health index

　病気でないこと以外に，健康状態を表す各種の物差しとその数値．個人的なレベルでは体重や血圧の増減がもっともよく用いられる指標である．一般的には，有病率，受診率，疾病の発症率，死因別死亡率などのような病気に関連したものが代表的なものとしてあげられる．また，体力テスト（握力，背筋力，瞬発力など）や，知能テスト，心理テスト，場合によっては平均余命や乳児死亡率などの保健指標までも含める考え方もある．

健康寿命 けんこうじゅみょう
healthy life expectancy, health expectancy, active life expectancy

平均寿命のうち，心身ともに自立した活動的な状態で生存できる期間のこと．すなわち，なんらかの健康の定義に基づいて，平均寿命を健康な期間と不健康な期間に分けたときの前者の期間をさす．健康寿命で用いられる健康の定義は，身体面では，食事，更衣，排泄，歩行，入浴などADLが自立していること，精神面では，生きる意欲が十分であり，認知症的状態ではないなどとすることが多い．

わが国では，健康寿命の延伸は「健康日本21」（2000年）で，早世の防止とともに目標として公に取り上げられた．「健康日本21（第二次）」（2013年）においては，健康格差の縮小とともに中心的目標となり，同時に，健康寿命とは「健康上の問題で日常生活が制限されることなく生活できる期間」と定義された．平均余命と平均寿命の関係と同様，0歳の健康余命のことである．

関連語 平均余命，平均寿命

健康寿命延伸プラン
けんこうじゅみょうえんしんぷらん

plan for extending healthy life expectancy

2040年までに健康寿命を男女ともに3年以上延伸し（2016年比），75歳以上とすることをめざす国の方針（2019年策定）．健康無関心層も含めた予防・健康づくりの推進，地域・保険者間の格差の解消に向け，「次世代を含めたすべての人の健やかな生活習慣形成等」「疾病予防・重症化予防」「介護予防・フレイル対策，認知症予防」の3分野での取り組みを複合的に行うことにより，健康寿命のさらなる延伸をめざすことを目的とする．主要事項には歯周病などの対策の強化も含まれている．

関連語 介護予防，フレイル

健康診査
けんこうしんさ

medical examination, medical check-up, health checking, health examination

身体の健康状態を総合的に確認する保健プログラムのこと．略して「健診」と記載されることが多い．健康増進法などの法律によって実施が義務づけられた法定健診と，個人が任意で受診する人間ドックなどの「任意健診」に大きく区分される．わが国の健康づくりを支える制度として拡充が図られてきた．「検診」では，ある特定の疾患に罹患しているかどうかを検査するが，健康診査では総合的に健康状態を把握する．

同義語 健診
関連語 健康診断

健康診断 けんこうしんだん
health examination, health testing, medical examination, health checking

　健康診査とほぼ同義であり，略して「健診」と記載される．身体の健康状態を総合的に確認する保健プログラムであるが，法的健診のうち，学校保健安全法と労働安全衛生法においては「健康診査」ではなく「健康診断」の用語を用いる．両法律に基づく健康診断では，異常所見があった場合には事後措置として保健指導が実施される．健康診断に基づく事後措置を的確に行うことにより，対象集団全体の健康状態の向上を図ることができる．

同義語 健診
関連語 健康診査

健康増進法 けんこうぞうしんほう
health promotion act

　わが国における急速な高齢化の進展および疾病構造の変化にともない，国民の健康の増進の重要性が著しく増大していることから，国民の健康の増進の総合的な推進に関し，基本的な事項を定めるとともに，国民の栄養の改善そのほか，国民の健康の増進を図るための措置を講じ，もって国民保健の向上を図ることを目的とした法律のこと（2003年5月施行）．厚生労働大臣は国民の健康の増進の総合的な推進を図るための基本的な方針を定めるが，そのなかに歯の健康の保持に関する正しい知識の普及が明記されている．市町村は生活習慣相談に応じ，保健指導をするとされており，このなかに歯科医師，歯科衛生士による相談・指導が明記されている．
　改正により2008年から国は都道府県健康増進計画または市町村健康増進計画に基づいて，住民の健康増進のために必要な事業に要する費用の一部を補助することができることとなり，「老人保健法」で実施されていた歯周疾患検診は「高齢者の医療の確保に関する法律」の成立により，「健康増進法」の補助対象事業となった．

関連語 健康日本21，健康日本21（第二次）

健康相談 けんこうそうだん
health counseling, health consultation

　特定の疾患リスクや健康に不安を有する者の個別の相談に応じて，必要な指導や助言を行い，日常生活における健康管理に資することを目的とする．健康増進法において，健康増進事業の1つとして，40〜64歳の住民を対象とした健康相談があり，重点健康相談として歯周疾患を選定することができる．歯科衛生士

などが，口腔，歯肉，歯の状態について観察し，それに基づいてプラークと歯石の除去やブラッシングなどについて相談指導を行う．さらに，個人の歯の健康状態に応じて，歯周疾患の予防や管理を図る．

関連語 健康手帳，健康教育

健康づくりのための睡眠指針2014
けんこうづくりのためのすいみんししんにせんじゅうよん
guide for healthy sleep 2014

近年の睡眠に関する科学的知見をもとに，2003年に提示された「健康づくりのための睡眠指針」を改定し，2014年4月に発表された指針．改定前はよい睡眠を得るための7箇条が示されていたが，改定版では12箇条となっている．おもな変更点は，睡眠と生活習慣病との関連性，睡眠とうつなどの関連性，世代ごと（若年世代，勤労世代，熟年世代）の取り組み目標が記載されており，近年の睡眠と健康に関する疫学知見とライフステージを踏まえた改定がなされている．

同義語 睡眠指針
関連語 健康日本21（第二次）

健康手帳 けんこうてちょう
health care handbook

健康増進法に基づき，みずからの健康管理と適切な医療の確保に資することを目的とし，健康診査の記録やそのほか健康の維持・増進のために必要な事項を記載する手帳のこと．40歳以上の者で，特定健康診査の受診者および健康教育，健康相談，機能訓練，訪問指導および健康増進法に基づく検診などを受けた者に市町村より交付される．

関連語 健康教育，健康相談

健康日本21 けんこうにっぽんにじゅういち
Health Japan 21 (1st term)

「第3次国民健康づくり対策」の略称．この運動の目的は，21世紀のわが国の国民の健康増進を図るため，具体的な数値目標を示すことにより，それまでの疾病対策の中心であった早期発見，治療に加え，健康を増進して疾病を予防する「一次予防」にいっそう重点を置いた対策を推進して，壮年期死亡の減少と健康寿命の延伸やQOLの向上を実現することとした．具体的目標には，9つの生活習慣や生活習慣病を取り上げ，それぞれの取り組み方を示した．その9項目とは，①栄養・食生活，②身体活動・運動，③休養・こころの健康，④タバコ，⑤アルコール，⑥歯の健康，⑦糖尿病，⑧循環器病，⑨がんである．2012年まで延長実施され，翌年から健康日本21（第二次）に引き継がれた．

関連語 健康日本21（第二次）

健康日本21（第二次）
けんこうにっぽんにじゅういち（だいにじ）
Health Japan 21 (2nd term)

「第4次国民健康づくり対策」の略称．2000年から実施された「健康日本21」の最終評価をもとに計画づくりが進められたため，健康日本21（第二次）の通称を用いている．基本的な方向性として，①健康寿命の延伸と健康格差の縮小，②生活習慣病の発症予防と重症化予防の徹底，③社会生活を営むために必要な機能の維持および向上，④健康を支え守るための社会環境の整備，⑤栄養・食生活，身体活動・運動，休養，飲酒，喫煙および歯・口腔の健康に関する生活習慣および社会環境の整備の5つがあげられている．「歯・口腔の健康」の目標項目については，そのすべてが「歯科口腔保健の推進に関する基本的事項」に組み込まれることで，両者の調和が図られている．

関連語 アクティブガイド，健康日本21

言語障害
げんごしょうがい
speech disturbance

発音が不明瞭であったり，話し言葉のリズムがなかったりするため，話し言葉によるコミュニケーションが円滑に進まない状態のこと．失語症と麻痺性構音障害がある．前者は，考えている事柄を言葉に変えて書いたり読んだりすることや，言葉で伝達された内容について理解したり読むことができない障害である．後者は，言葉を話すときに必要な筋肉に麻痺や筋力低下があって，はっきり言葉にならない障害であるが，筆談で意思の疎通が可能である．

言語聴覚士
げんごちょうかくし
speech therapist (ST), speech pathologyst, speech lauguege pathologyst

厚生労働大臣の免許を受けて，言語聴覚士の名称を用いて音声機能，言語機能または聴覚に障害のある者についてその機能の維持向上を図るための言語訓練，これに必要な検査および助言，指導そのほか援助を行うことを業とする者をいう（言語聴覚士法，1997年）．

言語聴覚士法制定以前から，一般には「言語療法士」とよばれて，リハビリテーション施設，教育機関，医療現場などで活躍していたが，「臨床言語士」「医療言語聴覚士」などの名称で複数の団体ごとに認定されていた．1997年に言語聴覚士法が制定され，名称が統一されるとともに国家資格となった．

言語聴覚士法に，医師または歯科医師の指示のもとに診療の補助としての嚥下訓練ができることが定めら

れている．

同義語 ST

言語聴覚療法　げんごちょうかくりょうほう
speech-language-hearing therapy

疾患などにより，話す・聞く・読むなどのコミュニケーション機能に障害が残った場合に，意思の伝達手段を確立するために行われる療法．嚥下障害に対する訓練も含むため，対象は発声・発語機能，言語機能，聴覚機能，高次脳機能，摂食嚥下機能の障害となる．

関連語 理学療法，作業療法

現在歯　げんざいし
present tooth

口腔内に歯の一部または全部が萌出している歯をいう．このため，交換期前の小児においては萌出歯と同義語になる．う蝕罹患状況によって健全歯，未処置歯，処置歯に分けられる．高齢者において，とくに歯科補綴学の分野では，喪失せずに残っている歯という意味で残存歯ともいう．

健診　けんしん
health examination

➡ **同義語** 健康診査，健康診断

検診　けんしん
medical examination

歯周疾患やがんなど特定の疾患の早期発見・予防を目的に，疾患の診断に必要な検査・診察を行い，対象とした疾患にかかっていないかどうかを診断すること．健診が全体的な健康状態を把握するものであるのに対し，検診はある特定の疾病のリスクを検査するものである．

関連語 健康診査，健康診断

見当識　けんとうしき
orientation

日付や季節などの時間的関係，今いる場所といった空間的関係，あるいは自分の名前や家族との関係などの人間的関係に対する自己の認識のこと．認知症の高齢者や意識障害などではこれらの認識ができなくなることがあり，これを失見当識，見当識消失，または見当識障害という．認知症の場合，初期の症状として見当識障害が現れることが多く，見当識が判断基準として有効とされている．

健忘症　けんぼうしょう
amnesia

記憶が著しく障害され，一定期間の自分がしたことや，見聞きしたことを忘れてしまう（追想できなくなる）状態．ある期間全部を追想できない場合を全健忘，部分的な期間の追想欠如を部分健忘という．健忘症

の原因としては脳血管疾患，脳腫瘍，認知症，てんかん発作を繰り返したとき，アルコール中毒，一酸化炭素やそのほかの薬物中毒など脳に器質的病変があったときに起こる．脳に器質的病変が起こらない精神的ストレスによる心因性健忘症もある．一般的に記憶力が悪くなり忘れっぽくなることは，医学的には健忘症ではなく記憶力減退（記憶力の低下）という．

関連語▶認知症

権利擁護　けんりようご
advocacy for rights

要介護高齢者，認知症患者，障害者など，自分の権利や援助の必要性を表明できない，あるいは困難な個人に代わって，代理人がその権利の確保や援助の獲得のために代弁を行うことをいう．社会福祉援助としてソーシャルワーカーの重要な役割である．

こ

誤飲　ごいん
accidental ingestion

食物でないものを誤って飲み込むこと．以前は誤飲と誤嚥は同義で使用されていたが，脳血管疾患などの後遺症で生じる嚥下障害への対処法が注目されるようになり，誤飲と誤嚥は明確に区別して使われている．多くは3歳未満の乳幼児にみられるが，認知症のある高齢者や精神疾患のある成人にもみられることがある．小児の場合は硬貨や玩具などが多く，高齢者の場合は義歯などの誤飲が多い．

関連語▶誤嚥

降圧薬　こうあつやく
antihypertensive drug, depressor drug, hypotensive drug

血圧を規定する心拍出量，末梢血管抵抗，循環血液量，血液粘稠度，動脈の弾力などの諸因子に作用して降圧効果をもたらす薬剤．その作用機序によって，利尿薬，血管拡張薬，交感神経抑制薬，カルシウム拮抗薬，α遮断薬，β遮断薬，α，β遮断薬，ARB，ACE阻害薬などがある．おもな作用は血管を広げて血圧を下げるが，α遮断薬とβ遮断薬は血圧を上げるノルアドレナリン受容体を遮断する．ARBとACE阻害薬は腎臓で腎血流を維持するための生理物質を遮断する．一方，利尿薬は血液中の水分を外に排出することで血管にかかる負荷を軽減し血圧を下げる．

構音障害　こうおんしょうがい
dysarthria, articulation disorder

発音が正しくできない状態．器質

性構音障害，運動障害性構音障害，聴覚性構音障害，そのほか本態性の機能性構音障害に分けられる．

関連語 発音障害

口蓋垂軟口蓋咽頭形成術
こうがいすいなんこうがいいんとうけいせいじゅつ
uvulopalatopharyngoplasty (UPPP)

睡眠時無呼吸症候群に対して行われ，口蓋垂，口蓋扁桃，軟口蓋の一部を切除して，気道を広げる手術．睡眠時無呼吸症候群の約50％で有効との報告がある．

口角炎 こうかくえん
angular cheilitis

口角より皮膚に向かって亀裂状のびらん，潰瘍，痂皮もしくは瘢痕の形成を主症状とする炎症のこと．通常，創面はびらんを示し，周囲に発赤をみることが多い．原因は，小児の場合はブドウ球菌ないしレンサ球菌の感染が多く報告されている．成人の場合では，全身的な要因としては糖尿病，鉄欠乏性貧血，悪性貧血，抗菌薬およびステロイド薬の長期投与など，一般にビタミンB群の欠乏をきたす疾患が誘因になる．局所的な原因としては，カンジダ菌との関連性が多く報告されている．そのほかでは，唾液の分泌亢進，口腔乾燥症，低位咬合，口角部皮膚の緊張の低下あるいは過度緊張，口角部をなめまわす悪習慣などがあげられる．

同義語 口角びらん

口角びらん こうかくびらん
angular stomatitis

➡ **同義語** 口角炎

口渇 こうかつ
thirst, dipsesis

おもに浸透圧の変動をともなう口腔の渇きで，水分を摂取したいという欲望．症状としては口の中がねばねばする，舌がくっつく，食べ物が飲み込みにくい，のどが渇くなどで，唾液の量が減っていなくても口渇を感じる場合がある．原因として，加齢，糖尿病，シェーグレン症候群，抗アレルギー薬・鎮痛薬・降圧薬・睡眠薬の副作用があげられる．運動による発汗，脱水などの水分喪失による細胞外液量減少から生じる渇き，あるいは塩分過剰摂取による浸透圧性の渇きの場合には，視床下部の浸透圧受容器で感知され，その情報が飲水中枢に伝達される．飲水などにより体内に水分を摂取することで緩和する．口腔粘膜の受容器で感受され，適量の水分を含んで口腔粘膜を湿らせると緩和する口腔乾燥感とは厳密には区分される．

関連語 口腔乾燥症

後期高齢者　こうきこうれいしゃ
old old

75歳以上の者をさすときの社会学用語．75歳という年齢の区切りに厳密な根拠はなく，個人差も大きいが，精神・身体機能や体力，病気に対する抵抗力，要介護度，社会的役割の変化などの面から75歳が1つの節目として位置づけられる概念であった．2008年に老人保健法が「高齢者の医療の確保に関する法律」に改正されたときに，それに基づき後期高齢者医療制度が制定され，この用語が広く国民に知られるところとなった．なお，わが国においては，65歳以上の老年人口のうち後期高齢者の割合は約1/2，性比は女性が男性の約1.5倍である．

関連語 前期高齢者，後期高齢者医療制度

後期高齢者医療広域連合
こうきこうれいしゃいりょうこういきれんごう
wide area unions for the late-stage medical care system for the elderly

「高齢者の医療の確保に関する法律」（高齢者医療確保法）第48条に基づき，加入者（市町村）が共同で，後期高齢者医療制度を円滑に進めるために設立された組織．後期高齢者医療広域連合は各都道府県に1団体，計47団体で設立されている．政令指定都市も構成市町村として加入している．後期高齢者医療広域連合の被保険者は区域内に住所を有する75歳以上の者，および区域内に住所を有する65歳以上75歳未満の者であって厚生労働省令で定めるところにより，政令で定める程度の障害の状態にある旨の当該後期高齢者医療広域連合の認定を受けた者とされている．

関連語 後期高齢者，後期高齢者医療制度

後期高齢者医療制度
こうきこうれいしゃいりょうせいど
late-stage medical care system for the elderly, medical insurance system for late elderly people

「老人保健法」に代わって2008年度から施行された「高齢者の医療の確保に関する法律」（高齢者医療確保法）に基づき，75歳以上の「後期高齢者」全員が加入する公的医療保険制度．保険料は原則として加入者全員から徴収する．保険料徴収は市町村が行い，財政運営は全市町村が加入する都道府県単位の広域連合が担当する仕組みとなっている．患者負担を除いた財源構成は，公費約5割，74歳以下が加入する各健康保険からの支援金約4割，高齢者からの保険料約1割の比率で負担する．

後期高齢者医療費
こうきこうれいしゃいりょうひ

expenses of medical care system for older senior citizens

　75歳以上の医療費の総額のこと．以前は65歳以上の高齢者にかかる医療費をさしていたが，2008年度より老人保健法が廃止され，「高齢者の医療の確保に関する法律」（高齢者医療確保法）による後期高齢者医療制度が開始されたことにより，この制度の対象者（75歳以上）での医療費となる．2019年度国民医療費では，制度区分別国民医療費でみると全体の約35％を占めている．2025年に約800万人いる団塊の世代が後期高齢者（75歳）となり，その人口が2,180万人に達し，医療・介護・年金を含む社会保障費の増大により，社会的に大きな影響が出てくることを2025年問題という．

　関連語 後期高齢者医療制度，2025年問題

後期高齢者健康診査
こうきこうれいしゃけんこうしんさ

health checkup for older adults aged 75 and over

　「高齢者の医療の確保に関する法律」（高齢者医療確保法）を根拠法とする75歳以上の後期高齢者に対する健康診査．後期高齢者医療広域連合が実施する保健事業として実施している．2020年度からはフレイルの実態把握をより的確に行うために，10領域15項目から構成される質問票が定められた．口腔機能は10領域の1つであり，咀嚼機能と嚥下機能に関する設問が設定されている．国は「高齢者の特性を踏まえた保健事業ガイドライン第2版」を公表し，新しい質問票を活用した保健指導例を提示している．

後期高齢者歯科健康診査
こうきこうれいしゃしかけんこうしんさ

dental checkup for older adults aged 75 and over

　後期高齢者医療広域連合が実施主体となり，75歳以上の後期高齢者に対して実施する歯科健康診査．国の補助事業として実施されているため法的根拠はないが，国から「後期高齢者を対象とした歯科健診マニュアル」が2018年10月に出されるなど，実施体制の整備が進んでいる．成人期までの歯科健診・検診との大きな違いは，摂食嚥下に関連する口腔機能に関する診査項目が拡充されている点であり，後期高齢者の口腔機能の実態把握に役立つ．

抗凝固薬
こうぎょうこやく

anticoagulant（drug）

　血液中の凝固因子の合成または機能を抑制するもので，血液凝固阻止

薬ともよばれる．血栓塞栓症の治療と予防，カテーテルの閉塞防止に投与されることが多い．人工透析装置や人工心肺装置の体外回路の凝固防止，輸血用血液の保存や血液検査の際に体外でも用いられる．

咬筋 こうきん
masseter muscle

4つの咀嚼筋の1つ．長方形の筋で，浅部と深部からなる．浅部の起始は，頬骨弓の前2/3の下縁と内面で，後下方に向かい，停止は下顎角の外面の咬筋粗面の下部である．歯を強く咬みしめたときに頬部にこの部の概形が触れられる．深部の起始は，頬骨弓の後2/3の下縁でほぼ垂直に下り，停止は浅部の上方である．咬筋は下顎骨を挙上させる．支配神経は下顎神経の咬筋神経である．

> 関連語 ▶ 咀嚼筋

抗菌薬 こうきんやく
antibacterial drug, antibacterial, antimicrobial

細菌を死滅させ，発育を阻止し，病原性を除く化学療法剤．細菌による感染症の治療に使用される．細菌には有効であるが，ウイルスには効かない．このうち，微生物からつくられたものを抗生物質といい，青カビからつくられるペニシリン薬が代表的であるが，近年は化学的に合成された合成抗菌薬も多数あるので，総称して抗菌薬とよぶ．

口腔咽頭吸引 こうくういんとうきゅういん
oropharyngeal suction

口腔から行う咽頭腔の吸引のこと．吸引カテーテルを口腔から咽頭に挿入して咽頭腔，とくに披裂軟骨周辺の痰や唾液などを吸引する．看護師による鼻腔からの吸引は気道確保を目的にしているが，本法は口腔管理上，ブラッシングにより口腔内に遊離したプラークを誤嚥させる前に吸引回収する目的がある．摂食嚥下リハビリテーション前後の口腔咽頭管理としても実施される．術式としては口腔内吸引も含む場合がある．

> 関連語 ▶ 吸引器

口腔衛生管理 こうくうえいせいかんり
oral hygiene care, oral health care

口腔清掃を含む口腔環境の改善など口腔衛生にかかわるプロフェッショナルケアの総称．バイオフィルム除去，機械的歯面清掃，歯石除去，フッ化物や抗菌薬の応用などがある．

> 関連語 ▶ 口腔健康管理，口腔機能管理

口腔がん こうくうがん
oral cancer

口腔内にできる悪性腫瘍（がん）

の総称．口腔原発悪性腫瘍の90％以上を病理組織学的に扁平上皮癌が占める．原発部位別発生頻度（日本頭頸部癌学会の集計，2002年）は，舌がん（60％），下歯肉がん（11.7％），口腔底がん（9.7％），頰粘膜がん（9.3％），上顎歯肉がん（6.0％），硬口蓋がん（3.1％）である．日本における口腔がんの発生頻度は全がんのほぼ1％，頭頸部がんが4％を占める．口腔がんの発生年齢は中高年層に多く，50～60歳代においてピークがみられる．男女比は3：2で男性に多く，高齢化にともなって口腔がんの発生頻度も増加している．

口腔観察　こうくうかんさつ
oral inspection

「老人保健法」制定当初，同法による医療等以外の保健事業の健康診査には歯科の診査項目が設定されていなかったため，健康手帳に本人の口腔内の状況を記載するために便宜的に考えられた方法．歯科健康診査は歯科医師によらねばならないが，この口腔観察は，必ずしもその要件を満たしていなくてもよいとされ，健康手帳に口腔内の記載欄がつくられた．その後，保健事業が「健康増進法」に移行してからも，健康相談などの場面で，歯科衛生士による専門的な口腔内の観察と記録は広く実施されている．さらに，歯科医師による歯周疾患検診が追加されるようになってからは，むしろ介護用語として，介護職員など介護に携わる者が口腔をケアするときに要介護者の口腔内を観察，記録する場合にも用いる．

口腔カンジダ症　こうくうかんじだしょう
oral thrush, oral candidiasis

カンジダ菌の感染によって生じる感染症で，起炎菌はおもに*Candida Albicans*である．おもに宿主の感染防御機能の低下にともない引き起こされる．偽膜性カンジダ症では偽膜が粘膜表面に付着するが，ガーゼなどで拭うと剝離が可能である．剝離面は発赤やびらんを呈する．紅斑性カンジダ症は萎縮や紅斑が特徴であり，疼痛をともなう．義歯性口内炎は義歯床下粘膜異常のうち，*Candida Albicans*の感染などで生じる非特異的炎症とされており，紅斑性カンジダ症としての病型をとることが多い．肥厚性カンジダ症では粘膜上皮が過角化して硬く肥厚した上皮が形成される．診断においては仮性菌糸の存在が感染の根拠とされる．治療法は抗真菌薬の局所使用または内服などである．

同義語 鵞口瘡
関連語 義歯性口内炎

口腔乾燥感 こうくうかんそうかん
feeling of oral dryness

口腔内の粘膜や舌の乾きを感じること．一般に唾液の分泌量低下や口呼吸などで口腔粘膜が乾燥することによって生じる．年齢が高くなると服用薬剤の副作用などで口腔乾燥感を自覚する者が増加し，違和感や不快感を自覚したり，嚥下困難感を自覚する場合もある．

関連語 口腔乾燥症

口腔乾燥症 こうくうかんそうしょう
xerostomia, dryness of mouth

4学会合同口腔乾燥症用語・分類検討委員会が作成した口腔乾燥症の新分類によると，「口腔乾燥症とは自覚的な口腔乾燥感または他覚的な口腔乾燥所見（唾液の量的減少と唾液の質的変化を含む）を認める症候をさす」と定義されており，「唾液分泌量の減少あるいは分泌唾液の質的変化があるもの」と「唾液分泌量の減少と分泌唾液の質的変化のいずれもないもの」に分類される．前者には，シェーグレン症候群，唾液腺疾患，精神的ストレスや薬剤の副作用などによる口腔乾燥症が，後者には口呼吸や心因性などによる口腔乾燥症が含まれる．原因に応じて，薬物療法，口腔保湿剤や唾液腺マッサージなどの対症療法を行う．

同義語 ドライマウス

関連語 唾液分泌障害，口腔乾燥感，唾液減少症

口腔機能 こうくうきのう
oral function

食べる，話す，呼吸する，感情を表現するなど口腔がもつ機能全般をさす．加齢や疾患の影響で口腔機能が低下すると健康にさまざまな悪影響を及ぼすため，機能の維持，改善が重要視されている．

口腔機能維持管理加算
こうくうきのういじかんりかさん
additional fee for maintenance and management of oral function

介護保険施設における口腔機能の維持管理への取り組みを，介護報酬の面からも推進させるために設けられた加算．

口腔機能管理 こうくうきのうかんり
oral rehabilitation and functional care

口腔機能の回復および維持・増進にかかわるプロフェッショナルケアの総称．摂食嚥下リハビリテーション（摂食機能療法），う蝕処置，歯周関連処置や補綴処置などがある．摂食嚥下機能のみではなく，発語・発声や呼吸機能なども含む．

関連語 口腔衛生管理，口腔健康管理

口腔機能低下症
こうくうきのうていかしょう
oral hypofunction

　口腔機能の低下の一段階を示す用語．老年期において，口の機能は「口の健康リテラシーの低下」から「口のささいなトラブル」「口の機能低下（口腔機能低下症）」の途中段階を経て，「食べる機能の障がい（口腔機能障害）」の順に機能低下が進行する．この一連の現象および過程をオーラルフレイルという．「口の健康リテラシーの低下」に関してはポピュレーションアプローチで対応し，「口のささいなトラブル」に対しては，地域保健事業や介護予防事業による対応が行われる．「口の機能低下」に対しては，地域歯科診療所での対応，口腔機能障害に対しては，専門知識をもつ医師・歯科医師による対応が必要である．

　口腔機能低下症を構成する症状と検査法は，以下の7つである．
①口腔不潔：舌表面の微生物数の計測（細菌カウンタ），または舌苔付着程度（TCI）の評価
②口腔乾燥：舌粘膜湿潤度測定（口腔水分計），または刺激時唾液量測定（サクソンテスト）
③咬合力低下：咬合力測定（感圧シート），または残存歯数
④舌口唇運動機能低下：舌運動速度・巧緻性の計測（オーラルディアドコキネシス）
⑤低舌圧：舌圧検査（舌圧測定器），または舌トレーニング用具による判定
⑥咀嚼機能低下：咀嚼機能検査（グミゼリーのグルコース濃度測定），またはグミゼリー粉砕度評価
⑦嚥下機能低下：嚥下スクリーニング質問紙（EAT-10），または自記式質問票（聖隷式）

　上記7項目のうち，3項目以上が該当すると口腔機能低下症と診断する．

関連語 オーラルフレイル

口腔機能の向上プログラム
こうくうきのうのこうじょうぷろぐらむ
oral function improvement program

　介護予防の地域支援事業の一環で，口腔機能が低下しているおそれのあるフレイル（虚弱）な状態の高齢者に対して行われる機能向上プログラム．プログラムは歯科衛生士，看護師，言語聴覚士などにより，一般に集団に対して実施される．

口腔ケア　こうくうけあ
oral care, oral health care

　口腔清拭や食事への準備など，歯科専門職以外が実施する口腔に関する日常のケアのこと．他職種と協働して実施される生活支援の要素が大

きい．口腔衛生に関するものだけでなく，口腔機能に関するものも包含されるため，嚥下体操や舌・口唇・頬粘膜ストレッチ訓練なども口腔ケアの範疇に入る．

関連語 口腔健康管理

口腔健康管理 こうくうけんこうかんり
oral health care

口腔清掃を含む口腔環境の改善など口腔衛生にかかわる「口腔衛生管理」と口腔機能の回復および維持増進にかかわる「口腔機能管理」からなる．

関連語 口腔衛生管理，口腔機能管理

口腔湿潤剤 こうくうしつじゅんざい
oral moisturizing jell,
oral moisturizing gel,
mouth moisturizer, oral moisturizer

→ 同義語 口腔保湿剤

口腔清掃 こうくうせいそう
oral prophylaxis, oral cleaning,
mouth cleaning

歯ブラシによる歯磨き（ブラッシング），薬液による洗口，歯間清掃用具（デンタルフロス，歯間ブラシ）などによる歯の清掃のみならず，舌や口腔粘膜あるいは義歯の清掃までを含めたもの．ただ単にプラークを取り除き，口腔内を清潔に保つというだけでなく，う蝕，歯周病，口臭などの歯科疾患の予防，治療のために行う．健常者にとってはセルフケアであるが，要介護者，障害者，病人においては本人や介護者に対して専門家によるプロフェッショナルケア（指導と管理を含む）が望まれる．とくに口腔清掃を介助する場合には，被介護者が誤嚥をしない体位や姿勢，また頭部の安定に注意し，介護者は口腔内を直視できる位置で，なるべく楽な姿勢で介助することが必要である．近年，形状記憶歯ブラシ，スポンジ状の口腔粘膜清掃用や吸引電動ブラシなどの要介護者用の口腔清掃用具が開発されている．

同義語 歯口清掃
関連語 ブラッシング

口腔清掃指数 こうくうせいそうしすう
oral hygiene index

歯面を主とした口腔内の清掃状態を表す指標．Green と Vermillion（1960）により考案された歯の表面へのプラークと歯石の付着範囲を数量化し，口腔清掃状態を評価するための指数．プラーク歯数と歯石歯数からなる．これを Green と Vermillion の Oral Hygiene Index（OHI）という．1964 年にこれを簡易化して，Simplified Oral Hygiene Index（OHI-S）とし，1971 年に世界保健機関（WHO）方式として採用された．口腔清掃指数としては，このほ

かに歯周疾患の局所因子としてのプラークの付着状態を重視したSilnessとLöeのPlaque Index (1964)，PHP (patient hygiene performance) (1968)，QuigleyとHeinのPlaque Index (1962) およびTureskyの改良法 (1970)，O'LearyらのPlaque Control Record (1972) などがあり，口腔清掃指導や指導後の評価に用いられている．いずれの指数も歯が大部分あることが前提となっているので，高齢者にはそのまま用いにくいことも多い．

口腔清掃自立度判定基準
こうくうせいそうじりつどはんていきじゅん

assessment of independence for brushing, denture wearing, mouth rinsing

➡ 同義語 改訂BDR指標

口腔清掃補助用具
こうくうせいそうほじょようぐ

mouth cleaning aids, mouth cleaning auxiliary instrument

➡ 同義語 口腔清掃用具

口腔清掃用具　こうくうせいそうようぐ
instruments for mouth cleaning, oral hygiene aids

　口腔清掃（プラークコントロール）は，方法により機械的プラークコントロール，化学的プラークコントロールに分類される．前者に用いる用具を口腔清掃用具ならびに口腔清掃補助用具という．歯ブラシ，デンタルフロス，歯間ブラシ，舌ブラシなどである．このうち主たる清掃用具を歯ブラシと考え，これを口腔清掃用具，そのほかを口腔清掃補助用具といいならわしてきた．しかし，歯ブラシだけですべてのプラークは除去できず，とくに歯間部の清掃にはデンタルフロスや歯間ブラシが必需品である．したがって，現在では補助用具ではないという考えが一般的になり，両者を合わせて口腔清掃用具とする考えが定着してきた．また，要介護者にはスポンジブラシや給水吸引ブラシが使われる．

同義語 口腔清掃補助用具

口腔前庭拡張術
こうくうぜんていかくちょうじゅつ

vestibular extension, vestibuloplasty

　口腔前庭と顎堤との高低差が少ない場合に適応となる手術．義歯の製作，歯周治療，歯科インプラント治療時の顎堤の確保や粘膜の付着位置の移動を行う．分層もしくは切開を加え歯根側に粘膜を移動させる．

口腔内装置　こうくうないそうち
oral appliance

　一般的な口腔内装置としては，顎

関節治療用装置，歯ぎしりに対する装置，顎間固定用に歯科用ベースプレートを用いる床，出血創の保護と圧迫止血を目的としてレジンなどで製作する床，手術にあたり製作するサージカルガイドプレート，腫瘍などによる顎骨切除後，手術創（開放創）の保護などを目的として製作するオブチュレーター，気管内挿管時の歯の保護などを目的として製作する装置，不随意運動などによる咬傷を繰り返す患者に対して，口腔粘膜などの保護を目的として製作する装置，放射線治療に用いる装置がある．これらとは別に睡眠時無呼吸症候群に対する口腔内装置，摂食機能障害に対する舌接触補助床がある．また，腫瘍，顎囊胞などによる顎骨切除患者に対する術後即時顎補綴装置も診療報酬上は口腔内装置に含まれる．

関連語 ▶ スリープスプリント®，睡眠時無呼吸症候群

口腔剥離上皮膜
こうくうはくりじょうひまく

membranous substances in the oral cavity

「非経口摂取者の口腔粘膜処置」に対応したわが国の健康保険における診療報酬請求上の傷病名．剥離した口腔粘膜上皮と唾液，炎症性細胞や細菌の集積からなるもの．しかし，上皮膜というものは組織学的には存在しない．病理学的には主体として，重層扁平上皮由来の角質変性物，唾液中のムチンで占められ，一部に，細菌塊，細胞浸潤がみられる．「疾病および関連保健問題の国際統計分類：International Statistical Classification of Diseases and Related Health Problems（ICD）-10（2013年版）」では，K13.2「舌を含む口腔上皮の白板症およびその他の障害」に分類されている．本用語については日本老年歯科医学会にて臨床および基礎分野の専門職を含めて，慎重に検討中である．

口腔保健支援センター
こうくうほけんしえんせんたー

oral health support center

「歯科口腔保健の推進に関する法律」（歯科口腔保健法）の第15条で定められた地域歯科保健活動を支える機関．歯科医療等業務に従事する者などに対する情報の提供，研修の実施そのほかの支援を行う．都道府県，保健所を設置する市および特別区は，口腔保健支援センターを設けることができる．歯科医師会などが設置している口腔保健センターと名称は似ているが，まったく異なる機関である．2021年の速報値で，47都道府県中32道府県で設置されている．

関連語 ▶ 歯科口腔保健法

口腔保健センター
こうくうほけんせんたー
oral health center

　障害者(児)の歯科診療や休日歯科診療などを行う施設として，自治体や歯科医師会あるいはその両者が共同して管理運営する施設．いずれの場合も通常は専任のスタッフのほか，歯科医師会会員が診療を担当し，大学歯学部附属病院や専門医療機関との連携，協力のもとに，二次的な医療を担当しているところが多い．

関連語 歯科保健センター

口腔保湿剤
こうくうほしつざい
oral moisturizer

　減少した唾液を補い，口腔乾燥症状を改善することを目的に開発されたもので，性状から人工唾液とジェルに大別される．いずれも成分は水が主体で，人工唾液は唾液の成分を模した添加物としてナトリウムや酵素剤，抗菌成分などが添加されているものが多い．ジェルは粘性を増すための増粘成分が配合されている．湿潤効果時間に違いがあり，人工唾液は手軽に使用することができるが，湿潤効果時間が短い．ジェルは口腔内に比較的長時間とどまるため，長時間の保湿に向いている．近年では口腔衛生や口腔機能の向上にも応用されるようになっている．義歯装着者の義歯の「なじみ」の改善にも用いられる．

同義語 口腔湿潤剤
関連語 人工唾液

高血圧
こうけつあつ
hypertension, high blood pressure

　診察室血圧値で≧140/90 mmHg，家庭血圧値で≧135/85 mmHg，あるいは24時間自由行動下血圧で≧130/80 mmHgを示す．最も多い循環器疾患(日本高血圧学会：高血圧治療ガイドライン2019)．高血圧の90％以上は本態性高血圧であり，残りが二次性高血圧である．わが国の高血圧者は約4,300万人と推定されているが，良好にコントロールされているのは1,200万人にすぎないといわれている．積極的適応がない高血圧の治療は，カルシウム拮抗薬，ARB(アンジオテンシンⅡ受容体拮抗薬)，ACE阻害薬，利尿薬の中から選択し開始する．多くの場合2，3剤が必要となる．2剤の併用として，ARB/ACE阻害薬＋カルシウム拮抗薬，ARB/ACE阻害薬＋利尿薬，カルシウム拮抗薬＋利尿薬が推奨されている．降圧目標は一部の例外を除き，130/80 mmHg未満である．

関連語 高血圧性脳症

高血圧性脳症
こうけつあつせいのうしょう
hypertensive encephalopathy

　高血圧緊急症(＞180/120 mmHg)

における重要臓器障害の1つで，脳血流の自動調節能が破綻し，脳血流量増加，血管透過性亢進により血管原性浮腫をきたした状態．おもな症状は，頭痛，悪心・嘔吐である．すみやかな降圧が必要であるが，過剰な降圧は脳虚血や腎機能低下のリスクがあるため，最初の2時間で20〜25％程度の降圧を行う．

関連語 高血圧

咬合 こうごう
articulation, occlusion

上下顎の天然歯や補綴装置の切縁あるいは咬合面間の接触関係のこと．上下顎の歯を接触させたときの種々の機能的な動き，すなわち咬合接触にともなう種々の生理的，機能的な意味も表している．

咬合異常 こうごういじょう
malocclusion

上下顎の歯の静的・動的な位置関係が正常でなくなった状態．咬合異常には対向関係の異常（反対咬合，切端咬合，交叉咬合，過蓋咬合，開咬），咬合位の異常（偏位，高位，低位），咬合接触の異常（早期接触，咬頭干渉，非作業側接触，咬合接触の不均衡，咬合性外傷），下顎運動の異常（咬合終末位の異常，咀嚼運動の異常，外傷性咬合，関節円板の障害），咬合を構成する要素の異常（歯・骨・顎関節・神経・筋・口腔粘膜の疾患）などが包含されている．対向関係の異常が大きい場合には，おもに歯科矯正的処置によって改善されるが，そのほかの多くの異常に関しては，補綴治療によって改善される．

咬合器 こうごうき
articulator

頭蓋に対する顎や歯の相対的位置関係，種々の下顎位と下顎運動を口腔外で再現させるために用いる装置．模型を咬合器に装着することにより，咬合状態などの検査・診断や補綴装置の製作を口腔外で行うことができる．Gariotにより1805年に製作された蝶番咬合器が世界で最初の咬合器といわれている．その後，下顎運動を再現するために種々の咬合器が開発されてきた．咬合器の調節機構には，後方要素として顆路調節機構，前方要素として切歯路調節機構がある．咬合器はその調節機構により，顆路型咬合器（平均値咬合器，半調節性咬合器，全調節性咬合器）と非顆路型咬合器に大別される．非顆路型咬合器である蝶番咬合器は一般に1つの下顎位と蝶番開閉運動が再現される．平均値咬合器は顆路角，切歯路角などに平均値が与えられた咬合器である．矢状顆路と平衡側の側方顆路の調節機構をもつが作

業側顆路の調節機構をもたない咬合器を半調節性咬合器，矢状顆路と平衡側および作業側の側方顆路の調節機構をもつ咬合器を全調節性咬合器という．

咬合挙上　こうごうきょじょう
vertical dimension increase, bite raising

咬合高径を高める処置のこと．歯の咬耗や喪失あるいは補綴装置の摩耗，破損などによって，咬頭嵌合位における本来の咬合高径が低下し，特有の老人様顔貌を呈したり，発音時の音声不明瞭，咀嚼時の下顎の異常運動，下顎の疲労感や顎関節の異常，咬合異常がある場合などに行われる．臨床では義歯やプロビジョナルレストレーションあるいは咬合挙上装置などを，挙上する新たな咬合位で製作，調整して慣れを待って最終的に補綴することが多い．

咬合高径　こうごうこうけい
occlusal vertical dimension

中心咬合位での上下顎間の垂直的距離のこと．補綴装置製作時の顎間関係の記録（咬合採得）や咬合位の評価などに関連して，歯や顔面に設定される種々の計測点間距離で表す．歯の欠損が少なく，咬頭嵌合位（中心咬合位）が明確な場合は咬合高径を簡単に測定することができるが，歯の欠損が多く，上下顎歯の嵌合がない場合，補綴装置製作時の咬合位の決定は，新しく咬合高径の設定が必要となる．その求め方としては，形態的方法や機能的方法など多数提案されているが，決定的な方法はない．一般的には，下顎安静位と安静空隙を利用する方法がよく応用され，ほかの形態的方法や顔面，とくに口唇の形態を参考として総合的に決定される．

関連語 低位咬合

咬合採得　こうごうさいとく
maxillomandibular registration, bite taking

補綴装置の製作や咬合に関する診断において，上顎に対する下顎の位置関係を診断用模型や作業用模型を用いて口腔外に再現するために，一般的に中心咬合位をワックスやシリコーンなどの咬合記録材や咬合床を用いて記録することをいう．

咬合支持　こうごうしじ
occlusal support

上下顎の歯が咬合接触することにより咬頭嵌合位を保持する作用のこと．歯の欠損を有する症例に対して補綴装置を製作する場合，残存歯数が同じであっても，上下顎の残存歯が咬合接触している数，すなわち咬合支持数が違えば症例の難易度は異

なってくる．
関連語 アイヒナーの分類

口呼吸　こうこきゅう
mouth breathing, oral respiration, oral breathing

　鼻呼吸が種々の障害により妨げられ，その代償として口腔で行う呼吸．鼻咽腔の疾患などで鼻呼吸が妨げられる鼻性口呼吸，上下顎の前突や開咬などにより口唇閉鎖が困難な場合に生じる歯性口呼吸，症状が改善しても習慣として残る習慣性口呼吸に分類される．睡眠時には口唇が開いて口呼吸しやすい．口呼吸は，唾液蒸発による口腔乾燥，口呼吸線，堤状隆起（テンションリッジ）が臨床所見として認められ，自浄作用の低下によりプラークが停滞しやすい．さらに，鼻呼吸と異なり，空気中の細菌やウイルス，ハウスダストや花粉などの有害物質を直接肺に取り込む危険性をともなう．原因に応じて，鼻咽腔疾患の治療，筋機能療法，メディカルテープ，加湿器やマスクの使用などを行う．

交叉感染　こうさかんせん
cross infection

　交差感染とも書く．患者から患者，患者から職員へ直接または器物を介して間接的に伝播することをいい，院内感染がこれにあたる．歯科の診療室であれば，手術室に準じての消毒，滅菌は理論的には可能である．最近ではタービンヘッドやハンドピース，コントラアングルの滅菌も可能となっている．しかし実際の診療では，エアタービンや電気エンジン使用時に発生するエアロゾルの飛散を防ぐことはむずかしい．これは在宅診療時も同じで，患者本人や家族の生活空間を汚染することになるので注意が必要である．
関連語 院内感染

抗酸化物質　こうさんかぶっしつ
antioxidant

　活性酸素の発生やその働きを抑制したり，活性酸素そのものを取り除く物質の総称で，活性酸素が細胞内で過剰な酸化ストレスを引き起こさないよう，強い還元性によりその反応を無害化する．ビタミンC，ビタミンE，ポリフェノールなどが知られ，食品添加物としては酸化防止剤ともよばれる．抗酸化物質には，体内で合成される体内合成抗酸化物質のほかに，ポリフェノールとカロテノイドがある．

鉤歯　こうし
abutment tooth
→ **同義語** 支台歯

高次脳機能 こうじのうきのう
higher brain function

記憶，学習，思考，言語，判断などの認知過程と感情を含めた神経・心理学的機能のこと．ヒトの脳は感覚の知覚，運動機能，高次脳機能と大きく3つに分けられる．これらのうち，高次脳機能はおもに大脳皮質連合野とよばれる脳の部位により情報が処理，統合，出力される結果である．しかし大脳皮質連合野だけではなく，感覚の入力や運動を受け，大脳辺縁系，脳幹，小脳，大脳核や大脳皮質のほかの部位からの情報の入力などが関与している．

高次脳機能障害
こうじのうきのうしょうがい
higher cerebral dysfunction

脳血管疾患や外傷により，脳が部分的に損傷されたために，記憶，注意，言語，学習，行為などの知的機能に障害が生じた状態．原因は，80％程度が脳血管疾患で，次いで10％程度が頭部外傷である．症状でもっとも多いのが失語症で，次いで注意障害，記憶障害である．せん妄や認知症と間違えられる場合がある．治療としては，言語療法や作業療法，理学療法などのリハビリテーションが行われる．

口臭 こうしゅう
halitosis, oral malodor, bad breath

本人あるいは第三者が不快と感じる呼気の総称．halitosis は，元来ラテン語である halitus（呼吸，息）が病的な状態（-osis）にあることをさしている．通常の口臭の原因物質は硫化水素，メチルメルカプタン，ジメチルサルファイドなどの揮発性硫黄化合物である．嫌気性の口腔内細菌が有するタンパク分解酵素によって，剥離した口腔粘膜上皮，食物残渣などのタンパク質が分解されて揮発性硫黄化合物が発生する．

口臭症は，生理的，器質的（身体的），精神的な原因により口臭に対して不安を感じる症状である．国際分類では治療の必要性に基づいて，①真性口臭症，②仮性口臭症，③口臭恐怖症に分類される．真性口臭症は社会的容認限度を超える明らかな口臭が認められるもので，生理的口臭と病的口臭に分けられる．生理的口臭は器質的変化や原因疾患がない口臭で，おもに舌背後方部における舌苔に由来するものである．口腔由来の病的口臭では歯周病が原因となっていることが多い．全身由来の病的口臭とは耳鼻咽喉科系疾患，呼吸器系疾患，消化器系疾患，そのほか全身疾患などによる口臭である．仮性口臭症とは，社会的容認限度を超える口臭が認められず，検査結果

などの説明により訴えの改善が期待できるものである．口臭恐怖症は真性口臭症，仮性口臭症に対する治療では訴えの改善が期待できず，専門医の対診を必要とするものである．

関連語 揮発性硫黄化合物

公衆衛生　こうしゅうえいせい
public health

地域社会の組織的な努力によって疾病を予防し，寿命の延長を図り，身体的ならびに精神的能力を増進するための技術と科学．その内容は多岐にわたり，環境衛生の改善，感染症の予防，疾病の早期診断と治療のための医療と看護サービスの組織化，保健教育，健康を維持するうえでの必要な社会保障の改善などがあげられる．臨床医学が主として個人を対象とするのに対して，公衆衛生では主として集団を対象とする．

関連語 保健，地域保健

後縦靱帯骨化症
こうじゅうじんたいこつかしょう
ossification of posterior longitudinal ligament

脊椎椎体の後縁を連結し，脊柱のほぼ全長を縦走する後縦靱帯が病的に骨化して，脊椎管狭窄をきたし，脊髄または神経根を圧迫し神経症状を呈する病因不明の疾患．頸椎に多く，疼痛，知覚鈍麻，筋力低下，上下肢の腱反射異常や病的反射などが出現し，痙性麻痺を呈する．上肢運動機能障害がある場合，食具の把持が困難となり，自力での摂食がむずかしくなる．

拘縮　こうしゅく
contracture

皮膚，筋，腱，靱帯，関節包などの軟組織が，炎症や損傷に起因して伸縮性を失い短縮し，本来の長さを維持できなくなった状態．さらに，軟組織の収縮あるいは短縮によって，正常な関節の動きが阻害された状態をさすこともある．病理的には，皮膚，皮下組織，筋膜，靱帯，関節包などが瘢痕化，または癒着したものと理解されている．原因別に分類して新生児の股，膝，足，肘，腕指などの諸関節にみられる先天性拘縮とそのほかの後天性拘縮に分けることができる．後天性拘縮は，原因としては火傷，挫創，骨折，長期の固定，皮膚，皮下組織，筋肉などの急性および慢性の炎症また神経系疾患があげられる．

溝状舌　こうじょうぜつ
fissured tongue, plicated tongue, scrotal tongue

舌背表面に多数の溝がみられる状態．先天性のものはダウン症候群やメルカーソン・ローゼンタール症候

群でみられ，家族性のものもある．自覚症状がないことが多く，症状がなければ治療の対象とはならない．溝の不潔が口臭の原因となることや，炎症が起きて疼痛を訴える場合もある．

甲状腺機能亢進症
こうじょうせんきのうこうしんしょう
hyperthyroidism

甲状腺ホルモンの産生および分泌が過剰になり，血液中の甲状腺ホルモンが増加している状態．バセドウ病が7割を占め，女性に多く，遺伝的要因が影響する自己免疫疾患と考えられている．また精神的ストレスを受けた後に発症することも多い．症状として多汗，ほてり，微熱，心悸亢進，情緒不安定，体重減少，筋力低下などがある．治療法には薬物療法，放射線ヨード療法，甲状腺切除がある．

関連語 甲状腺機能低下症

甲状腺機能低下症
こうじょうせんきのうていかしょう
hypothyroidism

甲状腺ホルモンの低下とそのための身体症状が出る状態．新生児期に生じた本症をクレチン症とよび，不活発，低体温，黄疸の遷延，筋緊張の低下，巨舌，臍ヘルニア，徐脈，便秘などの多彩な症状が出現し，放置すると知能が低下し，低身長になる．成人では低体温，精神鈍麻，粘液水腫による徐脈・心音減弱，反射運動減退，筋力低下やこむら返りも認められる．また皮膚は乾燥する．治療として甲状腺ホルモン薬の補充を行う．

関連語 甲状腺機能亢進症

抗真菌薬
こうしんきんやく
antifungal drug

真菌の増殖を抑制する薬物．局所的に使用するものと全身性真菌症に使用するものがある．細胞膜であるエルゴステロールを阻害するポリエン系抗生物質（ポリエンマクロライド系）のほか，ラノステロールからエルゴステロールの生合成を阻害するアゾール系薬剤，β-Dグルカン合成酵素を阻害し細胞壁合成を阻害するキャンディン系薬剤，DNA合成を阻害するピリミジン系薬剤などの化学療法薬が含まれる．

抗精神病薬
こうせいしんびょうやく
antipsychotic drug

向精神薬（psychotropic drugs）の一種で，抗精神病作用，すなわち幻覚，妄想，作為体験などの精神病症状に対して効果を有する薬物の総称で，おもに統合失調症や双極性障害などの精神疾患の治療を目的として用いられる．不安，焦燥，興奮を鎮

め，幻覚，妄想などを軽減し，意欲を高めるなどの作用を有する．抗精神病薬は第一世代と第二世代に分けられ，第一世代を定型薬，第二世代を非定型薬という．抗不安薬がマイナートランキライザーとよばれるのに対して，メジャートランキライザーともよばれる．薬事法における劇薬に指定されるものが多い．精神病状態の治療のほか，躁病・うつ病や，神経症，不眠症などの治療にも使用される．副作用として，起立性低血圧や頻脈などのほか，手がふるえたり，前屈み小刻みで歩くなどのパーキンソニズムなどの錐体外路症状，内分泌・代謝関連症状がみられる．

関連語 向精神薬

向精神薬 こうせいしんやく
psychoactive drug, psychotropic drug

精神に作用する薬物の総称．世界保健機関（WHO）では「その物質の生体に対する主要な作用として，精神機能，行動あるいは経験に影響を与える薬物」と定義している．基本的なメカニズムは，脳内の神経伝達物質の働きを調節して，神経回路の伝達を調節すると考えられている．抗精神病薬，抗不安薬，抗うつ薬，抗躁薬，精神刺激薬，睡眠薬，抗てんかん薬の7種類に分類される．

口底炎 こうていえん
inflammation of oral floor, inflammation of mouth floor

口腔底部の舌下隙，オトガイ下隙，顎下腺隙などに炎症の主体がある炎症性病変．智歯周囲炎などの歯性感染症に続発する場合が多いが，外傷あるいはリンパ節炎，唾液腺炎から続発することもある．症状は高熱を発し，口腔底は腫脹し，発赤，疼痛が生じる．舌下部に限局している場合には，舌が挙上し二重舌の様相を呈し，舌運動時に痛みが生じる．唾液の分泌亢進による流涎がみられることもある．顎舌骨筋の下方に炎症の主座がある場合には，二重オトガイの外観を呈する．顎下隙に波及した場合には顎下部は腫脹し，閉口障害，嚥下困難などをともなう．治療は抗菌薬による消炎療法とともに，安静，補液，栄養補給などにより全身状態の改善を図る．膿瘍を形成した場合は切開排膿してドレナージを行う．口腔底の解剖学的特徴から気道狭窄の危険性がある場合は気道の開存性の保持（気管切開，挿管など）を優先する．

関連語 智歯周囲炎，顎炎

公的扶助 こうてきふじょ
public assistance

日本国憲法第25条に規定する理念に基づき，生活に困窮するすべての国民に対し，その困窮の程度に応じ，国が必要な保護を行い，その最低限度の生活を保障するとともに，その自立を助長することを目的とする制度．すべての国民は，この法律による保護を無差別平等に受けることができ，健康で文化的な最低限度の生活水準の維持が保障される．保護は，厚生労働大臣の定める基準により算定した要保護者の需要（生活保護基準）をもとに，その者の金銭または物品で満たすことのできない不足分を補う程度において行うものとされる．

関連語 生活保護

抗てんかん薬 こうてんかんやく
anticonvulsant, antiepileptic

発作性脳律動異常に基づく運動系・感覚系・自律神経系あるいは精神由来の異常現象などからなるてんかん発作を抑制する薬物で，神経細胞における過剰な興奮を抑制する．バルビツール酸誘導体のフェノバルビタール，イミノスチルベン誘導体のカルバマゼピン，ヒダントイン誘導体のフェニトイン，GABAトランスアミナーゼ阻害薬のバルプロ酸，ベンズイソキサゾール系のゾニサミドなどを発作の型や患者の年齢によって選択して用いる．

後天性免疫不全症候群 こうてんせいめんえきふぜんしょうこうぐん
acquired immunedeficiency syndrome

➡ **同義語** AIDS

喉頭侵入 こうとうしんにゅう
laryngeal penetration

食物や水などが喉頭内，声門上に侵入すること．声門を越えたものは誤嚥として区別している．ビデオ嚥下造影検査（VF）や嚥下内視鏡検査（VE）にて観察することができる．喉頭侵入は嚥下機能正常者でも認められるが，咳により機械的に除去することで誤嚥を防いでいる．嚥下反射後に喉頭に残留している場合には嚥下障害を疑う所見として扱う．

行動変容 こうどうへんよう
behavioral change, behavior modification

病気予防や健康の維持・増進のために不適切な行動を止めたり，望ましいものに改善すること．健康教育や保健指導の目的の1つは行動変容にある．人間の行動の多くは学習によって獲得されるものであるので，学習理論が行動変容に用いられる．保健行動の変容を促す理論としては，健康信念モデル（ヘルス・ビリーフ・モデル），変化のステージモデル，自己効力感（セルフ・エフィカシー）

などが用いられている．医療の分野では，これらの学習理論や認知行動療法，保健行動モデルを参考にしてさまざまな行動変容のための支援プログラムが開発されている．

関連語 ▶ 保健行動

更年期障害 こうねんきしょうがい
menopausal syndrome, climacteric syndrome

閉経前後の期間すなわち性的な成熟期から老年期への移行期を更年期といい，その頃に起こる自律神経失調を主とする症候群のこと．急速な性腺機能の変化（とくにエストロゲンの分泌低下）によると考えられている．症状として，一過性熱感（ほてり，のぼせ），心悸亢進，発汗，頻尿，頭痛，めまい，耳鳴り，記憶力減退，抑うつ状態，性欲減退，倦怠感，胃腸障害などがみられる．診断には上記の自覚症状のほか，血中エストラジオール濃度，FSH（卵胞刺激ホルモン）濃度を参考とする．最近ではエストロゲンの低下により更年期の10〜20年後に発症する骨粗鬆症，脂質異常症（高脂血症），動脈硬化も問題となっている．以前は女性なら誰にでもある通過点として我慢すべきものとする風潮があったが，最近はエストロゲン補充療法（HRT），精神安定薬の投与などの治療も行われている．なお，男性ホルモンの低下による，男性の更年期障害もある．

抗パーキンソン薬 こうぱーきんそんやく
antiparkinson drug, antiparkinsonian

パーキンソン病やパーキンソニズムの症状を治療，軽減させる薬物の総称．これらの薬剤の多くは，中枢神経系におけるドーパミン活性を増加させたり，アセチルコリン活性を低下することによってドーパミンの作用を強めることができる．抗パーキンソン薬には，脳内のドーパミン量の減少を改善するレボドパ製剤，ドーパミン受容体刺激（アゴニスト）製剤，アセチルコリン系の働きを低下させる抗コリン製剤がある．

広範囲顎骨支持型装置 こうはんいがっこつしじがたそうち
bone anchored device for wide edentulous area

腫瘍，顎骨骨髄炎，外傷などによって生じた広範囲な顎骨欠損などの特殊な症例に対して応用する人工的構造物．健康保険の適用となっており，顎骨内へインプラント体を埋入し，アバットメントを連結する手術までを広範囲顎骨支持型装置埋入手術，当該装置の上部に装着されるブリッジ形態または床義歯形態の補綴装置を装着するまでの一連の治療を広範

囲顎骨支持型補綴として保険収載されている．

関連語 顎顔面補綴装置，インプラント，インプラント義歯，インプラント周囲炎

紅板症 こうばんしょう
erythroplakia

鮮紅色ビロード様の斑状を呈する病変で口腔潜在的悪性疾患の1つ．舌，口腔底，頬粘膜，臼歯部歯肉，口蓋粘膜に発生する．50〜60歳に好発し，性差はない．白斑の混在（紅板白板症），びらん，顆粒状隆起をみることがある．病理組織学的には上皮性異形成のことが多いが，上皮内癌や浸潤癌（扁平上皮癌）のこともある．上皮は菲薄化しているか上皮脚が棍棒状を呈する．角化の亢進はないか角質層は菲薄である．基底層細胞は大型化がみられる．上皮直下や上皮層内に血管がみられる．

関連語 白板症，口腔カンジダ症，扁平苔癬

抗ヒスタミン薬 こうひすたみんやく
antihistamine, histamine antagonist

体内でヒスタミンとH1受容体との結合を抑える薬剤．鼻汁や蕁麻疹などのアレルギー症状の治療薬や酔い止めの成分として知られ，花粉症治療薬や総合感冒薬にも含まれる．現在，ヒスタミンH1受容体拮抗薬である抗ヒスタミン薬は2種類存在し，第一世代抗ヒスタミン薬は鎮静作用が強く，眠気や認知機能の低下を引き起こすことから，改良された第二世代抗ヒスタミン薬が登場している．

硬膜下血腫 こうまくかけっしゅ
subdual hematoma

硬膜とクモ膜の間に生じる頭蓋内血腫の1つ．急性，亜急性，慢性に分けられる．急性硬膜下血腫は頭部外傷後に出血すると数分から数時間で発症し，大きくなると脳を圧迫して脳ヘルニアを起こす．症状は意識消失，昏睡，体の片側あるいは両側の麻痺，呼吸困難，心拍数の減少が生じ，致命的になることもある．慢性硬膜下血腫はアルコール依存者や高齢者に多くみられ，外傷を受けてから症状が現れるまで期間が長く診断が困難になる

咬耗（歯の）こうもう（はの）
attrition, dental attrition, occlusal wear

上下顎歯の咬合接触により生じるエナメル質や象牙質の損耗．加齢にともなって生理的に進行する．咬耗面は前歯切縁，犬歯尖頭，臼歯機能咬頭などの対合歯と接触する部分や，咬合に関与している歯の隣接面にも発現し，滑沢な肉眼所見を呈す

る．進行してエナメル質から象牙質にまで及ぶと，エナメル質に比較して軟らかい象牙質の部分が早く損耗し，中央部が黄褐色にくぼんだ臼状を呈する．高齢者の歯では，咬耗がエナメル質にとどまらず，象牙質に至ることが多い．

異常な咬合関係，咀嚼圧，食習慣，歯ぎしりなどの悪習癖により，特定の歯や全歯に生理的以上の速度と程度で進行し，象牙質の広範な露出をきたしたり，歯冠長の喪失，咬合高径の低下を招くとき，病的な状態として咬耗症という．

生理的な咬耗は多くの場合，特別な処置を必要としないが，症状に応じて咬合調整，歯冠形態修正，歯冠修復などが必要となる．また咬耗が進行して歯髄炎を起こした症例には歯内療法（抜髄），歯冠修復を行う．全歯の咬耗が著しい症例では咬合挙上を要する場合もある．

関連語 トゥースウェア

高リポタンパク血症

こうりぽたんぱくけっしょう

hyperlipoproteinemia

血清中のリポタンパク質が増加した状態．リポタンパク質は，コレステロールやトリグリセリドなどの脂質が血漿中で水溶性となるためにタンパク質と結合したものをさす．家族性と後天性に分けられ，家族性は β リポタンパク質，プレ β リポタンパク質ならびに脂質の濃度が家族的に増加する遺伝性疾患で，症状には，腹痛，肝肥大，脾腫大，発疹性黄色腫，冠動脈疾患などがある．後天性は，甲状腺疾患，糖尿病，ネフローゼ症候群，アルコールの過剰摂取や肥満などが原因となる．

高齢化社会

こうれいかしゃかい

aging society

一般に「人口に占める高齢者の割合が増大する社会，すなわち人口の高齢化が進んだ社会」のことを意味する．しかし，高齢化社会を厳密に定義する場合には，2つの点が明確にされなければならない．1つは，高齢者とはなにかであり，もう1つは，高齢者の割合がどこまで増大したら高齢化社会といえるかという問題である．前者については，生物学的な生活能力，心理学的な適応能力，社会学的な役割充足能力など個人の能力に対応した，いわば機能的な数値を測定することが理想的であるが，現在のところ測定法がないので，暦年齢を一般的に用いている．したがって，日本では通常，65歳以上の人を高齢者とすることが多いが，国連では発展途上国のような若い人口をもつ国も考慮して60歳以上を基準にしている．しかしながら，高齢化の進んでいる先進国では，高齢

者の問題を考える際に，65歳以上人口をひとまとめにするのが適当でない場合もある．国連などが人口高齢化，すなわち「高齢化社会」の段階に入ったと判断する目安は，全人口に占める65歳以上の割合が7％を超えた時期である．さらに，この高齢化の速度を比較する際には，7％から14％に至る所要年数を用いることが多い．

関連語 高齢社会，超高齢社会

高齢化率 こうれいかりつ
the ratio of the aged, proportion of people aged 65 and over

➡ **同義語** 老年人口割合

高齢者 こうれいしゃ
older adults, older people

世界各国では60～70歳以上を高齢者とし，国連では60歳以上，世界保健機関（WHO）では65歳以上を高齢者と定義している．世界的に明確な基準は設定されていない．わが国では，「高齢者の医療の確保に関する法律」（高齢者医療確保法）およびそれに付随する各種法令で，65～74歳までを前期高齢者，75歳以上を後期高齢者と規定している．90歳以上を超高齢者とよぶこともある．

同義語 老年者，老人

高齢者医療確保法 こうれいしゃいりょうかくほほう
act on assurance of medical care for elderly people

「老人保健法」が2006年「高齢者の医療の確保に関する法律」（高齢者医療確保法）に改められた（2008年4月施行）．この法律において，国民の高齢期における適切な医療の確保を図るため，①厚生労働大臣は医療費の適正化を推進するための基本方針と全国医療費適正化計画を定める（8条）．②基本方針に沿って，都道府県は都道府県医療費適正化計画を定める（9条）．③厚生労働大臣は特定健康診査等基本方針を定める（18条）．④保険者は，いわゆる「メタボリックシンドローム」に対し，特定健康診査等実施計画をつくり，40歳以上の加入者に対し健康診査などを実施し，特定保健指導を行う．

関連語 老人保健法

高齢社会 こうれいしゃかい
aged society

高齢化の進行が止まり，高齢者の割合が不変になった社会のこと．わが国の場合には2020～2030年にかけて，人口の年齢構造がほぼ一定し，高齢者対策も安定した状態になると考えられている．ただし，明確な定義は示されていないが，65歳以上の割合が14％を超えた社会を高齢

化が安定した社会ということで,「高齢社会」と表現することもある.

関連語 高齢化社会,超高齢社会

高齢社会対策基本法
こうれいしゃかいたいさくきほんほう

basic act on measures for the aging society

　高齢社会対策を総合的に推進し,経済社会の健全な発展と国民生活の安定向上を図ることを目的とした法律 (1995年). 公正で活力ある社会,地域社会が自立と連帯の精神に立脚して形成される社会,豊かな社会の構築を高齢社会対策の基本理念としており,国および地方公共団体は,それぞれ基本理念に則って高齢社会対策を策定し,実施する責務があることを規定するとともに,国民の努力についても明示している.

高齢者虐待　こうれいしゃぎゃくたい

elder abuse

　家庭内や施設内で,高齢者に対して基本的人権を侵害,蹂躙し,心や身体に深い傷を負わせること.「高齢者虐待の防止,高齢者の養護者に対する支援等に関する法律」(高齢者虐待防止法,平成17年法律124号) においては,養護者による高齢者虐待と養介護施設従事者などによる高齢者虐待に分類している.該当する行為としては,身体的虐待（暴行），介護・世話の放棄・放任（養護を著しく怠ること），心理的虐待（心理的外傷を与える言動），性的虐待,経済的虐待（高齢者から不当に財産上の利益を得ること）があげられている.高齢者の尊厳を守るためには虐待の防止は重要である.養介護施設,病院,保健所そのほか高齢者の福祉に業務上関係のある団体および養介護施設従事者など,医師,保健師,弁護士そのほか高齢者の福祉に職務上関係のある者は,高齢者虐待を発見しやすい立場にあることを自覚し,高齢者虐待の早期発見に努めなければならないとしている.

関連語 高齢者虐待防止法,虐待

高齢者虐待防止法
こうれいしゃぎゃくたいぼうしほう

act on the prevention of elder abuse,

support for caregivers of older adults and other related matters

　正式名称は「高齢者虐待の防止,高齢者の養護者に対する支援等に関する法律」.議員立法として成立し,2006年4月1日より施行されている.高齢者虐待防止法では高齢者虐待を,「養護者による高齢者虐待」と「養介護施設従事者などによる高齢者虐待」に分けて定義しており,とくに養護者による高齢者虐待について,①身体的虐待,②介護・世話

の放棄・放任，③心理的虐待，④性的虐待，⑤経済的虐待の5つをあげている．

関連語 高齢者虐待，虐待

高齢者歯科医学 こうれいしゃしかいがく
gerodontology, geriatric dentistry
➡ 同義語 老年歯科医学

高齢者歯科医療
こうれいしゃしかいりょう
gerodontics, geriatric dentistry
➡ 同義語 老年歯科医療

高齢者総合機能評価
こうれいしゃそうごうきのうひょうか
comprehensive geriatric assessment（CGA）

　高齢者，とくに虚弱高齢者を身体面，精神・心理面，社会・環境面などから多面的に評価するためのツールで，臓器や病気のみにとらわれずに，患者の意思や生活に配慮しながら患者の苦痛や悩みを解決する目的で，家庭や介護サービス提供者を含めた広い視点に立った包括的かつ全人的な総合的診療を進めていくための総合的評価方法．医学的診断治療に加えて，ADL，精神心理機能，必要な介護などの社会的側面，栄養評価や服薬状況などの生活機能を包括的に評価する．個々の問題点が明確になるので，医療スタッフや介護スタッフがそれぞれの必要性を理解でき，治療やケアに有効に生かすことができる．具体的な評価項目としては，日常生活自立度（ADL）・手段的日常生活自立度（IADL），認知機能・気分・情緒・幸福度，運動機能，排尿機能，コミュニケーション能力，社会的環境の6つがある．

同義語 CGA，老年医学的総合評価

高齢者の保健事業と介護予防の一体的な実施
こうれいしゃのほけんじぎょうとかいごよぼうのいったいてきなじっし
Integrated implementation of health services and care prevention for senior citizens

　75歳以上の高齢者に対する保健事業を市町村が介護保険の地域支援事業などと一体的に実施することができるように，高齢者医療確保法，国民健康保険法，介護保険法を同時改正し，高齢者の通いの場を中心とした介護予防・フレイル対策や生活習慣病などの疾病予防・重症化予防，就労・社会参加支援について，都道府県などと連携しつつ市町村が一体的に実施できるようにした仕組み．2020年度より実施されている．

関連語 通いの場，介護予防，フレイル

誤嚥 ごえん
aspiration

ごえんせい

食物などが声門を越えて気管に侵入すること．嚥下機能が低下することにより誤嚥のリスクは高まる．誤嚥の有無を把握するには，むせ（咳嗽反射）などの発生によって判断できるが，不顕性誤嚥などのケースではビデオ嚥下造影検査なども必要となる．摂食嚥下障害の有無にかかわらず，高齢者や抵抗力の落ちている人では，誤嚥による肺炎発症リスクを有することを念頭におく必要がある．

関連語 誤飲

誤嚥性肺炎 ごえんせいはいえん
aspiration pneumonia

嚥下時における食物や唾液，または嘔吐による胃の内容物，あるいは誤飲された義歯などの異物など，本来気道に入るべきでないものを，吸引（誤嚥）することにより引き起こされる肺炎．食事中にむせたり，咳き込む回数が増えたりして，原因が明らかな場合（顕性）は対応もしやすいが，高齢者においては，周囲にも心あたりのないまま，誤嚥に対する防御機構が機能せずに感染し，感染機会の不明な場合（不顕性）があるので，食事摂取に関連するとみられる発熱，肺炎でほかの原因を特定できない場合には，誤嚥性肺炎を疑う．

また，高齢者においては潜在性の臨床経過をとることもめずらしくなく，咳，痰，発熱などの典型的な肺炎の症状を認めないこともあり，剖検によってその存在を知ることもまれではない．

誤嚥は食事中にもっとも多く発生するので，予防のためには，食事のときの姿勢，覚醒度，食物の認識度，むせや咳の有無，嚥下動作の確認などに注意を払うとともに，食物の形状や一度に口に入れる量にも配慮が必要である．

口腔は，感染源となる微生物を供給する部位の1つとされているので，食物残渣や口腔内細菌の除去のために，ふだんから歯，義歯，口腔粘膜を清潔に保つことの重要性は広く人々に知らしめるべきである．

同義語 嚥下性肺炎

コーネル・メディカル・インデックス
こーねる・めでぃかる・いんでっくす
Cornell Medical Index（CMI）

患者の心身両面にわたる自覚症状を比較的短時間のうちに調査することを目的として，コーネル大学のBrodmanらによって発表された質問紙法のテスト．わが国では，金久が深町とともに日本語訳をつくり，その際，臨床上必要と思われる質問項目（男子16項目，女子18項目）を追加した．これが現在わが国で広

く用いられている日本語版で，身体的自覚症状についての質問（男子160項目，女子162項目），精神的自覚症状についての質問（51項目）からなっている．質問は専門的でもなく難解でもないので，知能程度を問わずきわめて広範囲の人々に施行することができる．日本語版の結果の解釈は，主として自覚症状のプロフィールと神経症判別図による領域分類および精神的特定項目の出現状況とからなされる．

同義語 CMI

GOHAI ごーはい
General Oral Health Assessment Index

1990年に米国のAtchisonらによって作成された口腔に関連した包括的な健康関連QOLの評価する指標．口腔に関連した困りごとによる，身体的・心理社会的な生活側面の制限の程度を測定する3つの領域（機能面，心理社会面，疼痛・不快）から構成される．機能面は摂食嚥下および発音，心理社会面は審美や社交，疼痛・不快には薬の使用や知覚過敏に関する項目を含む12の項目の設問で構成され，回答形式は5段階のリッカートスケールが用いられる．各項目の総合スコア（最低点12，最高点60）で評価し，スコアが高いほどQOLが高い．

5期モデル こきもでる
5 stage model

5期モデルは，摂食嚥下のステージを，先行期，準備期，口腔期，咽頭期，食道期の5期に区分して説明した臨床的なモデル．口腔期の開始までは，随意的な制御を受けるが，咽頭期と食道期は，おもに随意下の調節を受ける．先行期は，食物を口に入れる前に，その食物を目で見て，鼻でにおいをかぎ，食具で口へと運んでいく動作までを含む．準備期とは，捕食した食物を嚥下しやすいように食塊形成し，嚥下が始まるまでのステージである．嚥下が開始されて咽頭へと食塊が送り込まれるまでが口腔期．食塊が咽頭を通過し，食道へと入っていくまでが咽頭期，食道を通過していくのが食道期である．

呼吸機能検査 こきゅうきのうけんさ
respiratory function test, pulmonary function test

呼吸器疾患およびそのほかの疾患の診断や重症度を知るための検査．代表的なものには肺機能検査と動脈血液ガス分析がある．肺機能検査ではおもに肺活量と1秒率を測定する．動脈血液ガス分析ではpH，動脈血二酸化炭素ガス分圧（$Paco_2$）および動脈血酸素分圧（Pao_2）の値を評価するが，呼吸器疾患に限らず心疾患，電解質異常，肥満などさま

ざまな疾患や病態で変動する．

関連語 スパイログラム，機能的残気量

呼吸困難　こきゅうこんなん
dyspnea, respiration disturbance

　呼吸がしづらい，息が詰まる，空気が吸い込めない感じなどの自覚的な症状．軽度の場合には訴えないことも多く，動悸，息切れ，胸部圧迫感，胸部痛，不快感，倦怠感として訴えることがある．肺がん，胸水貯留，肺炎，肺切除後など肺および気管支に原因のあるもの，腹水による横隔膜の圧迫，心不全，心囊水，頸部がんにともなう上気道狭窄など肺，気管支以外に原因のあるもの，不安や精神的ストレス，過換気症候群などの心理的な原因によるものが考えられる．

呼吸サポートチーム
こきゅうさぽーとちーむ
respiratory support team（RST）

　おもに病院に入院している人工呼吸器管理下の患者における呼吸療法が，安全かつ効果的に遂行されるようにサポートするチーム．医師，看護師，理学療法士，臨床工学技士などの多職種で構成される．口腔管理担当として歯科医師，歯科衛生士の参加が望ましいとされている．適切な呼吸管理についてのアドバイス，人工呼吸器からの早期離脱の援助，質の高い呼吸ケアの提供を担い，そのために適宜カンファレンスや回診，勉強会などを行う．

国際生活機能分類
こくさいせいかつきのうぶんるい
international classification of functioning, disability and health（ICF）

　2001年5月，世界保健機関（WHO）総会において採択された人間の生活機能と障害の分類法．以前のWHOの国際障害分類（ICIDH）が障害のみを分類するという考え方が中心であったのに対し，健康と障害の両面から「心身機能・身体構造」「活動」「参加」といった3つの生活機能の状態を評価するとともに，背景因子として環境因子と個人因子も把握する．国際生活機能分類は，国際疾病分類（ICD）とともにWHO国際統計分類の主要分類として位置づけられている．

同義語 ICF
関連語 ICD-10

国民医療費　こくみんいりょうひ
national health expenditure, national medical care expenditure

　単年度内の医療機関などにおける傷病の治療に要する費用を推計したもので，診療報酬額，調剤報酬額，入院時食事療養費，老人訪問看護療

養費，訪問看護療養費のほか，健康保険などで支給される移送費などを含む．ただし，①正常な妊娠や分娩などに要する費用，②健康の維持・増進を目的とした健康診断（人間ドック費用を含む），予防接種などに要する費用，③固定した身体障害のために必要とする義眼や義肢などの費用は含まれない．また，患者が負担する入院時室料差額分，保険診療外分や歯科差額分などの費用は計上されない．

国民健康・栄養調査
こくみんけんこう・えいようちょうさ

national health and nutrition survey

国民の健康の増進の総合的な推進を図るための基礎資料として，国民の身体の状況，栄養摂取量および生活習慣の状況を明らかにするため，健康増進法によって毎年実施される国の一般統計調査．調査票は①身体状況調査票，②栄養摂取状況調査票，③生活習慣調査票〔食生活，身体活動・運動，休養（睡眠），飲酒，喫煙，歯の健康などに関する生活習慣全般を把握〕から構成される．

関連語 栄養素等摂取量

国民健康保険 こくみんけんこうほけん
national health insurance

自営業者や農業従事者などが加入する医療保険．被用者保険に加入していない者や外国人を対象として，その疾病や負傷，出産または死亡について必要な給付を行う制度で，この制度ですべての国民の健康の維持・増進に寄与することを目的としている．国民健康保険には市町村（特別区を含む）に住所がある者を対象に市町村が行うものと，医師・歯科医師など同じ種類の職業の者を組合員として国民健康保険組合が行うものがある．

関連語 医療保険，被用者保険

国民年金 こくみんねんきん
national pension

自営業者，自由業者，無職者およびその家族など，公的被用者年金の適用を受けていない者を対象にした政府管掌の年金制度であり，1969年に創設された．この制度により20歳以上のすべての国民はいずれかの年金制度に加入することとなり，「国民皆年金」体制が実現した．その後，1986年にすべての国民に共通の基礎年金を支給する制度になり，任意加入者であった主婦や学生も強制加入となった．給付の種類は，老齢基礎年金，障害基礎年金，遺族基礎年金，付加年金，寡婦年金，死亡一時金，短期在留外国人に対する脱退一時金である．原則として老齢基礎年金は保険料給付済期間と保険料免除期間の合計期間が25年以上

の有資格者が65歳に達したときから終身支給されることになっている．

関連語 年金

黒毛舌　こくもうぜつ
black hairy tongue

舌の糸状乳頭が角化，肥厚し，著しく伸張して，舌背中央部が黒褐色の毛状を呈する状態．原因としてもっとも多いのは抗菌薬や副腎皮質ステロイド薬の使用による急激な口腔乾燥と発熱で生じることが多く，結果として口腔内細菌叢の変化（菌交代現象）がみられる場合が多い．黒色産生菌や真菌，生じた硫化鉄の作用で黒色を呈する．舌背部が黒色の毛状となるほかはとくに自覚症状はないことが多いが，口腔乾燥を生じることがある．治療法は，発熱と口腔乾燥に有効な漢方製剤の使用のほか，原因と考えられる服用薬剤の変更も有効な場合がある．局所的には口腔保湿剤の使用や口腔清掃などがあげられる．

関連語 毛舌

5疾病・5事業　ごしっぺい・ごじぎょう
five diseases and five healthcare services

医療法第30条の4の規定に基づき，疾病構造の変化を踏まえた医療の確保を図るために，5疾病・5事業および在宅医療について医療計画に記載される．5疾病とは「がん」「脳卒中」「急性心筋梗塞」「糖尿病」「精神疾患」であり，広域かつ継続的な提供が必要なものである．5事業とは「救急医療」「災害医療」「へき地医療」「周産期医療」「小児医療」であり，地域医療の確保がとくに求められているものである．

関連語 医療計画，医療法

骨塩　こつえん
bone mineral, bone-salt

骨中に含まれる無機塩類の総称．骨基質はまず骨芽細胞により細胞外に形成分泌されたコラーゲン分子が規則正しく配列し，コラーゲン線維を形成する．これを有機骨基質という．この有機骨基質に無機塩である骨塩が沈着し（石灰化），骨が完成する．骨塩は主としてリン酸カルシウムで，ハイドロキシアパタイトの結晶である．骨の石灰化が正常であれば，骨塩量は骨基質全体の70%を占める．

同義語 骨無機質，骨ミネラル

骨吸収抑制薬関連顎骨壊死　こつきゅうしゅうよくせいやくかんれんがっこつえし
anti-resorptive agents-related osteonecrosis of the Jaw (ARONJ)

日本の関連6学会が作成したポジションペーパー2016において，ビ

スホスホネート製剤（BP）とデノスマブ関連顎骨壊死を包括した骨吸収抑制薬関連顎骨壊死（ARONJ）の名称が用いられた．診断基準は薬剤関連顎骨壊死（MRONJ）とほぼ同様である．①BPあるいはデノスマブによる治療歴がある，②顎骨への放射線照射歴がない，また骨病変ががん転移ではない，③医療従事者が指摘してから8週間以上持続して，口腔・顎・顔面領域に骨露出を認める，あるいは口腔外の瘻孔から触知できる骨を8週間以上認める．また治療と管理は，①骨壊死領域の進展を抑える（骨壊死部分の除去手術を含む），②疼痛，排膿，知覚障害などの症状の緩和と感染制御で患者のQOLを維持する，③歯科医師，歯科衛生士による患者教育および定期的経過観察を行い，口腔管理を徹底する．

同義語 ARONJ
関連語 ビスホスホネート系薬剤関連顎骨壊死（BRONJ），薬剤関連顎骨壊死（MRONJ）

骨粗鬆症 こつそしょうしょう
osteoporosis

骨の形態的変化はないが，骨基質と骨塩の比が一定のまま骨量が減少したもの．一般的には老年性もしくは閉経後にみられる原発性骨粗鬆症をさすが，ステロイド薬の過剰投与やクッシング症候群でもみられる．老年性骨粗鬆症は原発性骨粗鬆症のうち，65歳以上にみられる場合をいう．臨床的特徴は，易骨折性で脊椎椎体，大腿骨骨頭部，長管骨骨幹端などに発生する．その結果，身長の短縮，亀背，腰背痛を生じる．骨吸収が骨形成を上回るためと考えられ，65歳以上の女性の約50％は骨粗鬆症と診断される．対症療法として鎮痛薬の投与のほか，悪化を防ぐために運動による骨形成の促進，日光に当たることによるビタミンDの活性化，薬物療法としてビスホスホネート製剤，抗RANKL抗体，エストロゲンや活性型ビタミンDとカルシトニンの併用療法などが行われる．

同義語 骨多孔症

骨多孔症 こつたこうしょう
osteoporosis

➡ **同義語** 骨粗鬆症

骨密度 こつみつど
bone mineral density (BMD), bone density

単位体積あたりの骨塩量（g/cm^3）のこと．骨塩量の測定は骨生検により正確に行うことができるが，骨塩量は骨基質全体の70％を占めるため，骨塩量測定を行えば骨全体の量が推定できる．骨密度を測定するこ

とを骨塩定量検査といい，骨粗鬆症の診断に用いる．若年成人の平均値（YAM）を基準とした割合（％）で表すこともある．女性は閉経以後エストロゲンなど骨を維持する女性ホルモンが低下するため，男性より急速に骨密度が低下する．

関連語 骨粗鬆症

骨ミネラル こつみねらる
bone mineral
➡ **同義語** 骨塩

骨無機質 こつむきしつ
bone mineral
➡ **同義語** 骨塩

誤認防止 ごにんぼうし
preventing false recognition

誤認とは，間違って認識してしまうことで，これを防ぐ手段．医療の現場で誤認とは，患者の名前，手術の部位，手術の手技などを取り違えることをいう．誤認の発生はまれだが，発生すると重大事故につながる場合がある．誤認防止のために，患者本人による氏名の申し出，ネームバンドによる患者確認，手術前のマーキングによる手術部位の確認，タイムアウトによる患者氏名，手術部位，手術手技などの確認が一般的に行われる．

COVID-19 こびっどないんてぃーん
coronavirus disease 2019

RNAをゲノムとするコロナウイルスのSARS-CoV-2による感染症である．変異株には，β，γ，δ，オミクロン株が報告されている．2019年12月に中国で初めて報告され，短期間で世界に拡大した．これを受け，世界保健機関（WHO）は2020年3月11日にパンデミックを宣言した．多くは感染から5日程度で発症する．おもな感染経路は咳嗽や会話によるウイルスを含む飛沫，エアロゾルの吸入と考えられている．症状は発熱，咳嗽などインフルエンザに似るが，嗅覚あるいは味覚異常などが現れることがある．患者の約40％は発症後1週間程度で治癒に向かうが，約60％は下気道まで感染が広がり，一部は重篤化し，死に至る．とくに重篤な低酸素血症ではECMO（体外式膜型人工肺）が導入される．ワクチンは各国で接種が進んでいる．また，SARS-CoV-2に対する消毒として，熱，乾燥，エタノール，次亜塩素酸ナトリウムが期待されている（2022年12月の情報に基づく）．

同義語 新型コロナウイルス感染症

コレステロール値 これすてろーるち
cholesterol level

血液中に含まれるすべてのHDL

（善玉）コレステロールやLDL（悪玉）コレステロールを含めたコレステロールの総量のこと．日本の成人の総コレステロールの基準値は，正常値が130～200 mg/dL，境界値が201～219 mg/dLである．220 mg/dL以上の場合は高コレステロール血症と診断され，治療や投薬が必要となる．HDLコレステロールは，正常値が男性40～60 mg/dL，女性45～65 mg/dLであり，男性で40 mg/dL，女性で45 mg/dL未満の場合は，低HDLコレステロール血症と診断される．LDLコレステロール値は，正常値が70～120 mg/dL，境界線が121～139 mg/dLであり，140 mg/dL以上の場合は，高LDLコレステロール血症と診断される．中性脂肪は50～149 mg/dLが正常値で，150 mg/dLを越えると，高トリグリセリド血症と診断される．

根管治療　こんかんちりょう
root canal treatment

　根管拡大，根管形成，根管清掃，根管消毒ならびに根管充填の一連の処置の総称．根管拡大は，根管壁に残存する有機質や感染象牙質などの除去を目的に，根管切削器具を用いて機械的に根管象牙質を切削することで，機械的根管清掃ともいう．根管形成は，緊密な根管充填，円滑な化学的根管清掃，あるいは彎曲根管の穿通を目的に根管を整形することであり，規格形成法，クラウンダウン法，ステップバック法などの種々の方法がある．根管清掃法は，根管拡大による機械的清掃法と次亜塩素酸ナトリウム溶液や歯科用EDTA溶液などによる化学清掃法がある．根管消毒は，根管の無菌化を目的に，消毒薬や抗菌薬などを根管に貼付する．根管充填は，口腔と根尖歯周組織の交通を遮断するために，ガッタパーチャポイントや根管セメントなどを用いて根管を緊密に封鎖する．

関連語 ▶ 感染根管治療

根尖病変　こんせんびょうへん
periapical lesion, apical lesion

　根尖歯周組織に細菌的，化学的，物理的刺激が加わって発生した炎症性疾患，歯根肉芽腫，硬化性骨炎，歯根嚢胞など根尖性歯周組織疾患の総称．発生機序の多くは，根管内の微生物やその産生物，あるいは歯髄の変性・壊死組織が抗原となり，根尖歯周組織を刺激することで生体防御反応としての免疫応答が生じる．その結果，根尖歯周組織の結合組織や骨組織が破壊され，化膿性の炎症反応においては慢性化にともない排膿路としての瘻孔が形成されることもある．根尖周囲にはエックス線透過像が発現することが多いが，限局性の不透過像が発現することもあ

る．また，病変部に露出した歯根表面や病変内に細菌を検出することもある．

関連語 感染根管治療

コンプライアンス　こんぷらいあんす
compliance

医療現場におけるコンプライアンスは，医療専門職の指示に患者が受動的に従う行動として定義されることが多い．とくに，服薬については服用法を遵守するかは治療効果に大きな影響を与えるため，コンプライアンスを服薬遵守を表す用語として使用してきた経緯がある．しかし，コンプライアンスは医療従事者から患者への一方的な指導関係を基盤とするため，患者中心の医療を推進していくためには適切ではないとの指摘があった．このような背景から，現在では，患者自身が能動的に治療のための行動を遵守することを示すアドヒアランスがコンプライアンスに代わって使用されることが多くなった．

関連語 薬剤コンプライアンス

コンポジットレジン
こんぽじっとれじん
composite resin

操作性と審美性に優れた成形修復材料．基本組成はレジンマトリックス（有機質）とフィラー（無機質），そしてそれらを化学的に結合させるシランカップリング剤でフィラー表面処理された複合樹脂であり，その強度や耐摩耗性は多種多様な形状のフィラーの影響を受けている．現在，フローのあるフロアブルタイプと従来からのペーストタイプのコンポジットレジンがあり，充填用をはじめ，支台築造用，レジンジャケットクラウンそしてCAD/CAM冠用レジンブロックと幅広く臨床で使用されている．

根面う蝕　こんめんうしょく
root surface caries, root caries

→ 歯根面う蝕

さ

サービス付き高齢者向け住宅
さーびすつきこうれいしゃむけじゅうたく
housing for the elderly with home-care services

国は，高齢者が安心して生涯にわたって住み続けることができるよう，高齢者に配慮した民間賃貸住宅の供給を促進する観点から，「高齢者の居住の安定確保に関する法律」（高齢者住まい法，2001年）を策定して，各種住宅供給の施策を進めてきた．その後，医療や介護との連携，行政指導の不十分，絶対数の不足，制度の複雑さなどから，同法を改正

し一本化されたサービス付き高齢者向け住宅制度が発足した（2011年）．本住宅は，都道府県知事の登録制度であり，住宅，サービス，契約それぞれの内容について登録基準が設けられている．登録業者には，登録事項の開示，入居者への事前説明が義務づけられている．登録した場合は，有料老人ホームの要件に該当しても有料老人ホームの届け出が不要，あるいは介護保険の住所地特例の対象など，老人福祉法や介護保険法との調整規定をもった制度である．

関連語 地域包括ケアシステム

最終義歯 さいしゅうぎし
definitive denture

補綴治療計画に基づく歯科治療のなかで，必要に応じて治療用義歯，移行義歯，暫間義歯などを経て，効果を確認してから，欠損部を補綴するために最終的に装着される義歯のこと．咀嚼，発音，審美を回復させるための義歯である．

再石灰化 さいせっかいか
remineralization, recalcification

歯や骨などの硬組織の脱灰された部分に，カルシウムイオンやリン酸イオンが再沈着して，その部位がふたたび石灰化する現象．唾液中には過飽和なカルシウムイオンやリン酸イオンが存在し，再石灰化を促させる．初期う蝕の場合もこの機序で石灰化物の再沈着が生じてう蝕の進行は停止し，歯質の硬度は増加する．さらに，フッ素イオンの存在によりこの現象は促進される．

在宅医療 ざいたくいりょう
domiciliary health care, home treatment, home health care

入院医療，外来医療に次ぐ「第三の医療」として住み慣れた地域で生活できるように提供される地域医療システム．高齢社会に対応すべく1990年代からシステム化が進められてきた．

関連語 往診

在宅介護 ざいたくかいご
home help service, long-term care service at home or home care

住み慣れた自宅で生活を続けるための支援．介護保険においては居宅サービスとして提供される．

関連語 訪問介護

在宅介護支援センター
ざいたくかいごしえんせんたー
home care support center, home help support center

老人福祉法において老人介護支援センターとして規定されている．高齢者の福祉に関する情報の提供ならびに相談および指導などの実施機関

のこと．地域住民にもっとも身近な場所で，地域のすべての高齢者に対し，保健，医療，福祉の総合相談窓口としての役割を担い，関係機関やサービスの提供者との連絡調整を行う．本センターで行う事業は，実質的に地域包括支援センターに引き継がれている地区が多い．

関連語 ▶ 地域包括支援センター

在宅ケア ざいたくけあ
home care

自宅における療養を支援すること．介護のみならず医療，看護も含む広い意味合いをもつ．保健，医療，福祉，介護，教育，行政など多くの職種が協働することになるため，多職種連携の実践の場と考えられている．

関連語 ▶ 訪問介護

在宅酸素療法 ざいたくさんそりょうほう
home oxygen therapy (HOT)

COPD（慢性閉塞性肺疾患）などに代表される高度慢性呼吸不全や，肺高血圧症，慢性心不全，チアノーゼ型先天性心疾患および重度の群発頭痛などの疾患で，症状の軽減のために常時酸素吸入が必要な患者に対し，酸素濃縮器や携帯型酸素ボンベなどを使用し，自宅でも酸素吸入を可能にした治療法．健康保険が適応され，実施には医師の処方が必要となる．

関連語 ▶ COPD

在宅療養支援歯科診療所 ざいたくりょうようしえんしかしんりょうじょ
dental clinic for home care support

在宅療養および施設療養を支援するために設置される歯科診療所．在宅歯科医療の拠点となる．届出制であり，訪問実績，研修受講，歯科衛生士の配置などの施設基準がある．2008年の診療報酬制度の改定で新設された．

在宅療養支援診療所 ざいたくりょうようしえんしんりょうじょ
support clinic of home health care

在宅医療の基点となる医科診療所．在宅医療推進の目的で2006年に新設された．24時間対応が可能な体制が義務づけられている．届け出件数は約14,000件（2018年）で，近年横ばい傾向である．

サイトカイン さいとかいん
cytokine

細胞間の情報を伝達する機能をもつタンパク質の総称．生体内では免疫や生体防御，炎症やアレルギー，形態の発生・分化，造血機構，内分泌系，神経系に関与しているといわれる．クラスⅠは多くのインターロイキンやコロニー刺激因子であり，

クラスⅡにはインターフェロンファミリーがある．TNFファミリーとして知られる細胞傷害因子群は，そのレセプター群にシステイン残基の特徴的な配列がある．TGF-βファミリーも骨や組織などの形態形成に重要な働きを示す．

作業療法　さぎょうりょうほう
occupational therapy

疾患などによる身体または精神の障害に対して，応用的動作能力または社会的適応能力の回復を図り，生活の獲得を目標として，手芸，工作，そのほかの作業活動を用いて機能の回復，維持，開発を促す治療法．実際の作業療法では，手工芸や芸術，遊びやスポーツ，現実的な日常生活の動作や作業などを通じて，社会復帰に向け，より複雑な動作が可能になるように，複合的に機能を回復させるリハビリテーションが行われる．

関連語 理学療法，言語聴覚療法，作業療法士

作業療法士　さぎょうりょうほうし
occupational therapist（OT）

「理学療法士及び作業療法士法」（1965年）により，厚生労働大臣の免許を受け，作業療法士の名称を用いて，医師の指示のもとに作業療法を行う専門職である．作業療法では，身体または精神に障害のある者に対して，おもにその応用的動作能力や社会的適応能力の回復を図るため，日常生活の種々の動作や人間の生活にかかわる作業により治療が行われる．

同義語 OT
関連語 作業療法，理学療法士

サクセスフルエイジング　さくせすふるえいじんぐ
successful aging

老年期を迎えたとき，自己の生き方を肯定的に受け入れ，現状によく適応していることをいう．測定尺度として用いる場合は，主観的幸福感を，生活満足尺度，モラールスケールなどを用いて，過去の人生全体について満足していること，最近の出来事や自分の老いを受け入れていること，現在の状態に不安がなく情緒が安定していることなどについて総合的に評価する．

嗄声　させい
hoarseness

喉頭の異常により声の音源産生に病的変化をきたし，音質の変化を生じた声（しわがれた声）のこと．内分泌異常，炎症，腫瘍，外傷，神経麻痺，重症筋無力症，心因性，仮面うつ病などが原因となる．代表的な神経麻痺は全身麻酔後の反回神経麻

痺で，手術操作による損傷，気管挿管や長時間の頸部過伸展・屈曲などが原因とされる．原因に応じて，原疾患の治療，外科的治療，発声指導または沈黙療法，ネブライザーを併用した薬物治療を行う．

刷掃指導　さっそうしどう
tooth brushing instruction（TBI）

　患者などに歯ブラシによる口腔の清掃方法を指導すること．刷掃は歯ブラシを用いて歯面や歯肉に付着している付着物・沈着物を除去するとともに，歯肉に適度の刺激を与えて血行を促進し，歯と歯周組織の健康を維持し，疾患を予防・改善する目的で行う．刷掃法には歯ブラシの毛先を用いるバス法やスクラビング法，脇腹を用いるローリング法やスティルマン法などがある．万人向けの刷掃法はなく，刷掃指導にあたっては，個人の歯や歯列の状態，修復物の状況，口腔疾患の程度，年齢，磨きぐせ，手の巧緻性，生活習慣などを十分理解しておかなくてはならない．また刷掃法に適した，清掃効果が高く，歯や歯肉に損傷を与えない歯ブラシの選択も必要である．歯ブラシの使い方と同時に歯磨剤やフッ化物ジェルの選択，口腔清掃用具についても同時に指導することが多い．また，高齢者の口腔内には種々の補綴装置が装着されて清掃しにくい状態になっていることが多く，義歯や舌も含めての指導が必要である．

同義語 歯磨き指導，TBI，ブラッシング指導

関連語 プラークコントロール

サプリメント　さぷりめんと
nutritional supplementary food
➡ **同義語** 栄養補助食品

サポーティブペリオドンタルセラピー
さぽーてぃぶぺりおどんたるせらぴー
supportive periodontal therapy（SPT）

　動的歯周病治療（歯周基本治療，歯周外科治療，口腔機能回復治療）の結果，病状安定となった歯周組織を維持するための治療．これには口腔衛生指導，PMTC，歯周ポケット内洗浄，スケーリング・ルートプレーニング，咬合調整などの治療が含まれる．

サルコペニア　さるこぺにあ
sarcopenia

　1989年に提唱された加齢にともなう筋肉量の減少をさす概念．2010年のEuropean Working Group on Sarcopenia in older peopleにて「進行性，全身性に認める筋肉量減少と筋力低下であり，身体機能障害，

QOL低下，死のリスクをともなう」と定義された．加齢以外の要因の筋力低下や筋肉量低下をミオペニア，加齢による筋力低下をダイナペニア，なんらかの基礎疾患による筋肉の損失を特徴とする複合的な代謝異常症候群を悪液質（カヘキシア）とよぶ．

同義語 筋減少症
関連語 悪液質，サルコペニア肥満，ダイナペニア，ミオペニア

サルコペニア肥満 さるこぺにあひまん
sarcopenia obesity

筋肉量減少を主とするサルコペニアに加えて，脂肪の消費が減少するために脂肪が増加した状態をさす．高齢者に多く，体重の減少が目立たないために顕在化しづらいが，生活習慣病のリスク，運動機能の低下から寝たきりになるリスクを高めるとされる．

関連語 サルコペニア

暫間義歯 ざんかんぎし
interim denture

最終的な補綴装置の製作に先立って，審美性，咀嚼，発音，咬合支持などの保持・回復のために，または診断や診療の補助手段として，あるいは義歯の受け入れ態勢を整えるための訓練を目的として，一時的に使用される義歯のこと．

残根歯 ざんこんし
stump of tooth

う蝕などにより，歯冠部が著しく崩壊した状態で，歯根のみが残存している状態の歯．う蝕進行状態ではう蝕症4度（C_4）にあたる．一般に口腔の機能に関与せず，清掃不良になりやすく，歯周組織の炎症の原因となるため抜歯適応とされる．しかし骨植がよく，う蝕が歯肉縁下に及んでない場合，根面板や根面アタッチメントを適用した後，その上にオーバーデンチャーを装着することもある．

三叉神経痛 さんさしんけいつう
trigeminal neuralgia

三叉神経の支配領域に認められる発作性の疼痛．痛みは基本的には片側性で，電撃痛，再発性である．国際疼痛分類第2版（2004年）では典型的三叉神経痛と症候性三叉神経痛に区分される．典型的三叉神経痛では①日常的な些細な行動で誘発される，②特定の限局した誘発部位が存在する，③痛みの持続時間は数秒〜数分である，④発作は間欠的であるなどが特徴としてあげられる．カルバマゼピンを中心とした抗てんかん薬が有効である．薬物療法以外の治療法として，神経ブロック療法，ガンマナイフ治療，微小血管減圧術があげられる．症候性三叉神経痛は

炎症や腫瘍などの器質的な病変が原因となっている．

三次医療　さんじいりょう
tertiary medical care

二次医療で対応できない特殊な診断，治療を必要とする高度・専門的な医療のこと．特殊な医療機器の整備，専門的なスタッフが配置され，大規模なチーム医療による対応が可能な特定機能病院や大規模病院が役割を担う．

関連語 医療圏，一次医療，二次医療

残食　ざんしょく
remnants of meal

食べ残しのこと．高齢者の場合，残食が多いと低栄養の危険性が増加する．喫食調査の際に，食事全体の量から残食量を差し引いて喫食量の測定を行うときに利用する．測定方法としては，目分量で全体の1/4～1/2を残していると測定する方法と，実際に秤量して提供前の重量から喫食後の重量を差し引いて算出する方法などがある．

酸蝕症（歯の）　さんしょくしょう（はの）
dental erosion, tooth erosion

酸によるエナメル質の表在性の脱灰が進行し，有機質も破壊されて実質欠損をきたした状態．トゥースウェアの1つに分類される．硫酸や硝酸の蒸気は強い酸蝕症を起こし，火薬工場，メッキ工場，人造肥料工場などの職業病である．下顎中切歯，側切歯の唇側面の切縁から1/3に多い．一般にその部分のエナメル質は不透明となり，混濁からときに着色し，歯質の欠損へと進む．またレモンやオレンジなど有機酸含有量の多い果実の大量摂取やワインの常飲でも起こる．食品によるものは歯頸側や口蓋側に発症しやすい．さらに，摂食障害により慢性的に嘔吐を繰り返すことにより，胃酸の作用で前歯の舌側面から臼歯の咬合面まで広汎な酸蝕症をきたすことがある．

同義語 侵蝕症（歯の）
関連語 トゥースウェア

三次予防　さんじよぼう
tertiary prevention

病気などで失った機能を回復させて社会への再適応を図る機能回復訓練-リハビリテーションに相当する事柄．とくに高齢者にとっては，身体的機能の回復と社会適応はQOLの維持・向上，健康余命の延伸のためにも必須である．地域においても，個人レベルでも，予防・治療・リハビリテーションの3者を関連づけた施策，方策をとることは重要である．

同義語 第三次予防
関連語 一次予防，二次予防

し

GI じーあい
gingival index
➡ 同義語 歯肉炎指数

CES-D しーいーえすでぃー
center for epidemiologic studies depression scale
➡ 同義語 うつ病自己評価尺度

CMI しーえむあい
Cornell Medical Index
➡ 同義語 コーネル・メディカル・インデックス

COPD しーおーぴーでぃー
chronic obstructive pulmonary disease

　タバコの煙などの有害物質を長期間吸入し，それに曝露されることで生じる肺疾患．慢性気管支炎，肺気腫とよばれていた肺疾患の総称である．症状は労作時の呼吸困難，慢性的な咳嗽，喀痰である．呼吸機能検査では気流閉塞を示す．重症になると，肺高血圧，呼吸器感染症，体重減少，肺性心，冠動脈疾患などをきたす．治療は禁煙が基本で，吸入気管支拡張薬，コルチコステロイドなどが用いられる．重症の呼吸不全あるいは高炭酸ガス血症をともなう場合は，在宅酸素療法や在宅非侵襲的陽圧換気療法を導入する．高齢者に多い疾患である．
同義語 慢性閉塞性肺疾患
関連語 肺気腫

CKD しーけーでぃー
chronic kidney disease
➡ 同義語 慢性腎臓病

CGA しーじーえー
comprehensive geriatric assessment
➡ 同義語 高齢者総合機能評価

CDR しーでぃーあーる
clinical dementia rating

　1982年にHugesらが開発した認知症の重症度を評価するスケール．国際的に広く用いられており，日本語版は2000年に音山らが作成した．検査上での認知機能のスコア化に基づく評価ではなく，趣味や社会活動，家事などの日常生活の状態から評価する．日常生活の観察や対象者の生活を十分に把握している家族などからの詳細な情報をもとに，①記憶，②見当識，③判断力と問題解決能力，④地域社会の活動，⑤家庭状況および趣味・関心，⑥介護状況の6項目について，それぞれ，なし（0点），疑わしい（0.5点），軽度（1点），中等度（2点），重度（3点），の5段階で評価する．判定は，健康（CDR

0），認知症の疑い（CDR 0.5），軽度認知症（CDR 1），中等度認知症（CDR 2），高度認知症（CDR 3）のいずれかを6項目の評価結果から総合して決定する．

GDS　じーでぃーえす
geriatric depression scale

　YesavageとBrinkによって1982年に開発された高齢者を対象としたうつ尺度．初診医やプライマリケア医において使いやすく，高齢者に答えやすいことが特徴である．30項目の質問から構成されている質問紙であり，その質問に「はい」または「いいえ」で回答する．各項目でうつ症状を示す回答に1点を与え，全項目の合計点で判定を行う．SheikhとYesavageは，30項目のなかからうつ症状と相関の高かった15項目を選び短縮版（GDS-15）を作成している．GDS-15はスクリーニング検査に広く使われている．

関連語 ▶ 抑うつ尺度

CPI　しーぴーあい
community periodontal index

　集団の歯周病蔓延度を把握するための疫学的指数．1982年に世界保健機関（WHO）と国際歯科連盟（FDI）によりCPITN（community periodontal index of treatment needs）として提案されたものが原型．その後改良のための検討が重ねられ，治療の必要性の部分が除かれ，名称もCPIとなった．最新の2013年版における診査内容は，プロービング後の出血と歯周ポケットの深さの2項目である（当初の診査項目には歯石付着が含まれていた）．診査には，先端に0.5 mmの球がつき，軸に黒色の帯状の目盛り（3.5～5.5 mm）を施した特別なプローブ（WHOプローブ）を用いる．

死因　しいん
cause of death

　一般的には身体的な死亡の原因のことであるが，保健医療統計上は，死亡の直接の原因となる疾患名のこと．より直接的には，死亡診断書（死体検案書）の死亡の原因欄に記載する傷病名のことである．この書類は，国や自治体の政策決定の基礎となる人口動態統計をはじめとする保健統計のもっとも基本となる資料にあたるので，「単に疾患の終末期の状態である心不全，呼吸不全等は記載しないように」との特別な記載上の注意がなされている．記載傷病名には，世界保健機関（WHO）の国際疾病分類第10回修正（ICD-10）に準拠して作成された「死因分類表」を使用する．わが国の全年齢の死因（2020年）は，第1位が悪性新生物，第2位が心疾患であるが，第3～5位ま

では，老衰，脳血管疾患，肺炎が年により相前後している．肺炎では，亡くなった人の90％以上は高齢者であること，男性の高齢者のほうが肺炎が死因である割合が増えることなどが知られている．

シェアード・ディシジョン・メイキング
しぇあーど・でぃしじょん・めいきんぐ
shared decision making（SDM）

疾病治療において，治療法の選択を行う際に，治療者と治療を受ける患者とが参加した話し合いを行うなかで両当事者が情報を共有し，選択肢の存在や詳細を把握し，意思決定基準の共有しながら治療法の決定に合意を得るための手法．シェアード・ディシジョン・メイキングは悪性腫瘍の治療や難病の治療法など，高度な治療法選択に用いられるほか，人生の最終段階における医療選択（アドバンスケアプランニング）の実施などにも応用される．

同義語 SDM
関連語 インフォームドコンセント，アドバンスケアプランニング

シェーグレン症候群
しぇーぐれんしょうこうぐん
Sjögren syndrome

涙腺と唾液腺の慢性炎症性疾患であり，慢性の炎症性病変が全身の外分泌腺に波及して機能障害を呈するようになる原因不明の自己免疫疾患．関節リウマチなどの膠原病の合併がない原発性と，関節リウマチなどの膠原病に合併する続発性のものに分類される．一般的に，40～60歳の女性に多いのが特徴であるが，若年者，高齢者にも少なくない．

一般的な症状としては，目の乾きや充血，口渇，う蝕の多発，関節の痛み，易疲労性，皮膚の異常などがあげられる．

シェーグレン症候群の乾燥症状に対する治療法は，対症療法である．眼乾燥に対しては人工涙液やステロイド薬の点眼，洗眼，あるいはドライアイ保護用眼鏡が使用され，口腔乾燥症状に対しては人工唾液などの噴霧，含嗽剤，洗口剤，トローチやチューインガムが使用される．

関連語 唾液分泌障害

歯科衛生士
しかえいせいし
dental hygienist

わが国では1948年に定められた歯科衛生士法による資格で，現在は厚生労働大臣免許の国家資格である．歯科医師の指導のもとに術者として行う歯科予防処置，保健師助産師看護師法の例外規定として行う歯科診療補助，歯科衛生士の名称を用いて行う歯科保健指導をその業務とする．教育課程は2009年度から3

年以上となった．有資格者は約30万名（2022年12月現在），就業者数は142,760名（2020年12月現在）で，その90％が歯科診療所に勤務している．診療室における診療補助業務だけでなく，小児のう蝕予防処置や食育指導，歯石除去などの専門的口腔健康管理や歯周病患者の管理，障害のある者に対する摂食嚥下指導など，在宅も含め成人や高齢者への処置や指導においても，歯科医師のパートナーとして欠かせない存在である．

関連語 歯科技工士

歯科往診車 しかおうしんしゃ
mobile dental clinic, mobile dental van

➡ 同義語 歯科診療車

歯科技工士 しかぎこうし
dental technician

わが国では1955年に定められた歯科技工士法による資格で，現在は厚生労働大臣免許の国家資格である．歯科技工士は歯科医療における補綴装置，充填物または矯正装置の製作や加工，修理を行う．

関連語 歯科衛生士

視覚障害 しかくしょうがい
visual impairment, visual disability

視機能が日常生活を送ることや就労に著しく不自由をもたらす場合をいう．残存視覚がある場合は弱視（low vision），視覚をもたない場合は盲または全盲（blindness）という．視覚障害の原因でもっとも多いのは緑内障，次いで糖尿病である．41歳からの中途障害者が半数以上を占めることから，高齢になってからのQOLが問題になる．視覚障害者には眼科医による認定後，市町村福祉事務所で身体障害者手帳が交付されるが，視力障害と視野障害に区分して1～6級に認定される．

歯科健診 しかけんしん
dental health examination

歯科保健・医療にかかわる地域や集団の健康診査または健康診断．

関連語 健康診断，健康診査

歯科検診 しかけんしん
dental examination

歯周病などの特定の歯科疾患の早期発見と予防を目的とした検診．歯周疾患検診は健康増進法で規定されており，40・50・60・70歳の地域住民を対象とする．

関連語 検診

歯科口腔保健の推進に関する基本的事項
しかこうくうほけんのすいしんにかんするきほんてきじこう
basic matters for oral health

promotion

「歯科口腔保健の推進に関する法律」第12条に基づいて，歯科口腔保健施策の総合的な実施のための方針・目標・計画などを定めたもの（2012年7月23日）．「健康日本21（第二次）」と調和を保つように策定されている．その基本的方針は「口腔の健康の保持・増進に関する健康格差の縮小」「歯科疾患の予防」「QOLの向上に向けた口腔機能の維持・向上」「定期的に歯科検診または歯科医療を受けることが困難な者に対する歯科口腔保健」「歯科口腔保健を推進するために必要な社会環境の整備」の5つである．本事項のなかで社会環境の整備として口腔保健支援センター設置が明示された．

関連語 歯科口腔保健法

歯科口腔保健の推進に関する法律
しかこうくうほけんのすいしんにかんするほうりつ
act concerning the promotion of dental and oral health

➡ **同義語** 歯科口腔保健法

歯科口腔保健法　しかこうくうほけんほう
act concerning the promotion of dental and oral health

2011年8月10日に公布・施行された歯科医療と口腔保健に関する理念と方向性を規定した法律．正式名称は「歯科口腔保健の推進に関する法律」．国民の保健の向上のため，歯科疾患の予防などによる口腔の健康の保持に関する施策を総合的に進めていくことを目的とする．施策の基本的な考え方として，一次予防だけでなく二次予防にも重点をおく．具体的な目標や計画については，基本的事項を別途策定して定める．また，地方公共団体が歯科保健施策の実施を支援するために，口腔保健支援センターを設置できることなどが規定されている．

同義語 歯科口腔保健の推進に関する法律

関連語 歯科口腔保健の推進に関する基本的事項，口腔保健支援センター

歯科心身症　しかしんしんしょう
dental psychosomatic disease

心身症とは，「身体疾患のなかで，その発症や経過に心理社会的因子が密接に関与し，器質的ないし機能的障害が認められる病態をいう．ただしほかの精神障害にともなう身体症状は除外する」と定義されている（日本心身医学会，1991年）．そのうち，歯科領域への障害が認められている病態を歯科心身症という．歯科治療恐怖症や顎顔面領域の慢性疼痛，舌痛症，口臭恐怖症などがあり，歯科治療のみでは治癒は困難であり，病態に応じて心理療法と薬物療法を組

み合わせて行う必要がある．

歯科診療車　しかしんりょうしゃ
mobile dental clinic, mobile dental van

おもに通院が困難な患者を診療するために，患者宅もしくは施設などへ直接出向き，診療を行う場合に使用する目的で製作された車両で，車両内に歯科診療するための施設（診療台やエックス線検査装置など）が装備されているものをいう．無歯科医地区や災害にて歯科診療が困難になった場合の診療支援にも利用される．歯科診療車は車両登録上は医療防疫車に区分され，その要件が医療法〔1948（昭和23）年法律第205号〕によって規定されている．国，地方自治体，日本赤十字社，医療法に基づく病院または診療所などのみ使用することが許されており，装備に関する規定も構造要件として詳細に決められている．

同義語 歯科往診車，移動歯科診療車

歯科訪問診療　しかほうもんしんりょう
homebound dentistry, home-visit dental treatment, dental home-visit treatment

歯科における訪問診療．歯科訪問診療の対象者は全身疾患を有する高齢者が多いために，診療に際しては患者の安全に対する配慮が不可欠となる．

同義語 訪問歯科診療

歯科保健センター　しかほけんせんたー
dental health center

自治体が独自に設置して住民の健康診査や保健指導，在宅の高齢者の歯科診療などを行う施設．国保直営診療所に併設の国保歯科保健センターなど，歯科保健センターは全国数十か所に設置されている．

関連語 口腔保健センター

歯科補綴学　しかほてつがく
prosthetic dentistry, prosthodontics

臨床歯科医学の一分野で，歯，口腔，顎，その関連組織の先天性欠如，後天的欠損，喪失や異常を補綴装置を用いて修復し，障害された機能を回復するとともに，継発疾病の予防を図るために必要な理論と技術を考究する学問である．

歯間空隙　しかんくうげき
interdental space

歯列を形成している歯が隣在歯間で互いに接触していない状態にある離開した空隙．とくに永久歯列で正中にみられる歯間空隙は正中離開という．正常な永久歯列弓には歯間空隙はないが，乳歯列では成長する顎骨と乳歯の大きさなどとの関係から

生じる生理的空隙として霊長空隙と発育空隙がある．歯間空隙の原因として，顎骨と歯の大きさの不調和，歯数不足，奇形歯（矮小歯），各小帯の肥厚や付着位置異常，巨舌症，咬合異常，口腔悪習慣などがあげられる．

歯冠修復　しかんしゅうふく
crown restoration

歯冠部がう蝕，咬耗，摩耗，酸蝕症，外傷，エナメル質形成不全，変色，奇形などのために，形態的，機能的，審美的に欠陥を生じたとき，歯冠の一部または全部を人工的に修復して，機能および審美性を回復すること．歯冠の一部を修復する方法には修復材を窩洞に塡入し，硬化させて行う成形修復（コンポジットレジン，セメント，アマルガムなど）や，口腔外で歯科用鋳造合金，陶材やCAD/CAMで製作された修復物をセメントを用いて装着するインレー修復などがある．また，歯冠の修復範囲が広い場合には部分被覆冠や全部被覆冠（全部金属冠，陶材焼付冠，レジン前装冠，オールセラミッククラウン）などがある．

歯間ブラシ　しかんぶらし
interdental brush

接触点下の歯間部隣接面の清掃をおもな目的とする口腔清掃用具．露出した根分岐部やブリッジのポンティック基底面の清掃にも用いる．ブラシは放射状に配列されたナイロン毛とそれを保持するための芯でできている．ゴムタイプの製品も市販されている．ブラシの形態はシリンダー型，テーパー型，バレル型がある．太さには数種類のサイズがあり，歯肉の損傷を防止し効果的な清掃を行うために，歯間鼓形空隙の大きさに合わせて選択することが望ましい．使用法は先を歯肉辺縁に沿わせ目的部位に挿入し，ゆっくりと歯面に沿わせて数回往復させる．唇頰側と舌側両方向から用いるのが望ましい．

刺激唾液　しげきだえき
stimulated saliva

咀嚼による機械的刺激や食物の味覚や嗅覚による刺激，酸などの化学物質による刺激などによって分泌される唾液のこと．反射唾液ともよばれる．刺激唾液の性状や組成は条件によって変動する．刺激唾液の分泌の検査には一定量のパラフィンワックスやガムなどの咀嚼による刺激，酢酸やレモンなどの酸味物質の刺激などが用いられている．刺激唾液の分泌量は加齢による変化を認めないという報告が多い．

関連語　刺激唾液分泌量，安静時唾液

刺激唾液分泌量
しげきだえきぶんぴ（つ）りょう
stimulated salivary flow rate

　各種刺激を与えた条件下での唾液採取量のこと．単位時間あたりの容量または重量で表すことが多い．刺激方法は，咀嚼刺激，味覚刺激，またはその両方が用いられる．咀嚼刺激は，パラフィンワックス，ガムベース，ゴムチューブなどを咀嚼させる．その際，咀嚼回数やリズムと唾液量とに関連があることから，メトロノームに合わせて咀嚼のリズムを規定して計測を行う方法もある．味覚刺激物質は，アスコルビン酸，クエン酸などが用いられる．採取対象には，口腔内のすべての唾液を回収する刺激時全唾液量と特定の唾液腺からの唾液量がある．唾液の回収方法では，前傾姿勢をとらせた被験者の口元に漏斗を立てた試験管を置き，自然に流出する唾液を回収する排液法，被験者がある程度唾液が溜まるごとに試験管に吐き出す吐出法，乾燥したガーゼを2分間噛み，含まれた唾液量を計測するサクソンテストなどがある．

➡ 関連語 唾液分泌量

歯原性腫瘍
しげんせいしゅよう
odontogenic tumor

　歯を形成する組織から発生する腫瘍の総称であり，顎骨に特有の腫瘍のこと．下顎臼歯部が好発部位である．良性腫瘍が多いが，良性腫瘍でも顎骨の吸収や変形，残存歯の位置移動などの問題が生じることがある．エナメル上皮腫や歯牙腫が多い．良性の歯原性腫瘍は若年者に発症しやすいが，悪性の歯原性腫瘍は高齢者に多い．

歯垢　しこう
dental plaque, plaque

➡ 同義語 プラーク

歯垢指数　しこうしすう
plaque index

➡ 同義語 プラーク指数

歯口清掃　しこうせいそう
oral prophylaxis

➡ 同義語 口腔清掃

自己尊厳　じこそんげん
self esteem

➡ 同義語 セルフ・エスティーム

自己評価式抑うつ性尺度
じこひょうかしきよくうつせいしゃくど
self-rating depression scale（SDS）

　Zungによって開発され，日本語版は福田，小林らが作成した．質問項目は20項目からなり，「ない」「ときどき」「かなりのあいだ」「ほとんどいつも」の4段階で評価するが，

「自己評価」とは，「自己回答」の意味で，採点や結果の判断は検査者が実施する．40点未満は「抑うつ状態はほとんどなし」，40点台で「軽度の抑うつ性あり」，50点以上で「中等度の抑うつ性あり」，60点以上で「重度の抑うつ性あり」と判定される．

同義語 SDS
関連語 抑うつ尺度

自己免疫疾患 じこめんえきしっかん
autoimmune disease（AID）

自己抗原に対する免疫学的寛容が，なんらかの原因により破綻し，免疫系が自身の細胞や臓器を攻撃することにより発症する疾患．全身性エリテマトーデス，1型糖尿病，多発性筋炎，混合性結合組織病，シェーグレン症候群，膠原病，関節リウマチ，多発性硬化症，高安動脈炎，特発性血小板減少性紫斑病など，非常に多くの疾患を含む．自己免疫疾患は増え続けているが，その原因はわかっていない．

関連語 間質性肺疾患，糖尿病，全身性エリテマトーデス，シェーグレン症候群，関節リウマチ，多発性硬化症

歯根囊胞 しこんのうほう
radicular cyst

顎骨に発生する歯原性囊胞でもっとも頻度の高い囊胞であり，根管由来の刺激や化膿性根尖性歯周炎に続発して発症する炎症性囊胞である．根尖部に形成される根尖性と歯根の側方に形成される根側性がある．エックス線所見は特徴的で，境界明瞭，円形もしくは類円形，単房性の透過性病変を呈する．マラッセ上皮遺残に由来し，囊胞壁は組織学的に内側から非角化重層扁平上皮，肉芽組織および被膜を形成する線維性結合組織からなり，囊胞腔内には滲出液，剝離上皮，白血球ならびにコレステリン結晶を認める．一般的に無症状で，きわめて緩慢な経過をとるため，患者が発症に気づかない場合も多い．歯科治療時のエックス線検査や二次的細菌感染による急性炎症により発見されることがある．治療法には感染根管治療，外科的歯内療法，囊胞摘出術，抜歯などがある．

歯根膜 しこんまく
periodontal membrane, periodontal ligament

セメント質と固有歯槽骨の間の歯根膜腔を満たす線維性結合組織．歯周靱帯ともいう．コラーゲン線維束が歯根膜の主線維であり，一端がセメント質へ，他端は歯槽骨に埋入されている．これにより歯を歯槽に維持するとともに咬合力の緩衝作用がある．また，歯根膜中の神経線維は知覚を受容し，痛覚だけでなく触

覚・圧覚などの機械感覚器官でもある．歯根膜内の血管は歯根膜だけでなくセメント質や歯槽骨に栄養を供給している．歯根膜組織には未分化な間葉系細胞が存在し，歯周組織の再生に重要な役割を果たしている．歯根膜には修復機能があり，いつも一定の幅に保たれているが，加齢とともにやや薄くなるといわれている．

歯根面う蝕　しこんめんうしょく
root surface caries, root caries

歯肉退縮あるいは歯周病により露出した歯根面に発病するう蝕．セメント-エナメル境（cement-enamel junction：CEJ）部，あるいはその根端側にミュータンスレンサ球菌，乳酸桿菌，*Actinomyces viscosus* を主体としたう蝕原性細菌が集積して有機酸を発生する慢性う蝕の1つ．慢性う蝕として経過するため，疼痛をともなわないことが多く，黒褐色を呈することが多い．歯冠部う蝕と同様に，う蝕の重症度は，①口腔内の酸産生菌のレベルと発病能力，②飲食物の酸産生能力と1日の摂取頻度，③脱灰に対する歯の抵抗性，に依存する．歯根面う蝕の有病者率は，加齢による増加が示されており，日本人では20歳代から発病し，50歳代以降でピークを示す．一般的に女性よりも男性の有病率が高いと報告されている．

[同義語] 根面う蝕

歯根露出　しこんろしゅつ
exposure of tooth root

歯周病，咬合性外傷，歯列不正，矯正治療，歯ぎしり，強すぎるブラッシング圧，加齢などにより歯肉が退縮し，歯根が露出すること．歯根露出により，う蝕に罹患しやすくなる，清掃しにくくなる，知覚過敏が起こる，審美性が悪くなるなどの問題が生じやすくなる．対処法としては，比較的若い患者では，結合組織移植術による根面被覆治療を行う場合があるが，高齢者の場合には，プラークコントロールなどの十分なセルフケアが必要となる．根面露出部の知覚過敏や実質欠損がある場合には，知覚過敏処置や充塡処置が必要になることもある．要介護の場合は，定期的，継続的な歯科医師，歯科衛生士による専門的な口腔管理が重要になる．

歯式　ししき
dental formula

上下顎歯列にある歯種とその数を簡略化して記号で表すもの．いろいろな方式があるが，日本ではジグモンディ方式，FDI方式（two-digit方式）などが多く用いられている．

脂質異常症　ししついじょうしょう
dyslipidemia

中性脂肪やコレステロールなどの脂質代謝に異常をきたし，血液中のLDL コレステロール（140 mg/dL 以上），HDL コレステロール（40 mg/dL 未満），トリグリセリド（中性脂肪，150 mg/dL 以上）の血中濃度が正常域をはずれた状態．動脈硬化の主要な危険因子であり，放置すれば脳梗塞や心筋梗塞などの動脈硬化性疾患の原因となる．従来は高脂血症とよばれていたが，2007 年に「脂質異常症」に変更された．

関連語 動脈硬化，コレステロール値

歯周疾患　ししゅうしっかん
periodontal disease
➡ **同義語** 歯周病

歯周疾患指数　ししゅうしっかんしすう
periodontal index（PI），
periodontal disease index（PDI）

一般に歯肉炎や歯周炎など，歯周疾患の広がりや重症度を表す指標全般をいう．狭義には，歯肉炎と歯周炎を同時に評価しようとした Russell（1956 年）の PI，Ramfjord（1959年）の PDI や世界保健機関（WHO）の CPI をさす場合がある．

同義語 PI

歯周膿瘍　ししゅうのうよう
periodontal abscess

歯周組織内に限局性化膿性炎症が発生することにより，局所の組織融解と膿の貯留を呈する状態．深い歯周ポケットが存在し，その入口がなんらかの理由で閉鎖され，かつ，限局性化膿性炎症が歯周ポケット深部に存在している場合などに生じる膿瘍．処置としては，膿瘍部の切開・排膿，抗菌薬の投与などが行われる．一方，歯肉に限局した膿瘍を歯肉膿瘍とよび，う蝕や歯の破折などにより歯冠部歯質が歯肉辺縁または歯肉縁下まで破壊された場合に生じやすい．

歯周病　ししゅうびょう
periodontal disease

歯肉，歯根膜，セメント質，歯槽骨よりなる歯周組織に起こるすべての疾患の総称．ただし，歯髄疾患の結果として起こる根尖性歯周組織炎，口内炎などの粘膜疾患および歯周組織を破壊する新生物（悪性腫瘍など）は含まない．主たるものは，歯肉病変と歯周炎であり，そのほかの病態として歯周膿瘍，歯肉増殖，壊死性歯周疾患，歯内-歯周病変，歯肉歯槽粘膜異常，咬合性外傷が含まれる．

同義語 歯周疾患

歯周病原菌 ししゅうびょうげんきん
periodontopathic bacteria

　歯肉炎・歯周炎の発症あるいは進行に関与する細菌．歯肉炎・歯周炎は歯頸部歯周組織に形成されるポケット内に生息する複数の嫌気性菌が原因となる感染症である．歯肉炎と歯周炎，歯周炎のなかでもその種類により関与する細菌が異なる．しかしどの菌も内毒素，タンパク分解酵素などを保有し，白血球の機能を障害したり局所の免疫応答から回避するものもある．*Porphyromonas gingivalis*，*Tannerella forsythia*，*Treponema denticola* の増加が著しいと慢性歯周炎（成人性歯周炎）のリスクが高い．そのほか *Prevotella intermedia*，侵襲性歯周炎では *Aggregatibacter actinomycetemcomitans* など多数の菌が関与する．

歯周ポケット ししゅうぼけっと
periodontal pocket

　歯周炎に罹患した結果，歯と歯肉の付着の喪失が生じ，上皮付着部の位置が根尖側に移動し歯肉溝が深くなったもの．臨床的にはポケット探針により3mm以上の深さを示す状態をいう．歯周ポケットはポケット底と歯槽骨縁との位置関係から，ポケット底が骨縁より歯冠側にある骨縁上ポケットと，骨縁より根尖側にある骨縁下ポケットに分類される．

[同義語] 真性ポケット
[関連語] アタッチメントロス

歯髄 しずい
pulp

　歯の中心部の歯髄腔を満たす結合組織で，線維性結合組織，神経，壁の薄い血管，ならびにリンパ管を含み，根尖孔を介して根尖歯周組織と連絡している．神経終末は象牙細管に進入し，種々の刺激に対し痛覚として反応する．歯髄最表層には象牙芽細胞が存在し，生涯にわたり第二象牙質ならびに第三象牙質の形成を続ける．したがって加齢にともない歯髄腔の容積が徐々に減少することもある．細胞分化，硬組織形成，防御反応，栄養補給などの機能を果たすが，加齢により退行変性を起こすこともあり，これらの機能は衰える傾向を示す．

歯髄萎縮 しずいいしゅく
pulp atrophy

　歯髄の退行性病変の一種であり，網様萎縮と単純萎縮がある．歯髄組織は循環障害や栄養障害を起こしやすく，一般的に歯髄萎縮は加齢とともに増加するが，歯根完成後の若年者においても発生の傾向が認められる．歯髄が網目状に観察される網様萎縮は歯冠部歯髄に多く，単純萎縮は歯根部歯髄に多くみられる．いず

れも歯髄固有細胞の減少ならびに成分の減少，部分的な血管の消失が起こり，結合組織線維が増加して細胞間の線維化が進み歯髄機能は低下する．

歯髄炎　しずいえん
pulpitis

細菌的，物理的ならびに化学的原因により歯髄に生じる炎症．う蝕に続発する細菌性歯髄炎がもっとも多いが，根管側枝や根尖孔を介しての歯周ポケット由来あるいは血行性感染や化学的ならびに物理的原因によっても生じる．歯髄炎の病態と臨床症状は，原因ならびに歯髄の状態によりさまざまな様相を呈する．臨床的には，自発痛の有無により急性歯髄炎と慢性歯髄炎，あるいは原因の除去により回復可能な可逆性歯髄炎と回復不可能な不可逆性歯髄炎に大別できる．可逆性歯髄炎は歯髄保存療法の適応であり，不可逆性歯髄炎は歯髄除去療法の適応となる．適切な処置を施さない場合には，限局的であった炎症が周囲組織に浸潤し，病態や臨床症状を変化させながら歯髄壊死に至ることもある．

歯髄結石　しずいけっせき
pulp stone

歯髄内に形成された異所性の象牙質もしくは象牙質様の石灰化物であり，象牙（質）粒（denticle）ともよばれる．加齢との関連が指摘されており，高齢者の歯髄内で多く発現する傾向がある．髄腔壁との位置関係から，遊離性(歯髄組織内に遊離)，壁着性(象牙質壁に付着)，介在性(象牙質中に埋入）に分類される．また組織学的には，真性象牙粒（細管構造や象牙芽細胞様細胞の配列がみられるもの）と仮性象牙粒（細管構造や象牙芽細胞様細胞の配列がみられないもの）に分類される．歯髄結石が神経線維を圧迫すると，急性歯髄炎様症状の突発性（特発性）歯髄炎を発症することがある．髄室内の歯髄結石は，根管口の探索や器具操作を困難とする場合がある．

関連語 ▶ 石灰変性（歯髄の）

ジスキネジア　じすきねじあ
dyskinesia

おもに口，顔面，四肢，体幹にみられる常同的な不随意運動で，自分の意志にかかわりなく身体が動いてしまう症状．高齢者では薬剤に関係したジスキネジアが多く，抗精神病薬などのドーパミン遮断作用を有する薬剤の長期投与後に発現する遅発性ジスキネジアと抗パーキンソン病薬投与にともなうものがある．高齢者ではオーラルジスキネジアで始まり，四肢の不随意運動へと進行していく例が多い．原因薬剤を早急に中

止，減量するなどの治療的処置を行うことにより，重症化および非可逆化を予防することが可能な場合がある．

関連語 オーラルジスキネジア，不随意運動

死生学 しせいがく
thanatology

死に関する教育・研究を扱う学術分野の総称．死生観に始まり，死という事象を理解することや，葬儀を行う意味など，哲学および宗教学とも関連し幅広い研究分野をもつ．1960年代以降は欧米で生まれた緩和医療（ホスピス運動）に影響され，医療に関連する分野としても発展している．歯科領域における死生学関連事項としては，欧米での死生学の学術的発展にKutscher（コロンビア大学教授　歯科医師）が尽力したほか，2015年には岡山大学ほか11大学歯学部が連携した健康長寿社会を担う歯科医学教育改革事業において「死生学や地域包括ケアモデルを導入した医科歯科連携教育体制の構築」として死生学関連項目が取り上げられている．

歯性上顎洞炎 しせいじょうがくどうえん
odontogenic maxillary sinusitis

う蝕や歯周炎からの炎症が上顎洞に入り，上顎洞炎を起こした症状をいい，上顎洞炎の10～30％を占める．上顎洞が上顎臼歯と近接していることから，う蝕などを放置していると生じやすくなる．起炎菌としては，黄色ブドウ球菌がもっとも多く，レンサ球菌や大腸菌などでも起こる．歯の種類では第一大臼歯がもっとも原因になりやすく，次いで第二小臼歯，第二大臼歯の順である．急性の場合には，歯の痛みに続いて，突然悪臭の強い膿性の鼻汁や頬部痛などが現れ，慢性の場合には歯の痛みは比較的少なく，通常，片側に起こる．治療は上顎洞炎の治療とう蝕や歯周炎の治療を同時に行う必要があり，抜歯などにより口腔と上顎洞が交通する場合は，閉鎖術が必要になることもある．

歯石 しせき
dental calculus, tartar

プラークが石灰化したもので，歯肉辺縁より歯冠側の歯面に付着したものを歯肉縁上歯石，根尖側に付着したものを歯肉縁下歯石という．成分は無機質が約90％，有機質が約10％で，リン酸カルシウムを主成分とし，ハイドロキシアパタイト，リン酸オクタカルシウムなどで構成される．歯肉縁上歯石は唾液由来で帯黄白色，灰白色で唾液腺開口部に好発する．一方，歯肉縁下歯石は歯肉溝滲出液に由来し，黒褐色を呈し根

面の付着力が強固で除去が困難である．歯石はプラークリテンションファクターとしての為害作用を有する．

歯石除去　しせきじょきょ
scaling, removal of calculus

歯面に付着したプラーク，歯石，そのほかの沈着物を機械的に除去する操作．歯周病の予防や治療の手段として重要な位置を占める．目的は歯周組織の炎症軽減を図り，歯肉の付着を促し，患者のプラークコントロールを容易にすることである．操作は手用，超音波，エアスケーラーを用いて行われ，歯肉辺縁を境に，歯冠側では歯肉縁上スケーリング，根尖側では歯肉縁下スケーリングとよぶ．

[同義語] 除石，スケーリング

施設サービス　しせつさーびす
institutional service

介護保険法による介護給付サービスの1つ．介護施設（介護老人福祉施設，介護老人保健施設，介護療養型医療施設）で給付される．各施設では，施設サービス計画に基づいた介護，機能訓練，療養上の管理，看護などの介護サービスを受ける．

[関連語] 介護老人福祉施設，介護老人保健施設，介護療養型医療施設

指尖容積脈波　しせんようせきみゃくは
plethysmogram

動脈の拍動により変動する指先の容積変化を記録した波形．検出には，指に照射した光の透過光を計測する．光電容積脈波法（photoelectric plethysmography）が用いられる．指尖容積脈波はその peak to peak（PP）を測定することにより，脈拍数が算出できる．さらに PP 間隔変動を周波数変換することにより自律神経活動を推測することなどに用いられる．

歯槽骨吸収　しそうこつきゅうしゅう
alveolar bone resorption

歯根を支えている歯槽骨が歯周病によって吸収されること．抜歯後に歯槽突起（上顎骨）や歯槽部（下顎骨）が吸収することは，顎堤吸収（residual ridge resorption）という．

歯槽堤　しそうてい
alveolar ridge, residual ridge
➡ [同義語] 顎堤

歯槽堤形成術　しそうていけいせいじゅつ
alveoloplasty
➡ [同義語] 顎堤形成術

歯槽突起骨折　しそうとっきこっせつ
fracture of alveolar process

歯槽突起（歯槽骨）とは顎骨と歯

を結合している骨で，歯根膜が入り込んでいる固有歯槽骨とその周りの支持歯槽骨に分けられる．歯槽突起が骨折した状態が歯槽突起骨折である．臨床所見では，歯槽骨に植立した歯が歯槽骨とともに変位や動揺する．歯の脱臼や破折，歯肉の裂傷をともなうことが多い．変位した歯槽突起の骨片を整復するとともに，歯の固定を行う．

関連語 顎顔面骨折

歯槽膿瘍 しそうのうよう
alveolar abscess

う蝕が進行して根管内に感染が起こり，根尖から周辺組織まで膿瘍を形成したもので，根尖性歯周炎の1つ．根尖膿瘍ともいう．歯槽膿瘍が生じると，歯の違和感や痛み，動揺などの症状が現れ，歯の位置によっては感染が軟組織に広がり，蜂窩織炎や顎，口腔底，顔面が腫張することもある．治療は，一般に徹底した根管治療を行うことで治癒をめざすが，それでも治癒しない場合は歯根端切除や抜歯などが必要になることもある．膿瘍に対しては膿瘍切開，痛みや発熱に対しては抗菌薬や消炎鎮痛薬の投与を行う．

自尊心 じそんしん
self esteem
➡ **同義語** セルフ・エスティーム

支台歯 しだいし
abutment tooth

歯列内の部分的な歯の欠損に対する補綴装置の支持・把持・維持ために用いられる歯あるいは歯根のこと．支台歯と義歯とを連結する装置を支台装置という．

同義語 維持歯，鉤歯

支台装置 しだいそうち
retainer

可撤性または固定性補綴装置を支台歯に連結させるための装置．可撤性補綴装置である義歯の支台装置は，クラスプとアタッチメント，補助的支台装置（フック，スパー）がある．また固定性補綴装置であるブリッジの支台装置は，全部金属冠，陶材焼付冠，レジン前装冠，オールセラミッククラウン，部分被覆冠などが用いられる．

関連語 アタッチメント

市町村保健センター
しちょうそんほけんせんたー
municipal health center, community health center

第1次国民健康づくり運動（1978年）のなかで，健康相談，保健指導および健康診査そのほか，住民に対する対人保健サービスの拠点として位置づけられた施設のこと．地域保健法（1994年）によって保健所の

業務の多くが市町村に移管されるにともない，新たに設置が法律的に定められ，全市町村・特別区に設置が進められてきた．業務としては生活習慣病の予防，母子保健などの保健サービスの提供，社会福祉施設などとの連携と協力によって，保健・福祉の総合的な拠点としての機能が求められている．

関連語 保健所

歯痛 しつう
toothache

歯の痛みは，種々の外来性刺激や疼痛物質による化学的刺激が知覚神経を介して大脳で認識され発現する．歯痛にはさまざまな種類や経緯があるが，歯髄疾患ならびに根尖性歯周疾患の鑑別には非常に重要な因子である．歯髄疾患の疼痛に関与するのは，感覚神経で伝導速度が速いAδ線維と遅いC線維であり，前者は刺激に対して一過性の鋭い痛みを発生させ，後者は持続的で鈍い痛みや自発痛を生じる．また，歯痛の約3％は非歯原性歯痛（筋・筋膜性歯痛，神経障害性歯痛，神経血管性歯痛，上顎洞性歯痛など）といわれ，歯や歯周組織自体には異常がないにもかかわらず歯痛が発生する．

失禁 しっきん
incontinence

同義語 尿失禁

失語症 しつごしょう
aphasic

いったん言葉を獲得した後に，言語野（ウェルニッケ領域，ブローカ領域，角回領域）がさまざまな原因によって損傷を受けた結果，言語能力（聞く，話す，読む，書く）に破綻が生じた状態．原因としては脳血管疾患が全体の70％以上を占めており，そのうちもっとも多いのは脳梗塞である．言語野はすべて中大動脈で養われているが，この動脈は動脈硬化が生じやすく，脳血栓や脳塞栓で動脈が閉塞しやすい．また，言語野の神経線維は脳出血で侵されやすく，失語症の原因となる．

クモ膜下出血の場合は，出血した部分にある動脈を刺激して動脈を細くする．このためその動脈で養われている領域に脳梗塞を生じる．原因としてもっとも多いのは脳動脈瘤で，言語野と関係が深い中大動脈や内頸動脈にできやすく，クモ膜下出血から失語症になることも少なくない．このほかの原因として脳腫瘍や脳外傷，脳炎などがある．

実質欠損（歯の） じっしつけっそん（はの）
tooth defect

う蝕，咬耗，摩耗，酸蝕症，外傷，エナメル質減形成，奇形などのため

に，歯の硬組織に一部欠損がある状態や歯質の崩壊により一部欠損を生じた状態をいう．治療法としては，一般に修復治療によって歯の実質欠損の一部または全部を歯科用材料を用いて形成充填したり，インレー，クラウンなどで修復する．

関連語 トゥースウェア

湿声　しっせい
wet voice

声門の上に異物があるときに出る，痰がからんだような声．嚥下障害患者では泡状の唾液やピューレなどの食塊の残渣が咽頭に残留していても，感覚障害のため自覚しないことがある．このように唾液や食塊が声門の上に乗っているときに声を出すと「ガラガラ」というような特徴的な声になる．これを湿声あるいは湿性嗄声という．残留物は誤嚥に結びつくため，食事中に湿声が認められた場合には，咳をさせたり，交互嚥下により咽頭周辺に貯留した唾液や食塊を排除させる必要がある．

疾病負荷　しっぺいふか
disease burden

ある疾病あるいは健康被害が，地域または集団に対してどのような影響（負荷）を与えているかを知るために，コスト，死亡数，罹患患者数などから算出した数値．

自動体外式除細動器　じどうたいがいしきじょさいどうき
automated external defibrillator

➡ 同義語 AED

歯内療法　しないりょうほう
endodontics

口腔ならびに全身の健康保持のため，歯の機能の維持を目的に，歯の硬組織疾患，歯髄疾患，歯髄腔の疾患，根尖歯周組織疾患に対して診断，予防ならびに治療を担当する臨床歯学の一領域．歯髄疾患に対しては，可逆性歯髄炎には歯髄保存療法を行い，不可逆性歯髄炎には歯髄除去療法を行う．また根尖性歯周組織疾患に対しては，原因療法としての感染根管治療を行う．また，歯の外傷や変色に対する治療なども対象としている．さらに，薬物療法や外科的処置を行う場合も多く，近年ではマイクロスコープや歯科用CTなどを併用した精密な検査と治療が推奨されている．

歯肉炎指数　しにくえんしすう
gingival index（GI）

LöeとSilnessが1963年に提唱した歯肉炎の広がりと炎症の強さを同時に評価する指数．炎症の広がりは特定歯のそれぞれ頬・舌側，近・遠心側の4歯面を検査することにより評価し，炎症の強さは4段階のスコ

ア (0, 1, 2, 3) により評価する. 0: 臨床的正常歯肉, 1: 軽度の炎症, 歯肉辺縁内部のプロービング時に出血なし, 2: 中等度の炎症, 歯肉辺縁内部のプロービング時に出血, 3: 強度の炎症, 自然出血. かなり詳細に数量化することが可能で, 疫学調査や臨床試験に適用できる.

同義語 GI

歯肉退縮　しにくたいしゅく
gingival recession

辺縁歯肉の位置がセメント-エナメル境より根尖方向に移動し, 歯根面部が露出した状態. 原因としては, 歯周炎, 不適切なブラッシング (過重な歯磨き圧, 乱暴なブラッシングなど), 歯の位置異常, 外傷性咬合, 不良補綴装置, 加齢などが考えられる. また, 歯周炎の治療後に生じやすく, 臨床的に問題となる. 自覚症状は少ないが, 歯肉退縮が進行すると審美障害, 知覚過敏症および歯根面う蝕の原因となる. 歯肉退縮は20歳代でも約40％の者に認められ, 30, 40歳代から急増し, 50歳代ではほぼ100％の者に認められる. 予防としては原因の除去であるが, 一度, 歯肉退縮を起こすと自然に戻ることはない. とくに高齢者は露出した歯根面からのう蝕 (歯根面う蝕) のリスクが高いため, 予防として露出した歯根面部へのフッ化物応用が望まれる. 歯科臨床的には, 歯肉移動術や歯肉移植術などの治療法もある.

死亡率　しぼうりつ
mortality, death rates

人口1,000人あたりに換算した死亡数の割合. 死亡が原因でその地域の人口が減少する程度を示すものであり, 出生率, 婚姻率, 離婚率などの人口動態統計から得られる資料とともに, 地域の保健医療の水準を示す指標となる. 年齢構成の著しく異なる地域間の死亡率や死因別死亡率を比較するためには, それぞれ年齢構成の差を取り除いた年齢調整死亡率を用いる. 一方, 性別や年齢で調整せずに計算した単なる死亡率は粗死亡率とことわって用いる.

歯磨剤　しまざい
dentifrice, toothpaste

歯ブラシによる口腔清掃作用を助け, その効果を高める補助剤. 近年, 口腔疾患の予防や保健にかかわる製剤としての働きも重視されるようになった. 歯磨剤はいくつかの法律で規制されているが, 薬事法からは, 化粧品と医薬部外品に分けられている. 前者は基本成分 (研磨剤, 湿潤剤, 発泡剤, 粘結剤, 香味剤, 着色剤, 保存料) のみで構成されるもので, 薬用成分は含まれていない. そ

の働きも物理的に歯の汚れを落とし，歯の表面をきれいにすることで，「歯垢を除去する」「歯を白くする」などの効能を広告することができる．後者は，薬理的な効能効果を有する抗炎症薬やフッ化物などを配合し，「歯周炎の予防」「むし歯の発生および進行の予防」などその薬効成分による効果を広告することができる．剤型はペースト，粘性液体，液体，潤性粉体，粉体があり，歯ブラシにつけて用いる．高齢者は歯根が露出していたり，くさび状欠損があることが多く，そのような場合は研磨剤が入っていない歯磨剤や，粒子の細かいものを用いるのがよい．またモータードライブ式の電動歯ブラシを用いるときは，電動歯ブラシ用の歯磨剤もしくは研磨剤の入っていないものを用いないと摩耗をきたすことがある．

シャイ・ドレーガー症候群

しゃい・どれーがーしょうこうぐん

Shy-Drager syndrome（SDS）

多系統萎縮症の表現型の1つで，1960年，ShyとDragerによって報告された症候群．起立性低血圧，発汗低下，胃腸管運動障害，排尿障害などの自律神経不全が認められる．この自律神経不全の神経病理的原因は，脊髄中間質外側核神経細胞，迷走神経背側核あるいはオヌフ核における変性といわれている．

> **関連語** ▶ 多系統萎縮症

社会参加

しゃかいさんか

social participation

社会参画ともよばれ，ある組織や集団の成員がほかの成員とともに，その組織や集団の運営に確かに参加していて一定の成果や手ごたえがあり，なおかつその体験がすばらしいことだと実感できるような積極的で主体的な参加をさす．したがって単に集会や会合に出席したり，公開講座を受講したりするような参加とは異なる．国際生活機能分類でもこの語が用いられている．

高齢者にとって社会参加が可能であることは，本人が生活していることの証であり，また自分を受け入れてくれる仲間がいることにほかならない．その結果，医学的な健康とは別に，「社会的な健康状態」をも手に入れることとなり，生きがいにつながる．現在，各地で展開されている地域包括ケアシステムにおいては，それぞれの地域で社会参加にどのような意義と価値をもたせるかが事業成功の重要なポイントである．

> **関連語** ▶ 国際生活機能分類

社会福祉

しゃかいふくし

social welfare

日本国憲法第25条の理念に基づ

く，社会的弱者に対する社会的な支援制度．対象者は，児童，母子，寡婦，高齢者，要介護者，障害者，災害被災者などであり，それぞれに法律が制定されている．高齢者においては，単に弱者としての保護だけでなく，健康な高齢者もともに元気で生きがいをもち，安心して生活を送ることのできる長寿社会実現のための施策がとられている．2000年からの介護保険法施行をきっかけに，自治体が用意した措置型福祉から脱却し，個人の生活実態を反映する契約型福祉への転換が図られた．さらに，地域包括ケアシステムの推進により，福祉は，生活支援の考え方から，医療，保健と連携した社会の仕組みとして位置づけられようとしている．

社会福祉協議会
しゃかいふくしきょうぎかい
council of social corporation

　社会福祉法に基づき全国すべての都道府県，市区町村に設置され，地域住民や社会福祉関係者の参加により，社会福祉，保健衛生そのほか生活の改善向上など，住民の福祉を増進するための活動を行っている非営利民間組織．社協ともよばれている．全国社会福祉協議会は，これらの社会福祉協議会の中央組織として位置づけられ，全国規模のネットワークと連携により，福祉サービス利用者や社会福祉関係者への支援，福祉に対する啓蒙などの活動を行っている．

関連語 社会福祉法

社会福祉士　しゃかいふくしし
certified social worker

　「社会福祉士及び介護福祉士法」(1987年)により，介護福祉士とともに創設された福祉に関する国家資格．社会福祉士の名称を用いて，専門的知識，技術をもって，高齢者や障害者など日常生活を営むのに支障のある者の相談援助サービスを行う．資格を取得するには，受験資格を満たしたうえで，社会福祉士国家試験に合格し，登録する必要がある．

関連語 介護福祉士

社会福祉主事　しゃかいふくししゅじ
social welfare officer

　社会福祉法により，都道府県や市区町村にある福祉事務所において，社会福祉関係法令に基づく援助，育成，または更生の措置に関する事務を行うことを職務としている者．業務は，福祉に関して複雑かつ広範にわたる．緊急性が高い場合が多いので，福祉行政に関する高度な専門性が必要とされる社会にとって必要不可欠な職種である．社会福祉主事になるには，大学などで社会福祉に関

する科目を履修する，指定養成機関などの課程を修了する，社会福祉従事者試験に合格するなどがある．

関連語 社会福祉法

社会福祉審議会
しゃかいふくししんぎかい
committee for social service

社会福祉法に基づき都道府県，政令指定都市，中核市に設置されている審議会．社会福祉に関する事項を調査，審議するとともに，都道府県知事の諮問に答え，または関係行政庁に意見具申する組織である．審議する事項は，民生委員の適否審査，身体障害者福祉，更生医療担当医療機関の指定，児童，妊産婦，知的障害者および母子家庭の福祉ならびに母子保健に関する事項などである．

関連語 社会福祉法

社会福祉法
しゃかいふくしほう
social welfare act

1951年に制定された社会福祉事業法が2000年に改正され，現在の名称となっている．福祉事務所の設置義務，社会福祉協議会，社会福祉事業などについて規定されている．2000年の改正により，個人の自立支援，利用者による選択の尊重などを柱とし，福祉サービスの基本的理念を「個人の尊厳の保持を目的とし能力に応じた自立的日常生活を支援するもの」としてとらえた新しい方向性が示された．同時に，市町村には「地方福祉計画」，都道府県には「地方福祉支援計画」の策定が努力義務とされた．

社会福祉法人
しゃかいふくしほうじん
social welfare corporation

特別養護老人ホームなどの社会福祉事業を行うことを目的として，社会福祉法の定めるところにより設立された法人．非営利の民間団体と位置づけられ，税法上優遇措置や事業の安定のための比較的手厚い補助を受ける．従来は，社会福祉事業は民法上の公益法人（財団法人など）によって経営されていたが，民間の寄付金に基づく法人の設立も可能になった．強い公共性と経営の安定性をもたせるために，社会福祉事業を行うのに必要な資産を備える一方で，経営する社会福祉事業に支障がない限り，公益事業および収益事業を行うことができる．

関連語 社会福祉法

社会保険
しゃかいほけん
social insurance

保険的手法により社会保障を行う制度の総称であり，わが国では，医療保険，年金保険，雇用保険，労働者災害補償保険，介護保険の5つの保険がある．社会保険は，①強制加

入：民間保険の場合，加入は任意であるが，社会保険は加入が義務づけられている．さらに，加入保険の選択はできない仕組みになっている．民間保険の場合，たとえば，重病に罹患して死亡する可能性の高い者は生命保険に入れないが，社会保険の医療保険には加入することができる．②国が管理する：国は法律で社会保険制度をつくり，また厚生年金保険，国民年金保険など多くは国そのものが保険者となって，保険料を徴収し，保険給付をするなどの保険運営を行っている．③負担は所得に応じて行う：民間保険の場合，掛け金は任意で多くも少なくもできるが，社会保険はこれと異なり，所得に応じて保険料が自動的に決まる．また，国が関与していることから，民間保険より保険料が安くなっているといった特徴を有している．

関連語 社会保障

社会保障　しゃかいほしょう
social security

日本国憲法第25条に規定される「健康で文化的な最低限度の生活」を国家が保障し，社会的公正を図るための制度である．現行の社会保障制度を，便宜的に社会保険，社会福祉，公的扶助，医療公衆衛生，環境政策の5分野に分けてみると，社会保険には，医療保険，介護保険，年金保険，雇用保険，労働者災害補償保険などがあり，医療保険，介護保険は現物給付を中心に，そのほかはおもに生活費を支給する所得保障を行っている．社会福祉は，社会的な保護を必要とする児童，母子，高齢者，災害被災者などへの人的サービス，施設収容などの援助である．公的扶助は，貧困家庭に対する生活保護による生活保障である．医療公衆衛生は，医療制度の整備，感染症予防，生活衛生の品質保持を行う．環境政策は，公害対策や生活・産業廃棄物対策である．そのほか，雇用対策，労働者保護対策，さらに最近では教育も広い意味で社会保障制度のなかに組み入れるべきであるとする考え方もある．

灼熱感　しゃくねつかん
burning sensation

ひりひりと焼けつくような，締めつけられるような強い痛みの感覚．灼熱痛とも表現される．痛みの順応は遅く，疼痛部位の特定は困難である．口腔粘膜や舌だけでなく咽頭，食道，気道，眼，耳などさまざまな部位に生じ，患者は接触痛や擦過痛，また嚥下痛として訴えることもある．原因は，化学的・機械的刺激，細菌，ウイルス，真菌などの感染，腫瘍，アレルギーなどによる粘膜の炎症，各種の疾患，加齢などによる

粘膜の萎縮などである．口腔粘膜が萎縮すると，口腔乾燥，上皮剝離，紅斑やびらんが生じる．とくに舌に萎縮性変化が生じると，舌乳頭の消失による平坦化，発赤を認め，灼熱感などの症状が出現する．これは，加齢によるもの，口腔疾患によるもののほかに，全身疾患の一症状として現れることがある．このような症例の診断に際しては，既往歴を十分に把握するとともに，顔貌，眼，爪など口腔外の所見を見落とすことなく診察することが重要である．

> 関連語 バーニングマウス症候群

若年性認知症 じゃくねんせいにんちしょう
premature dementia

　65歳未満で発症する認知症．初発症状は物忘れ（50％），行動の変化（28.0％），性格の変化（12.0％），言語障害（10.0％）といった症状である．そのため，うつ，精神的ストレス，統合失調症，更年期障害などと誤診されやすく，しばらく経過を観察しないと診断がつかないことがある．厚生労働省（2009年3月発表）によると，医療機関を受診しない患者も多く，診断もむずかしいため正確な患者数はつかめていないが，全国で約37,800人と推定している．推定発症年齢は平均51.3歳（男性51.1歳，女性51.6歳）である．脳血管性認知症（39.8％）がもっとも多く，男性に多い．次にアルツハイマー病（25.4％），頭部外傷後遺症（7.7％），前頭側頭葉変性症（3.7％），アルコール性認知症（3.5％），レビー小体型認知症（3.0％）と続いている．2017～19年度に実施した若年性認知症の調査において，わが国の若年性認知症有病率は18～64歳人口10万人あたり50.9人と推計されている（日本医療研究開発機構）．本症は家族や生活に大きく影響し，発症後約70％の家庭で収入が減少し，家族介護者の約60％が抑うつ状態である．

> 関連語 認知症

周術期 しゅうじゅつき
perioperative period

　術中だけでなく，入院，麻酔，手術，回復の前後の期間を含めた一連の期間のこと．周術期には一般に手術に必要な3つの段階，すなわち，術前，術中，術後が含まれる．おもに外科領域で手術目的で入院した患者に対して，快適で安心，安全な環境を提供するために，外科医，麻酔科医，歯科医師，看護師，薬剤師，理学療法士，栄養管理士，歯科衛生士，歯科技工士，臨床工学技士などにより協同して行われる．

重症筋無力症
じゅうしょうきんむりょくしょう

myasthenia gravis

神経筋接合部のアセチルコリン受容体に対する自己免疫抗体（抗アセチルコリン受容体抗体）のために，正常なアセチルコリン受容体が減少し，神経筋接合部の伝導障害を生じる疾患．骨格筋の易疲労性と筋脱力，休息による筋力の回復が特徴である．抗コリンエステラーゼ薬であるテンシロンテストで陽性となる．症状は，眼輪筋の麻痺による複視や眼瞼下垂，言語障害，運動障害，呼吸困難などがある．治療は，ステロイド，カルシニューリン阻害薬，免疫グロブリンを併用する．寛解に至る症例は20％程度である．

充塡　じゅうてん
filling

歯の表面歯質の実質欠損に対して行う形成充塡（plastic filling）と歯髄組織が除去され空虚となった根管に行う根管充塡（root canal filling）がある．直接修復処置では，充塡材料としてコンポジットレジン，セメント，アマルガムなどがある．近年は歯質への接着システムや材料の開発・進歩により，健全歯質の切削を最小限にとどめ，接着性材料を用いた修復処置が行われている．根管充塡は，口腔と根尖歯周組織の交通を遮断するために，根管空隙を根尖孔まで過不足なく緊密に根管充塡材で塡塞する．根管充塡材料としてはガッタパーチャポイントがもっとも多く，根管セメントを併用した側方加圧根管充塡法や垂直加圧根管充塡法が行われている．

修復処置　しゅうふくしょち
restorative treatment
➡ 同義語 修復治療

修復治療　しゅうふくちりょう
restorative treatment

歯冠部の硬組織が形態的に欠陥を生じたとき，その一部または全部を歯科用材料を用いて人工的に修復し，形態，機能および審美性を回復すること．修復治療は歯の硬組織の修復に限られるのに対し，補綴治療は歯や歯列，顎骨の欠損部，顎顔面の広範囲の修復にも使われる．
同義語 修復処置

終末期　しゅうまつき
terminal phase, terminal stage

人生の終わりを迎える時期のこと．生命の誕生から死までをいくつかに区分した場合，死を迎える人生最終の時期をいう．事故や急性疾患など，急激に死に至る場合には用いず，死を避けることのできない状態が続く疾患や障害，老衰時に用いられ，通常は死までの3か月以内の期間を示す．もともとは末期のがん患

者の医療や看護の用語として使われていた．余命年齢が長期化した現在では，広く一般に高齢社会の用語となっている．

[同義語] ターミナルステージ

終末期医療　しゅうまつきいりょう
terminal medicine

終末期に施される医療．延命治療の発達にともない，救命率が向上したことから終末期の医療の質が問われるようになった．医療の側からすれば，患者が生存している限り最後まであらゆる治療を施すのは当然のことだが，以前は存在しえなかった生と死の複雑な問題が提起されることとなった．さらに，現代社会では自己決定権がうたわれるようになり，終末期をどう過ごすのかということに関しても，みずからの意思を尊重するようになった．ただし，終末期には医療だけでなく介護や宗教など多くの介入が必要とされる．

[関連語] 緩和ケア，終末期，ターミナルケア

終末期介護　しゅうまつきかいご
terminal care

➡ [同義語] ターミナルケア

主観的健康感　しゅかんてきけんこうかん
subjective health status

自分自身による健康状態の主観的評価のこと．健康度自己評価，あるいは自覚的健康感などともいわれる．健康を把握する指標は，これまで有病率や死亡率などの客観的な指標が用いられることが多かったが，この主観的健康感などの指標は，本人の主観的判断に基づいて健康そのものを評価するのが特徴である．国民生活基礎調査には，主観的健康感に関する質問が取り入れられている．一方，個人の健康感を規定する要因は，身体的要因，精神的要因のほかに社会的要因もあわせたものであり，回答者がそれらのどれに比重を置いて回答しているのかは不明であるため，この指標を用いた背景の異なる集団間の比較は慎重であるべきだとの意見もある．

粥状硬化　じゅくじょうこうか
atherosclerosis

脳動脈や冠動脈などの比較的太い動脈に起こる動脈硬化のこと．アテローム硬化ともよばれる．動脈硬化は部位と起こり方により粥状硬化，中膜硬化，細動脈硬化の3つのタイプに分類される．そのなかで粥状硬化は，動脈の内膜を覆っている血管内皮が傷つけられると白血球の1つであるマクロファージがコレステロールを取り込み，粥状硬化巣を形成する．粥状硬化巣が大きくなり肥厚すると，表面の膜が薄くなるため

さらに傷つき血栓ができるため，血管内腔が狭くなり動脈硬化が進行する．

同義語 アテローム硬化
関連語 動脈硬化

主治医意見書 しゅじいいけんしょ
primary doctor judgement on long-term care

主治医が意見を記入する書類．介護保険法において，被保険者から要介護認定の申請を受けた市町村は，当該被保険者の「身体上又は精神上の障害（生活機能低下）の原因である疾病又は負傷の状況等」について，申請者に主治医がいる場合，主治医から意見を求めることと定められており，この規定に基づき主治医がその意見を記入する．高齢者の口腔健康管理の重要性の観点から，主治医意見書における評価の方法についても研修が実施されている．

関連語 介護保険

手段的日常生活動作 しゅだんてきにちじょうせいかつどうさ
instrumental activities of daily living（IADL）
→ **同義語** IADL

受療率 じゅりょうりつ
consultation rate, rate of receiving medical care, medical care-getting rate

ある集団のなかで，医療機関において入院または外来診療を受けた者の割合で，疾病頻度の指標の1つ．ある1日に医療機関で診察を受けた者の割合をさすこともある．厚生労働省の統計では，ある特定の日に，疾病治療のために医療施設に入院，通院，または往診を受けたすべての患者数と人口10万人との比率をいう．「患者調査」によって，病院あるいは診療所に入院または通院した患者の全国推計患者数を把握し，受療率を算出している．

受療率＝（1日の全国推計患者数／10月1日現在総人口）×100,000

障害 しょうがい
disturbance, disorder, impairment, disability, handicap

人間の身体や精神の構造・機能の異常という医学的な意味で使われることが多い．心身の異常一般ではなく，「生活面にマイナスの影響を生み出す心身の異常」という意味が障害には含まれており，この点で病気とは区別して使われている．世界保健機関（WHO）の国際生活機能分類（ICF）では，3つの生活機能（心身機能・身体構造，活動，参加）に支障をきたすこととして，「機能障害」「活動制限」「参加制約」をあげている．

しょうがい

関連語 障害者

障害高齢者の日常生活自立度
しょうがいこうれいしゃのにちじょうせいかつじりつど
independence degree of daily living for the disabled elderly

　高齢者の日常生活がどれくらい自立してできているかの自立度合のこと．寝たきり度ともいう．判定は「することができる」といった「能力」の評価ではなく，「移動」にかかわる状態像に着目し，日常生活の自立程度を生活自立から寝たきりまで4段階にランク分けし評価する．この指標は，介護保険制度の要介護認定を受ける際の「要介護認定調査」や「主治医意見書」に用いられている．また，病院などで作成される「看護計画書」や「リハビリテーション計画書」，介護支援専門員が作成する「介護サービス計画」などにも基本情報として記載されている．

同義語 寝たきり度

障害者
しょうがいしゃ
handicapped person, disabled person, person with disabilities, person with special needs

　障害者基本法に基づいて「身体障害または知的障害があるため長期にわたり日常生活または社会生活に相当な制限を受ける者」をさし，①肢体不自由，②視聴覚障害，③音声機能障害，④心臓，呼吸器などの身体的障害，⑤知的障害などの精神的欠陥があるために長期にわたって日常生活または社会生活に相当な制限を受けている者，と定義されている．このうち，18歳未満の者を障害児，18歳以上の者を障害者と区別することがあり，両者を総称するときに，障害児（者）あるいは単に障害者とよぶなど名称を使い分けることがある．また，身体障害はその程度によって重いほうから1級より7級に分類されている．1, 2級の身体障害と重度の精神発達遅滞を合併している小児を，重症心身障害児として扱うことになっている．

関連語 障害

障害者基本法
しょうがいしゃきほんほう
basic act for persons with disabilities

　障害者のための施策を総合的かつ計画的に推進し，障害者の自立と社会，経済，文化そのほかあらゆる分野への参加の促進を図ることを目的とした法律．1970年に制定された「心身障害者対策基本法」はわが国の障害者対策を推し進めるうえで重要な役割を果たしてきたが，障害者を取り巻く社会経済情勢の変化に対応し，すべて障害者は，個人の尊厳にふさわしい処遇を保障される権利を有するという基本的理念のもと，

障害者のさらなる社会参加の促進を図ることを目的に，1993年に名称も新たに「障害者基本法」として改定された．

2011年8月の障害者基本法の改正では「社会的障壁」と「合理的配慮」の考え方（新たな障害の定義）が追加された．これまでは「障害を理由として差別することや権利利益を侵害すること」が禁止されていただけだったのが，これに加えて「社会的障壁を取り除くために合理的な配慮」がなされなければならないという一文が加えられた．また，障害者の定義では，いままでの身体障害，知的障害，精神障害に加え，新たに発達障害が加わった．

関連語 障害者

障害者虐待防止法

しょうがいしゃぎゃくたいぼうしほう

act on the prevention of abuse for persons with disabilities and support for caregivers

障害者に対する虐待の禁止，障害者虐待の予防および早期発見，そのほかの障害者虐待の防止などに関する国などの責務を明確化し，虐待を発見した国民には市町村や都道府県に通報する義務を課した法律．正式名称は「障害者虐待の防止，障害者の養護者に対する支援等に関する法律」．2012年10月に施行された．

障害者総合支援法

しょうがいしゃそうごうしえんほう

act on the comprehensive support for the daily and social life of persons with disabilities

障害者自立支援法の一部が改正されたもので，障害者の日常生活および社会生活を総合的に支援するための法律．正式名称は「障害者の日常生活及び社会生活を総合的に支援するための法律」．2003年から実施された支援費制度は，財政面の懸念や地域によるサービス利用状況の格差，精神障害は支援費制度の対象にならないなど障害種別の格差の問題などがあり，新しい枠組みとして2005年に「障害者自立支援法」が制定された．しかし，障害者自立支援法では障害者サービスの一元化など評価のある一方で，応益負担原則に基づいた定率1割の費用負担などに反発も多く，2013年に「障害者総合支援法」へと変更された．障害者総合支援法では，これまでサービス対象外だった難病患者を対象に加え，重度訪問介護の対象拡大，ケアホームとグループホームの一本化などが盛り込まれている．

関連語 障害者

障害調整生命年

しょうがいちょうせいせいめいねん

disability adjusted life years

→ **同義語** DALY

上顎洞 じょうがくどう
maxillary sinus

　副鼻腔の1つで，副鼻腔ではもっとも大きい．上顎骨の主要部である上顎体にある大きな錐体状の空洞であり，その形状はほぼ上顎体の形に一致する．鼻腔面に上顎洞裂孔があり，口蓋骨の垂直板，篩骨の鉤状突起および下鼻甲介の上顎，篩骨両突起によりその一部分が塞がれて小さくなり，生体では鼻腔粘膜に覆われて細長い管となって，中鼻甲介の下の半月裂孔に開く．上顎洞の下壁は臼歯部の付近では薄く，臼歯の根尖が上顎洞に近接しているので，臼歯の根尖性歯周炎などに続発して上顎洞粘膜にまで炎症が波及することがある．歯が原因で生じる上顎洞炎を歯性上顎洞炎という．また抜歯時には上顎洞との交通あるいは歯の迷入が起こることがある．高齢者では上顎洞は著しく大きく，前頭突起および口蓋突起中に入るだけでなく，ときとして頬骨および口蓋骨の水平板のなかにまで及ぶ．

常食 じょうしょく
ordinary diet, regular diet

　健常者が毎日食べているのと同じ形態の食事のことであり，調理法や食器への盛りつけ法もふだんの食事とできるだけ同じになるようにするのが基本である．病院に入院中の患者に提供する給食は，病態に合わせた献立が用意されていると同時に患者の食物受容能力を考えて食物形態が調整される．

　高齢者においては，本人の咀嚼能力や嚥下機能をよくみきわめ，提供する食事の形態を選択する必要がある．歯数の減少や義歯の使用，咀嚼筋力の低下，唾液分泌量の減少，口唇や舌の感覚の鈍化などにより，食べられる食品が制限されるのはやむをえないとしても，条件を整えてなるべく常食を提供できるように食事箋の作成には配慮が必要である．歯数不足，義歯不適合が認められる場合は積極的に補綴治療をすることにより，あるいは嚥下機能不全に関しては機能訓練をすることにより，常食摂取を目標とする機能回復を図ることが重要である．

関連語 きざみ食，流動食

静脈内鎮静法
じょうみゃくないちんせいほう
intravenous sedation

　鎮静薬や静脈麻酔薬を静脈内に投与し，鎮静を得て侵襲的な医療行為を円滑に行うことを目的とした精神鎮静法．歯科治療にも頻繁に用いられる．亜酸化窒素吸入鎮静法に比べ，鎮静効果の発現がすみやかかつ確実

で，薬剤によっては術中のことを覚えていない健忘効果が期待できる一方，調節性に欠け回復が遅い．また，静脈確保が必要で，過量投与や急速投与で呼吸，循環の抑制を起こすことがある．意識があり，血圧，脈拍数や呼吸などが安定しており，過剰な筋の緊張がとれる．

関連語 精神鎮静法

ショートステイ しょーとすてい
short stay, respite care unit

要介護者が，自身の心身の状況や病状が悪い場合や，介護者の疾病，冠婚葬祭，身体的・精神的負担の軽減などで短期間施設に入所して受ける介護サービスのこと．介護保険制度では，短期入所生活介護をさす．

同義語 短期入所，短期入所生活介護，短期入所療養介護

食育基本法 しょくいくきほんほう
basic act on Shokuiku (food and nutrition education)

2005年7月より施行された，食育を推進することにより，国民の健康と豊かな人間性を育むことを目的とした法律．食育とは，生きるうえでの基本であり，知育，徳育および体育の基礎となるべきものとして位置づけ，みずからの食について考える習慣や食に関するさまざまな知識や食を選択する判断力を身につけるための学習などの取り組みをいう．本法律では，学校や保育所，施設などでの食育推進，家庭における食育推進，地域における食育推進，食育推進運動，生産者と消費者の交流の推進，食文化の継承のための活動への指示，食品の安全性，栄養そのほかの食生活に関する調査・研究，情報の提供，国際交流の推進を基本的施策としている．2021〜2025年度まで第4次食育推進基本計画が実施推進されている．

食事介護 しょくじかいご
feeding care

要介護者に対して直接行う食事介助サービスや，自立支援のために要介護者とともに行うサービス，専門的知識や技術をもって食物形態などに配慮するサービスなど，食事にかかわる介護全般を意味する．手嶋（2006年）は「食介護」という言葉について，高齢者が人として尊重され，幸せに生きていくために「食を通してよりよい栄養状態，QOLを維持・向上できるように支援すること」とし，高齢者が個々に保有する食文化・食習慣などをも包含した食環境を包括的に理解，把握したうえで，口からおいしく食べられるように，食によって高齢者を全人的に介護，支援しようとするものと定義している．食事介護は単に食事介助の

技術だけではなく，その視点として，できるだけ自分で食べられるように援助する．安全に食事ができるように工夫する．食事によって心理的，社会的，文化的欲求が満たされるようにすることが大切である．

食事介助　しょくじかいじょ
feeding assistance

要介護者に直接行う食事の援助と，そのために必要な準備から後片づけ，介護者自身の清潔動作までの一連の行為をさす．直接行う食事の援助には，食事動作の一部分を援助する一部介助と，自力では食事ができない場合にすべてを援助する全介助がある．食事介助する場合，要介護者の全身状態に注意し，声かけなどによって完全に覚醒した状態で食事に集中させることや，食前に全身および口腔周囲をリラックスした状態にすることが大切である．一口量は各個人によって異なるため，各個人に適した量やペースを把握する必要がある．咀嚼中に口唇閉鎖不全による食べこぼしがある場合は，口唇閉鎖を補助する場合もある．食事のおいしさには，味覚だけでなく視覚，嗅覚，聴覚がかかわると同時に，健康状態や喜怒哀楽，雰囲気，環境に左右されることから，食事を単なる「栄養の補給」といった無機的なものととらえず，楽しく安全な食事となるように心がけて介助する．

食事記録法　しょくじきろくほう
dietary record

摂取した食物を調査対象者が自分で調査票に記入する食事摂取状況に関する食事調査法の1つ．重量を測定する場合（秤量法）と，目安量を記入する場合がある（目安量法）．食品成分表を用いて栄養素摂取量を計算する．対象者の記憶に依存せず，確実に実施されている場合には精度が高い．しかし対象者の負担が大きく，食品成分表の精度に依存するなど短所もある．

関連語 ▶ 食事調査

食事指導　しょくじしどう
dietary guidance,
dietary counseling

対象者の食事の課題，問題点を改善するための指導．対象者の食事や食生活の問題点を的確に把握し，生活状況，知識，理解力に応じて実行可能な内容にすることが重要である．健常者や生活習慣病予備軍の場合は，規則的な食事摂取や過不足を是正するだけでも目的が果たせることが多いが，傷病者の場合には医師の指導のもと，食事指導の方法を対象者とともに考慮し，問題解決を図る．

関連語 ▶ 栄養ケアマネジメント，栄養指

導

食事診断 しょくじしんだん
dietary examination

対象者の食事について実態を把握し分析して，もっとも適切な食事指導はなにかを決定すること．食事調査で得られた情報から分析した食事や食生活，健康状態，生活面がどのようにかかわるか，どこに問題点があり，どのような指導を行えば対象者の意識と態度，行動から食生活の変容につながり，栄養状態が改善するかを検討することである．診断基準としては，エネルギー・栄養素の摂取量，食事摂取基準の範囲内であるか否か，3食のエネルギーバランス，P・F・C（タンパク質，脂質，糖質）バランス，S・M・P（飽和脂肪酸，一価不飽和脂肪酸，多価不飽和脂肪酸）の比などがあげられる．さらに簡易な方法としては日本食型・欧米食型，高カロリー型・低カロリー型，肉食型・野菜食型などの類型でみるものがある．

関連語 栄養アセスメント

食事箋 しょくじせん
dietary recipe

病院や高齢者施設などで，入院患者や利用者，療養者などに対し，食事療法や療養食の提供を行う際に医師が発行する指示書類．必要な食事の開始，変更，中止などの指示や，栄養量など食事の内容について指示する．病院や施設においては，あらかじめ必要となる数種類の食事を想定して，院内用あるいは所内用約束食事箋が用意されており，その中から患者や利用者に合わせて作成される．これに基づいて栄養士が献立をつくり，病院，施設などで食事が提供される．食事療法全般については，①消化吸収が容易であること，②患者の嗜好に注意して調理し，飽きがこないようにすること，③栄養素が不足しないように食品を選ぶこと，④病状によって，適切な量を配慮すること，⑤調理にあたってはとくに衛生に気をつけること，などの点に注意する．

食事調査 しょくじちょうさ
dietary survey

健康管理のために配慮すべき事項を明らかにする目的で食事の状況を調査すること．食物摂取頻度調査，24時間思い出し法，食事記録法，陰膳法などに大別される．食物摂取頻度調査や24時間思い出し法などの過去の食事に関する調査は，対象者の負担が少ない，コストが低く短時間で行えるなどの利点があるが，精度は比較的低いという欠点がある．一方，食事記録法や陰膳法などの現在の食事についての調査は，精

度は高いが，対象者の負担が大きく，調査にかかる費用や時間も多くかかる傾向にある．

関連語 食事記録法

食事動作自助具　しょくじどうさじじょぐ
**self help aid for feeding,
self help device for feeding**

上肢・下肢障害があり，うまく食べられない者の食事を代償する手段のこと．滑り止めマットなどの簡単なものから，スプーンなどの食器や食具の工夫，食器や食具を握るためのスプリント，シーティングを考えた家具の工夫，自立手段の獲得を目的とした装置など複雑なものまで含まれる．適当な手段の選択，使用法の指導，道具の開発は，作業療法士や理学療法士，そしてリハビリテーション工学の分野がおもに行っている．個人の機能によって形やデザイン，大きさなどが異なるため，従来は商業ベースに乗ることがむずかしく，簡単に手配することができなかった．しかし，最近では福祉機器の発達にともない市販されるようになり，個人でも入手しやすくなっている．

食事バランスガイド
しょくじばらんすがいど
food guide pyramid

1日に，「なにを」「どれだけ」食べたらよいかを，食事の組み合わせとおおよその量をコマ（独楽）のイラストでわかりやすく示したもの．2005年に厚生労働省と農林水産省が「食生活指針」を具体的に行動に結びつけるものとして策定された．主食，副菜，主菜，牛乳・乳製品，果物の5つの区分における1日にとる量のめやすの数値〔1つ（SV＝サービング）〕と対応させている．さらに水分をコマの軸とし，コマを回転させることで運動することを連想させた．

関連語 食生活指針

食事療法　しょくじりょうほう
dietetics

疾患を積極的に治癒あるいは好転させる目的で，病院や家庭で食事すること．たとえば糖尿病の治療は食事療法が基本で，エネルギーの制限と各栄養素のバランスをとることが行われる．また腎炎の急性期では十分なエネルギーの補給と，食塩・タンパク質・水分の制限を原則とし，症状により順次普通食へと移行していく．肝臓食，潰瘍食などそれぞれの疾患で内容は異なる．高齢者は種々の疾患を有することが多いので食事療法を行うが，自分の病識がないことがあるため注意が必要である．

食生活 しょくせいかつ
eating habits, dietary habits, dietary life

　生活のうちで，食べることに関することをいう．「食生活は人間の時間的経過のなかで生まれた食にかかわる生活文化の表現である」（足立，1994年）ともいわれる．すなわち，食べることは単に空腹を満たすだけでなく，いつ，なにを，どのように調理し，どのような器に盛り，誰と，どのような環境で食べるかが重要であり，単に食べること以上の社会的意味が付与されているのが食生活であるといえる．

食生活指針 しょくせいかつししん
dietary guidelines

　健康増進，生活の質の向上，食料の安定供給の確保などを図ることを目的として策定された．2016年改訂の内容については，生活の質（QOL）の向上，適度な運動と食事，バランスのとれた食事内容，食料の安定供給や食文化への理解，環境にまで配慮した10項目がある．これにより健康寿命の延伸とともに，食料の生産から消費に至る食の循環を意識し，食品ロスの削減などの環境に配慮した食生活の実現をめざしている．

関連語　食事バランスガイド

褥瘡 じょくそう
decubitus, bedsore

　身体の一部分に長時間持続的な力がかかり，皮膚の血流が乏しくなり発生する虚血性の壊疽のこと．持続的に体重のかかりやすい骨の突出している部位や，脂肪や筋肉の薄い部位に発生しやすい．高齢者でいわゆる寝たきりになると頻度は増加する．おもな治療法は洗浄，ドレッシング，抗菌薬や抗潰瘍薬の使用であるが，重症になると回転皮弁術などの形成外科手術が必要となることもある．予防が重要で，頻回の体位変換，骨の突出部位の保護，特殊な寝具の使用などが行われている．また，低栄養で発生リスクが高まるため，特に高齢者は予防のための栄養管理も重要である．

褥瘡性潰瘍 じょくそうせいかいよう
decubitus ulcer

　褥瘡性潰瘍は圧迫や摩擦などによる機械的障害による粘膜病変である．う蝕歯や破折歯の鋭縁，鋭利な歯や露出した乳歯根，不適合な義歯床縁やバー，鉤，金属冠などの補綴装置や充塡物，ときに矯正装置による繰り返しの刺激でその部分の粘膜に局所的循環栄養障害を生じた結果，壊死に陥らせて上皮層深く剝離をきたし，灰白色，黄色の皮膜で覆われる．不適合な義歯の継続的な機

しょくひん

械的刺激により口腔粘膜に発症した場合は，義歯粘膜面および辺縁部へのティッシュコンディショナーの使用や辺縁の削合調整が必要である．痛みとして感じず放置した場合，潰瘍部歯肉の増殖により義歯性線維腫になる場合もある．

食品交換表　しょくひんこうかんひょう
food substitution table

食品成分表をもとに，栄養価の等しい食品を相互に交換できるよう工夫された表．糖尿病などの慢性疾患では，エネルギーや栄養素摂取の制限を長く続ける必要がある．食事療法を長く続けるためのポイントは，日々の献立の変化である．各学会などの編集で発行され，糖尿病や腎臓病，フェニールケトン尿症などのための食品交換表がある．

食品摂取受容　しょくひんせっしゅじゅよう
food intake and food acceptance

おもに個人の食物の咀嚼状況をいうが，摂取する食品の選択までを含める場合もある．咀嚼能力を評価する方法には，試験食品（test food）を用いて咀嚼能率を測定する方法と，質問紙によって食品をいくつかあげて，「噛める」か「噛めない」かの評価をするものがある．食品摂取受容はおもに後者の主観的評価のことをさす．

関連語 ▶ 咀嚼機能評価

食物形態　しょくもつけいたい
food style

食形態ともいう．どのような物を，どの程度の間隔で，どのような食器を用いて食べているかなど，食事に関する状態を総合的に示したものである．病院では狭い意味で，経口食の食物形態をさすことがある．つまり流動食，分粥食，全粥食，普通食（常食）に分類し，ときにペースト食，ミキサー食，きざみ食などをさすこともある．

食物残渣　しょくもつざんさ
food debris

食後，口腔内に残留した食物由来の物質．通常は，細菌を含まず，舌や頰・口唇や顎などの運動や会話，唾液などの口腔の自浄作用，うがい，ブラッシングにより，そのほとんどは除去，嚥下される．ただし，口腔機能が低下している要介護高齢者や障害者，口腔に麻痺などの障害がある者は自浄作用の機能が働きにくいため，除去するための口腔衛生管理が必要である．

食物繊維　しょくもつせんい
dietary fiber

ヒトの消化酵素で消化されない食品中の高分子の難消化性成分の総

称．現代の日本人は軟らかい食品を好み，食生活も欧米化し食物繊維の摂取量は減少している．ヒトの消化管は食物繊維を消化できないが，大腸内の腸内細菌が嫌気発酵することで，一部がエネルギー源となる．最近までは生理的意義がほとんどないと考えられていた食物繊維だが，現在では健康に密接な関係があると考えられるようになった．水溶性と不溶性のものがある．食物繊維の種類は多種多様である．植物細胞の細胞壁を形成する多糖類のセルロース，ヘミセルロース，果物，野菜の主成分であるペクチン，海草のガラクタンやアルギン酸，こんにゃくのマンナンなどが植物性のものである．動物性の難消化性成分としてはキチン，キトサンなどがある．食物繊維の栄養学的利点としては，①血漿コレステロールの上昇抑制，②耐糖能の改善，③大腸がんの抑制，④排便促進，⑤有害物質の毒性阻止などがあげられている．食物繊維の目標摂取量は75歳以上の男性20 g/日，女性17 g/日以上とされている〔日本人の食事摂取基準（2020）〕．

除細動器　じょさいどうき
defibrillator

　心室細動，無脈性心室頻拍が原因で心停止に陥った心臓に電流を流し，細動や頻拍を停止させたり，頻脈性不整脈を停止させるためのカルディオバージョン（同期させたうえでの電気刺激）を行ったりする電気機器．異常な興奮伝導も抑え，細動や頻拍を止め，その後正常な興奮伝導が再開することを期待する．興奮伝導がなくなった心静止や無脈性電気活動に対しては効果がない．手動式除細動器，AED，植込み型除細動器（implantable cardioverter defibrillator：ICD）がある．

関連語 AED，心肺停止，心室細動

除石　じょせき
scaling

➡ **同義語** 歯石除去

処置歯　しょちし
filled tooth

　う蝕歯のうち硬組織表面の一部または全部に修復治療または補綴治療を施しているもの．治療中の歯，二次う蝕の歯，修復物と別の部位に未処置う蝕が認められる歯は，未処置歯として扱う．DMF指数におけるF（filled）に相当する．しかし，高齢者の場合，ブリッジの支台歯など，う蝕以外の原因で歯冠修復が行われる可能性もあるので，う蝕を処置したという意味の処置歯よりも幅広い範囲の歯を含む場合がある．

関連語 DMF歯

食塊 しょっかい
food bolus

　口腔内から胃まで移送できる形状になった食物．ヒトは摂食嚥下を行う際，摂食する食物の性状を認知し，口腔内に取り込む量や食べ方などを決定した後に，食物を捕食により口腔内に取り込み，性状に合わせて嚥下できる状態になるまでさまざまな加工処理を行う．口腔内に取り込まれた食物は，舌により臼歯咬合面に運ばれ，咀嚼によって咬断，粉砕，臼磨され，その間に唾液と混合される．嚥下が可能な状態に処理され，舌上に一塊にまとめられたものが食塊である．

食塊移送 しょっかいいそう
food bolus transport

　食塊を舌によって口腔から咽頭へ送り込むこと．口腔に取り込まれた食物は，咀嚼され食塊となり，口蓋と舌の間に保持される．この状態から食塊を咽頭に移送するために，舌は口蓋前方部から後方部に向かって徐々に上昇して口蓋に接触し，この舌運動で食塊は咽頭へ押し出される．このとき，上下顎は咬合して咬頭嵌合位をとり，下顎が固定される．また，軟口蓋は咽頭壁と接触することで鼻咽腔を閉鎖し，食塊の鼻腔への逆流を防ぐとともに，口腔前方部も舌によって閉鎖され，口腔内圧が高まることで食塊を咽頭に勢いよく移送することができる．

食塊形成 しょっかいけいせい
food bolus formation

　口腔内で嚥下するために処理された食物を一塊にすること．口腔内に取り込まれた食物は，口唇，頰，歯，舌などで囲まれた空間で，咀嚼によって咬断，粉砕，臼磨され，唾液と混和されて嚥下が可能な状態に加工された後に，飲み込むために舌上で一塊にされる．また，咀嚼と同時に咽頭に送り込まれる現象が確認されており（第Ⅱ期移送），咽頭腔においても食塊形成されるという考え方も出てきている．食塊形成には，歯，歯周組織，舌，口唇，頰などが関与する．

ショック しょっく
shock

　広範な外傷や重篤な感染症，急性心筋梗塞などの生体への強い侵襲，あるいは，その侵襲に対する抗原抗体反応の異常な反応といった生体側の反応により，脳，心臓および腎臓など重要臓器の血流が維持できなくなり，細胞の代謝障害や臓器障害が起こり，生命の危機に至る急性の症候群（日本救急医学会）．ショックは，循環血液量減少性ショック（hypovolemic shock），心原性ショック

（cardiogenic shock），血液分布異常性ショック（distributive shock）心外閉塞・拘束性ショック（obstructive shock）に分類される．できるだけ早期に適切な対応を行わないと，不可逆的となり，多臓器不全により死に至る．

シルバーサービス　しるばーさーびす
support system for the elderly

　民間組織による高齢者を対象として提供されるサービスおよび商品のこと．シルバー市場については，狭義には介護保険に適用されるサービスをさす場合や，いわゆる上乗せ・横出しサービスといわれる介護保険給付以外の支出を加えたものである．これに該当するサービス事業は，介護保険適用以外の訪問介護（ホームヘルプサービス），訪問入浴サービス，在宅配食サービス，福祉用具の賃貸・販売サービス，緊急通報サービス, 移送サービス, 日帰り介護（デイサービス），短期入所生活介護（ショートステイサービス），寝具乾燥消毒サービスなどがある．さらに広義には，高齢者の利用するサービスや商品すべてをさし，高齢者使用に配慮した電化製品や服装，宅配サービス，高齢者向け住宅などが含まれる．

心エコー検査　しんえこーけんさ
echocardiography

　超音波を心臓部に向け出力し，その反射波をモニタに映し出して心臓の形態や状態，機能を調べる検査．心臓が動いている状態や血液の流れる様子を画面上にてリアルタイムでみることができるので，短時間で心臓病の有無や疾患の重症度を診断できる．心肥大・拡大の有無の同定，左心機能の推定，心膜液貯留，弁膜疾患の診断，先天性心疾患を検索できる．心エコーには心臓の二次元画像である断層心エコー，時間的運動を記録するMモード心エコー，ドップラー心エコーなどがある．

新オレンジプラン　しんおれんじぷらん
New Orange Plan

　認知症施策推進総合戦略の通称．認知症を有する者の意思が尊重され，できる限り住み慣れた地域で，自分らしく暮らし続けることができる社会の実現を図るため策定された．7つの柱として，①認知症への理解を深めるための普及，啓発の推進，②認知症の容態に応じた適時・適切な医療・介護などの提供，③若年性認知症施策の強化，④認知症の人の介護者への支援，⑤認知症の人を含む高齢者にやさしい地域づくりの推進，⑥認知症の予防法，診断法，治療法，リハビリテーションモデル，

介護モデルなどの研究開発およびその成果の普及の推進，⑦認知症の人やその家族の視点の重視，があげられている．省庁横断的な取り組みで作成されたことと認知症の人やその家族の視点の重視を取り入れたことが特徴的である．

関連語 認知症

新型コロナウイルス感染症

しんがたころなういるすかんせんしょう

coronavirus disease 2019

➡ **同義語** COVID-19

心機能検査　しんきのうけんさ

cardiac function test

　心臓の機能をさまざまな方法で検査して評価すること．血圧，心電図，胸部エックス線検査，心エコー，心臓カテーテル検査などがある．心電図は不整脈が確定診断でき，そのほかにも心臓への血液や酸素の供給不足や，心筋の肥厚などを推定でき，胸部エックス線検査では肺疾患，とくに肺血管の異常や，肺の内部と周囲における液体の存在がわかる．心エコーでは心臓の壁運動の異常，拍出される血液量，心膜の肥厚，心膜と心筋の間の液体貯留を検出することができ，心臓カテーテル検査では，心拍出量の測定，冠状動脈の造影（狭窄部位の同定など），心腔内の圧力測定，血管内超音波検査，心内膜心筋生検などが可能である．

関連語 心電図

心筋梗塞　しんきんこうそく

myocardial infarction

　心臓の冠動脈が血栓などで閉塞して血流が途絶し，その先の心筋が壊死することで生じる．致死性の疾患であり，迅速な医科対応が必要である．症状は突然の強い胸痛で，冷や汗や嘔気・嘔吐をともなうことがある．歯痛と勘違いする患者もいるといわれている．一方で，高齢者では無症状のこともある．原因は生活習慣病による動脈硬化が多い．治療後は抗血小板薬を服用することが多いので，観血的歯科処置時の止血には注意が必要である．

関連語 虚血性心疾患

神経機能検査　しんけいきのうけんさ

functional test of nervous system

　中枢神経や末梢神経の働きをみる検査のこと．脳波，筋電図，末梢神経伝導速度，網膜電位，視覚誘発電位，聴覚脳幹誘発反応，体性感覚誘発反応などさまざまな神経機能を検査する方法がある．これらの検査を行うことで，対象とする神経の働きが正常か否かを判断し，特定の病気の診断，神経障害の程度や障害の種類の特定を行うことができる．

神経変性疾患 しんけいへんせいしっかん
neurodegenerative disease

神経細胞とその伝導路における変性による進行性で原因不明の疾患．アルツハイマー病，パーキンソン病，筋萎縮性側索硬化症（ALS）などが代表的な神経変性疾患である．

関連語 パーキンソン病，アルツハイマー病

人工呼吸 じんこうこきゅう
artificial respiration

呼吸運動（換気）を機械や用手で手助けあるいはコントロールすること．換気は肺での酸素の取り込みと炭酸ガス排出のために，横隔膜や呼吸補助筋群が協調して行う吸気および呼気からなる一連の運動である．なんらかの原因で呼吸が停止したり，重大な支障をきたした際に外力を用いて換気を行う．患者の自発呼吸が消失あるいは抑制された場合に，人工呼吸の適応となる．人工呼吸には人工呼吸器（レスピレータ）を用いて機械的に換気を行う方法と用手で行う方法がある．

人工歯 じんこうし
artificial tooth

天然歯の代用として歯の欠損を補い，歯列の形態および機能を回復するもの．有床義歯用の人工歯では，前歯部人工歯と臼歯部人工歯とで特徴が異なる．前歯部人工歯は形態，大きさ，色調などの審美的な要素に重きを置いてつくられている．臼歯部人工歯は咬合，咀嚼にともなう義歯の安定，咀嚼能率の確保などを重視してつくられており，咬合面形態から解剖学的人工歯，機能的人工歯，非解剖学的人工歯に大別される．人工歯は材質から陶歯，レジン歯，硬質レジン歯，金属歯に分類される．

進行性核上性麻痺 しんこうせいかくじょうせいまひ
progressive supranuclear palsy

大脳基底核と中脳を中心に広範囲に神経変性をきたす疾患．40歳以降で発症し，ゆっくりと進行する．おもな症状は，パーキンソニズムと認知機能障害である．姿勢保持の障害と認知機能低下により，転倒リスクが高い点に注意が必要である．また，ほとんどの症例で，嚥下障害，言語障害が認められ，早期に嚥下障害が出現する患者は予後不良といわれている．

関連語 難病

人工唾液 じんこうだえき
artificial saliva, synthetic saliva

分泌唾液の組成に類似して比重，pH，粘度が合成された溶液．用途により2つに分類される．①実験用人工唾液：実験の目的に合わせてそ

の組成が調整されたもの．②治療用人工唾液：シェーグレン症候群や頭頸部の放射線照射などによる唾液腺障害に基づく口腔乾燥症に対して，口腔の機能および口腔内環境の悪化（咀嚼・嚥下障害，疼痛閾値の低下，粘膜の出血，易感染性，発赤，びらん，潰瘍形成，味覚障害，舌炎の発生，歯周疾患の増悪およびう蝕の多発など）を改善するために対症療法として用いるもの．また，口腔乾燥が予測される場合は予防的に投与する．噴霧などで投与し，唾液の機能を補うために使用される．これにより，口腔内の湿潤状態が保たれて，口腔機能および口腔内環境の改善が得られる．

心疾患　しんしっかん
cardiac disease, cardiac disorder

心臓の疾患の総称．虚血性心疾患（狭心症，心筋梗塞など），心臓弁膜症（大動脈弁，僧房弁，肺動脈弁，三尖弁の狭窄症や閉鎖不全），先天性心疾患（心室中隔欠損症や心房中隔欠損症など），不整脈（心房細動や心室細動など）などを含み，その病因，病態，治療法は多岐にわたる．

関連語 心不全

心室細動　しんしつさいどう
ventricular fibrillation (VF)

無秩序に心筋が脱分極することにより，心室壁はふるえるだけでポンプ機能がなくなるために，心臓からの血液駆出が停止する．もっとも重篤な不整脈．ただちに直流除細動などを行わなければ致死的となる．心電図では，形，振幅，持続時間がまったくばらばらな心室波が連続する．

浸潤麻酔　しんじゅんますい
infiltration anesthesia

組織内に局所麻酔薬を注射し，浸潤させ，その部位の知覚神経を直接，麻酔すること．現在のほとんどすべての歯科治療で，痛みの一時的な遮断法として使われている．注射する部位により，粘膜下，傍骨膜，骨膜下，骨内，歯根膜内，歯髄内（髄腔内）注射法などに分類される．

関連語 局所麻酔

侵蝕症（歯の）　しんしょくしょう（はの）
dental erosion, tooth erosion

➡ **同義語** 酸蝕症（歯の）

心身症　しんしんしょう
psychosomatic disease (PSD)

身体疾患のなかでその発症や経過に心理社会的因子が密接に関与し，器質的ないし機能的障害が認められる，あるいは，身体症状を主とするが，その診断や治療に心理的因子についての配慮がとくに重要な病態．ストレスにより自律神経が十分に機

能しなくなり，さまざまな身体症状すなわち，気管支喘息，消化性潰瘍，神経性皮膚炎，関節リウマチ，高血圧症などを起こす．治療は対症療法，向精神薬による薬物療法，自律訓練法，バイオフィードバック法などである．

人生会議　じんせいかいぎ
end of life care meeting
➡ 同義語 アドバンスケアプランニング

真性ポケット　しんせいぽけっと
absolute pocket
➡ 同義語 歯周ポケット

人生満足度スケール
じんせいまんぞくどすけーる
life satisfaction index (LSI)

行動科学的な見地から，人生および生活に対する満足度から高齢者の主観的幸福感を測定する代表的な尺度の1つ．Neugartenらにより1961年に開発され，社会学，心理学，医学，教育学の各分野で用いられている．この尺度は，日常生活において活動に喜びをみつけているか，人生を意義あるものであると感じているか，人生の成功感（達成感）をもっているか，自己に対する肯定的なイメージをもっているか，楽観的かの5つの要素から成り立っている．そのほか，高齢者の主観的幸福感を表す指数には，カットナーのモラールスケールやPGCモラールスケールなどがよく利用されている．
関連語 QOL

振戦　しんせん
tremor

身体の一部または全身の筋肉の収縮と弛緩が繰り返されて生じる律動的な不随意運動．ミオクローヌス，舞踏運動などの非律動性不随意運動と区別され，静止時，運動時または姿勢保持に際して自発性の発現を示す．パーキンソン病に特徴的な安静時振戦は安静時に起こり，運動時に減弱または消失する．小脳傷害時に特徴的な企図振戦は随意運動時に起こり，安静時に減弱または消失する．そのほか，ストレス，不安，疲労，アルコールの禁断症状，気管支拡張薬や抗うつ薬などの一部薬剤などで発現する場合がある．

心臓突然死　しんぞうとつぜんし
sudden cardiac death (SCD)

症状の発症から1時間以内に発生する，心血管系を原因とする死亡．心臓が拍動を停止するか，生命を維持するのに必要な十分な拍動がなく必要な組織灌流が得られない場合に発生する．

心臓弁膜症　しんぞうべんまくしょう
valvular heart disease

心臓の4つの弁，すなわち，大動脈弁，僧帽弁，肺動脈弁，三尖弁に，病理学的あるいは構造的な異常が存在するために，本来の弁の機能である開放や閉鎖がうまくいかなくなり，最終的に心不全となる病態．弁の開放が障害されるものを狭窄，閉鎖が障害されるものを閉鎖不全という．頻度は左室系，すなわち，大動脈弁，僧帽弁に多い．治療として弁形成術や人工弁置換術などが行われるが，最近ではカテーテルによる治療も行われるようになった．人工弁のうち，機械弁置換後は生涯，ワルファリンなどによる抗血栓療法が必要となる．また，感染性心内膜炎のリスクがあるため，観血的歯科処置前には予防的抗菌薬投与が必要となる場合がある．

身体介護　しんたいかいご
care of disabled

訪問介護において，利用者の身体に直接接触して行う介護およびそれに必要な一連の行為をいう．とくにADLに対する介護をさし，大まかには，入浴，排泄，食事の介助がそれにあたる．詳細には，動作介護（体位変換，移動，移乗，起床，就寝などの介助），身辺介護（排泄，清拭，部分浴，更衣などの介助），生活介護（食事，全身清拭，全身浴などの介助）に分けられる．さらに，服薬や通院の付き添いも含めるとするのが一般的である．

関連語 生活援助

身体活動レベル　しんたいかつどうれべる
physical activity level (PAL)

日常生活の平均的な活動の強度を表したものであり，1日の総エネルギー消費量が基礎代謝量の何倍になるかを示した数値のこと．生活や仕事の内容によってレベルⅠ（低い），Ⅱ（普通），Ⅲ（高い）の3段階に分類される．総エネルギー消費量（kcal/日）は基礎代謝量（kcal/日）×身体活動レベルで求められる．75歳以上において，レベルⅡは自立している者，レベルⅠは自宅にいてほとんど外出しない者に相当する．レベルⅠは高齢者施設で自立に近い状態で過ごしている者にも適用できる値である．

関連語 METs

身体障害　しんたいしょうがい
physical handicap, physical disability

視覚，聴覚，音声・言語機能，咀嚼機能，肢体不自由，心臓機能，呼吸器機能，腎臓機能，膀胱・直腸機能，小腸機能，免疫機能，肝臓機能の障害をさす．

関連語 障害者，身体障害者手帳

身体障害者 しんたいしょうがいしゃ
physically disabled person, persons with physical disabilities

視覚，聴覚，音声・言語機能，咀嚼機能，肢体不自由，心臓機能，呼吸器機能，腎臓機能，膀胱・直腸機能，小腸機能，免疫機能，肝臓機能に障害をもっている者のこと．その程度によって，1，2級を重度または特別障害者，3，4級を中度，5，6級を軽度または一般障害者に分類する．障害の種類や程度によって歯科治療に特別な配慮を要することがあり，とくに障害が重複していると，行動調整や全身管理を行う必要が生じる．

関連語 身体障害，身体障害者手帳

身体障害者手帳
しんたいしょうがいしゃてちょう
physically disabled person's certificate, physically disabled person's handbook

身体に障害のある者が，障害者の自立と社会参加を促進するさまざまな福祉サービスを受けるために必要とされる手帳．指定医の診断書などをつけて，福祉事務所・市町村障害福祉課を経て都道府県知事・政令指定都市市長に申請する．ただし，15歳未満の場合は保護者が申請することになる．

関連語 療育手帳

シンチグラフィー しんちぐらふぃー
scintigraphy

塩化タリウム（^{201}Tl）を注射し，心臓を体表からシンチレーションカメラで写し，コンピュータ処理をして，血流分布から心筋の断面や心臓の各部の動きを多方面から調べる非侵襲的な検査．狭心症や心筋梗塞などの心筋虚血や心不全，とくに急性または陳旧性心筋梗塞の部位および広がりの診断に有効である．

心電図 しんでんず
electrocardiogram（ECG）

心筋の活動電位を，体表面に装着した電極から導出し，波形として記録したもの．心電図診断では，12誘導心電図が用いられることが多い．心電図だけで確定診断できる病態は不整脈だけである．心筋虚血，心肥大，電解質異常なども診断されるが，偽陽性率および偽陰性率が比較的高いため，確定診断には心電図以外の検査が必要である．治療中の心電図としては，装着の簡便なモニタ心電図が用いられることが多い．心筋虚血や発作性の不整脈の診断には，運動などの負荷を加えて心電図を測定する運動負荷心電図などが用いられる．携帯型で24（あるいは

48）時間の心電図を連続的に記録するホルター心電図は，持続的ではない不整脈や精神的ストレスなどで引き起こされる心筋虚血の検出に用いられる．

同義語 ECG

心内膜炎 しんないまくえん
endocarditis

心室の壁は心内膜，心筋層，心外膜から構成されているが，その心内膜における炎症．本来，心内膜は炎症を起こしにくくなっている．しかし，短絡をともなう先天性心疾患，心臓弁膜疾患，それに対する人工弁置換後などが存在し，心内膜細胞の炎症やその脱落が発生すると，血小板が付着し，非細菌性血栓性心内膜炎（nonbacterial thrombotic endocarditis：NBTE）が生じるといわれている．この状態で歯科処置などにより一過性の菌血症が生じると，心内膜に細菌が付着・増殖し，細菌性疣腫が形成されると考えられている．このような病態を感染性心内膜炎という．感染性心内膜炎のリスクが高い症例では，観血的歯科処置前の予防的抗菌薬投与が推奨されている．

心肺停止 しんぱいていし
cardiopulmonary arrest（CPA）

心臓と肺の機能が停止している状態．心臓が動いていても有効な拍出がなく，頸動脈で拍動を触知しない病態も臨床的に心肺停止という．すなわち，心室細動，無脈性心室頻拍，無脈性電気活動も心肺停止とよばれる．

関連語 心臓突然死，心室細動

心肥大 しんひだい
cardiac hypertrophy

心筋細胞が大きくなり心室の重量が増加した状態．形態的には求心性と遠心性に分類される．心不全の前段階としてとらえられており，虚血性心疾患，不整脈，突然死などを起こす危険因子ともいわれている．高血圧の持続による代償性心肥大がもっとも多い．また，著しい心肥大を示すものに肥大型心筋症がある．

関連語 心不全

心不全 しんふぜん
cardiac failure, heart failure

なんらかの心臓機能障害により心臓のポンプ機能の代償機転が破綻することにより，呼吸困難や浮腫が出現し，運動耐容能が低下する臨床症候群．心不全はあらゆる心疾患が基礎疾患となり，もっとも頻度が高いのは虚血性心疾患と高血圧で，そのほか弁膜疾患，心室細動を含む不整脈，心筋疾患，肺性心などがある．症状は，運動時の呼吸困難と全身倦

怠感である．基礎疾患や，血行動態異常，とくに左室機能不全の程度により予後は異なる．一般的に，心不全の診断後の5年生存率は50％以下とされている．

関連語 心疾患

腎不全　じんふぜん
renal failure

腎機能が低下し，窒素代謝物が排泄されず，血液中の濃度が異常に上昇した病態．急性と慢性に分類される．急性腎不全は，糸球体濾過が数時間から数日で急速に低下した病態をいい，通常は可逆的である．一方，慢性腎不全は腎機能が長時間をかけて不可逆的に低下し，将来的に血液透析などの腎不全医療が必要となる病態である．歯科治療における問題点は，投与薬剤の選択，投与量，投与間隔の調整などである．

関連語 慢性腎臓病

心房細動　しんぼうさいどう
atrial fibrillation

加齢などにより器質的異常が存在する心房筋に，マイクロリエントリーとよばれる活動電位の局所的な旋回が，無数に発生することにより生じる不整脈．通常は頻脈性であるが，徐脈性になることもある．心房全体の規則正しい興奮は失われ，心房機能は停止した状態となる．このため，心房内に血栓ができやすくなり，脳梗塞などの血栓塞栓症の強いリスク因子となる．また，頻拍がコントロールされないと心不全をきたす場合がある．心電図は，基線における細動波（細かな連続する揺れ）とR-R間隔の絶対的な不整が特徴である．心房細動は，発作性心房細動，持続性心房細動，永続性（慢性）心房細動に分類される．加齢とともに増え，高齢者の代表的な不整脈である．血栓塞栓症の予防として，ワルファリンが使用されているが，最近では直接経口抗凝固薬（direct oral anticoagulant：DOAC）の使用頻度が高まっている．また，心房細動の根治を目的としてカテーテルアブレーションが行われることも多い．そのほかにもⅠ群抗不整脈薬，Ⅲ群抗不整脈薬，β遮断薬などが用いられる．

診療報酬包括払い制度
しんりょうほうしゅうほうかつばらいせいど
diagnosis procedure combination/ per-diem payment system

診断群分類に基づき，1日あたりの医療費が定額となる診療報酬の計算方法の1つ．DPC制度ともいう．適切な包括評価とするため，評価の対象はバラつきが比較的少なく，臨床的にも同質性（類似性，代替性）のある診療行為または患者群として

いる．包括払い方式は，医療の標準化を図り，過剰診療を防止することができるため，医療費全体の節減効果も期待できるといわれている．

す

推算糸球体濾過量
すいさんしきゅうたいろかりょう
estimated glomerular filtration rate
➡ 同義語 eGFR

推奨量（栄養素の）
すいしょうりょう（えいようその）
recommended dietary allowance (RDA)

ある性・年齢階級に属する人々のほとんど（97〜98％）が1日の必要量を満たすと推定される1日の摂取量．推定平均必要量に個人差を考慮した安全量を上乗せして算出されている．

関連語 日本人の食事摂取基準（2020）

推定エネルギー必要量
すいていえねるぎーひつようりょう
estimated energy requirement (EER)

エネルギー不足のリスクおよび過剰リスクの両者がもっとも小さくなる摂取量．成人（妊婦，授乳婦を除く）算出法は，推定エネルギー必要量＝基礎代謝基準値（kcal/kg体重/日）×参照体重（kg）×身体活動レベルとした．また，小児，乳児，および妊婦，授乳婦では，成長，妊娠継続，授乳に必要なエネルギー量を付加量として加えて算出する．

関連語 日本人の食事摂取基準（2020），BMI

推定平均必要量（栄養素の）
すいていへいきんひつようりょう（えいようその）
estimated average requirement (EAR)

特定の集団を対象として測定された必要量から，性・年齢階級別に日本人の必要量の平均値を推定したもの．当該性・年齢階級に属する人々の50％が必要量を満たすと推定される1日の摂取量である．

関連語 日本人の食事摂取基準（2020）

水分出納　すいぶんすいとう
water balance

一定時間内に体内に取り込まれた水分量と体外に排泄された水分量のこと．その比率から脱水状態か水分過剰かを判断し，治療や看護に役立てる．取り込む水分は経口摂取した水と食物，酸化による代謝水，それに輸液である．排出する水分は尿，便，喀痰，発汗（発熱）などに含まれるものと不感蒸泄（皮膚，呼気）である．

水分補給 すいぶんほきゅう
water supply

　高齢者に必要な1日の水分量は1,500〜2,000 mLといわれ，成人よりは少ないが，食事に含まれる水分を引いても1,000〜1,500 mLの飲水が必要になる．しかし比較的元気な高齢者でも体内水分量の減少，腎機能の低下，口渇に対する感受性が鈍化しているため，水分不足に陥りやすい．さらに寝たきりや嚥下障害のある高齢者に1,000 mL以上の飲水を勧めるのは容易なことではない．食事のときだけでなく，何回にも分けて少しずつでも補給するか，お茶や水としてだけでなく，水分の多い果物や菓子として提供したりすることが大切である．また，トロミをつけるとむせも少なく摂取しやすくなる．寝たきりの場合，少しでも身体を起こすなど体位の工夫も必要である．高齢者は脱水を起こしやすい基礎疾患をもっていることが多いので，経口的水分摂取量の減少は容易に脱水を起こす．

睡眠関連呼吸障害
すいみんかんれんこきゅうしょうがい

sleep related breathing disorders (SRBD)

　睡眠中に呼吸の停止と再開を繰り返す病態．睡眠障害国際分類第3版（ICSD-3）では閉塞性睡眠時無呼吸障害群（obstructive sleep apnea disorders：OSA），中枢性睡眠時無呼吸症候群（central sleep apnea syndrome：CSAS），睡眠関連低換気障害群（sleep related hypoventilation disorders），睡眠関連低酸素血障害（sleep related hypoxemia disorders），その他に分けられている．加齢にともない有病率と重症度は高くなる．高齢者では睡眠関連呼吸障害の症状が高齢者特有の慢性疾患と誤認される場合がある．

関連語 閉塞性睡眠時無呼吸

睡眠指針 すいみんししん
guide for healthy sleep

➡ **同義語** 健康づくりのための睡眠指針2014

睡眠時無呼吸症候群
すいみんじむこきゅうしょうこうぐん

sleep apnea syndrome (SAS)

　「睡眠時無呼吸症候群」は，日中過眠など種々の自覚症状をともなう病態の総称として一般臨床上使用されることが多い用語であるが，睡眠障害国際分類第3版（ICSD-3）では睡眠関連呼吸障害の一病態と位置づけられている．睡眠時無呼吸は，閉塞性睡眠時無呼吸障害群と中枢性睡眠時無呼吸症候群とに分けられるが，通常もっとも頻度が高い閉塞性睡眠時無呼吸障害群をさす．閉塞性

睡眠時無呼吸障害群の治療として口腔内装置を製作する場合，「睡眠時無呼吸症候群」の保険病名が求められる．

同義語 SAS
関連語 睡眠関連呼吸障害，閉塞性睡眠時無呼吸，口腔内装置

睡眠障害　すいみんしょうがい
sleep disorder

睡眠に関連した病態の総称．睡眠障害国際分類第3版（ICSD-3）により，不眠症，睡眠関連呼吸障害群，中枢性過眠症群，概日リズム睡眠・覚醒障害群，睡眠時随伴症群，睡眠関連運動障害群，その他の睡眠障害に7分類された．高齢者は睡眠時間が短縮し，断眠化，浅眠化するのが特徴であり，ストレスや薬の副作用で不眠症をはじめとするさまざまな睡眠障害を発症しやすい．

関連語 睡眠関連呼吸障害

スケーラー　すけーらー
scaler

歯面に付着したプラーク，歯石，病的セメント質および沈着物の機械的な除去や歯根面の滑沢化のために使用する器具．各歯面に効率的に当たるよう種々の形の小さく鋭利な刃部と頸部，掌握部と把柄をもつ．歯石除去には比較的大きな刃部をもつもの，ルートプレーニングには小振りな刃部のものを用いる．つねに鋭利にシャープニング（研磨）しておくことで，短時間で効果的なSRPを行うことができる．手用スケーラーのほかに，音波や超音波を利用したスケーラーも歯肉縁上部位では効率的である．

スケーリング　すけーりんぐ
scaling

➡ **同義語** 歯石除去

スタンダードプリコーション
すたんだーどぷりこーしょん
standard precautions

医療や介護現場で適用される感染予防策のこと．標準予防策ともいう．1996年に米国CDCで提唱され「汗を除くすべての血液，体液，分泌物，損傷のある皮膚・粘膜は感染性病原体を含む可能性がある」という原則に基づき，手指衛生や個人防護具（マスクやガウンほか）の着用などで感染リスクを減少させる．

同義語 標準予防策

スティーブンス・ジョンソン症候群
すてぃーぶんす・じょんそんしょうこうぐん
Stevens-Johnson syndrome

発熱（38℃以上）をともなう口唇・口腔，眼結膜，外陰部などの皮膚粘膜移行部における重症の粘膜疹およ

び皮膚の紅斑で，しばしば水疱，表皮剥離などの表皮の壊死性障害を認める重篤な全身疾患．ときに致命的になることもある．発生頻度は，人口100万人あたり年間1～6人と報告されている．その多くは薬剤が原因で発症する最重症型薬疹の1つと考えられるが，一部はマイコプラズマやウイルス感染にともなって発症することもある．

発症メカニズムについては，医薬品，感染症などにより生じた免疫・アレルギー反応によるものと考えられているが，さまざまな説が唱えられており，いまだ統一された見解は得られていない．原因と考えられる医薬品の服用後2週間以内に発症することが多く，数日以内あるいは1か月以上経ってから発症することもある．

原因と推定される医薬品は，抗菌薬，解熱消炎鎮痛薬，抗てんかん薬，痛風治療薬，サルファ剤，消化性潰瘍薬，催眠鎮静薬，抗不安薬，精神神経用薬，緑内障治療薬，筋弛緩薬，高血圧治療薬など広範囲にわたり，そのほかの医薬品によっても発生することが報告されている．

同義語 粘膜皮膚眼症候群

スパイログラム　すぱいろぐらむ
spirogram

呼吸機能検査の1つであり，換気の量と速さを測定，記録する装置（スパイロメータ）によって描かれた曲線のこと．肺活量，1秒量，1回換気量，残気量などが測定できる．重要な指標は肺活量と1秒量であり，肺活量が基準値の80％以下であれば，間質性肺炎，肺線維症，胸膜炎や胸郭の変形などの拘束性換気障害が考えられ，1秒率（1秒量と肺活量の比）が70％以下であれば，慢性気管支炎，気管支喘息や肺気腫などの閉塞性換気障害が考えられる．

関連語 呼吸機能検査

スピーチエイド　すぴーちえいど
speech aid

軟口蓋の短縮や挙上不全による鼻咽腔閉鎖機能を改善することで発音機能の改善を図る補綴装置．鼻咽腔開存部と咽頭側壁の間にバルブを挿入し，鼻咽腔を狭小化することによって，開鼻声や代償性の異常構音を防止する．スピーチエイド装着下での言語治療により鼻咽腔閉鎖機能が賦活することが報告されている．

スプリント療法　すぷりんとりょうほう
splint therapy

歯列咬合面を被覆する可撤性のアクリル樹脂製オクルーザルスプリントを用いた顎関節症の治療方法．一般的に，異常な筋活動の是正や神経筋機構のバランスの回復による筋緊

張の緩和，下顎位や下顎頭と関節円板の位置関係の改善，顎関節への負担軽減などにより顎関節症状を改善する．用途によりスタビライゼーション型，下顎前方整位型，臼歯部挙上型，前歯部接触型などがある．スタビライゼーション型は，左右均等な咬合接触を付与して咬合高径を増加させ，歯の咬頭干渉の除去，咀嚼筋の緊張軽減を目的とする全歯列接触型のスプリントである．

スポンジブラシ　すぽんじぶらし
sponge brush

口腔内の粘膜部の付着物や痰・痂皮，食物残渣など除去するための口腔清掃用具．付着物が絡みつきやすいよう加工されたスポンジ部にプラスチックや紙，木製の柄が取りつけてある．セルフケアが困難な要介護者や障害者に用いられることが多く，粘膜を傷つけないようスポンジ部を必ず湿潤させてから口腔内に使用する．スポンジ内に水分が残っていると誤嚥の危険性が高いため，ガーゼなどで余分な水分を除去した後に口腔内に使用し，清掃終了時には必ず，口腔内に溜まった唾液や水分を吸引するなどして除去する必要がある．

スリープスプリント®　すりーぷすぷりんと
Sleep Splint®

持続陽圧呼吸の適応とならない軽度から中等度の閉塞性睡眠時無呼吸障害群に対する口腔内装置による治療．下顎を前方に誘導する方法（prosthetic mandibular advancement：PMA）と舌を前方に吸着させる方法（tongue retaining device：TRD）がある．スリープスプリント®は，この口腔内装置の呼称の1つである．わが国では，2004年4月から健康保険適応となった．

関連語 ▶ 口腔内装置

スワン・ガンツ・カテーテル　すわん・がんつ・かてーてる
Swan-Ganz catheter

中心静脈圧，右心房圧，右心室圧，圧肺動脈圧，肺動脈楔入圧，心拍出量などの呼吸循環機能が測定できるカテーテル．穿刺部位は鎖骨下静脈，内頸静脈，外頸静脈で，カテーテル先端の圧を測定しながら，右房，右室，肺動脈へと進め，それぞれの圧を測定する．さらに，カテーテルには先端にバルーンがついており，それを膨らませ末梢の肺動脈壁に密着させることにより，左心系の圧の指標となる肺動脈楔入圧が測定できる．また，先端付近に温度計があり，血液の温度変化から心拍出量が算出できる．

せ

生活援助　せいかつえんじょ
life support

　訪問介護のうち，身体介護以外の部分でもっぱら家事にかかわる場合をいい，家事援助ともいわれていた．調理，洗濯，掃除，金銭管理，薬の管理，買い物などのIADLの援助とそれにともなう一連の行為であり，これを受けなければその本人の生活に支障を生じるサービスである．

同義語 生活介助
関連語 IADL，身体介護

生活介助　せいかつかいじょ
life support

→ **同義語** 生活援助

生活機能　せいかつきのう
living function

　日常生活を営むうえで必要とされる機能．一般的な健康の定義や概念には，いくつもの提案や主張がある．多くの場合，世界保健機関（WHO）憲章の前文の定義が用いられる．しかし，高齢者における健康は，加齢による機能の低下と疾病の慢性化，あるいは医療技術の進歩や社会環境の改善による疾病構造の変化，さらには寿命の延長もあり複雑である．1984年にWHOの専門委員会は，高齢者の健康について，「死亡や疾病の有無ではなく，日常生活を営むうえで必要とされる生活機能を重視すること」を提言した．すなわち日常生活機能が自立していることをもって高齢者の健康の定義とする考え方である．現在，生活機能は，ADL，IADL，老研式活動能力指標，健康寿命の定義，国際生活機能分類，介護認定など数多くの場面でその中心的な最重要概念になっている．歯科においては，歯や口を清潔に保つことと食事をとることが，二大生活機能といえる．

関連語 IADL，ADL，国際生活機能分類

生活習慣病　せいかつしゅうかんびょう
life-style related disease

　食習慣，運動習慣，休養，飲酒などの生活習慣がその発症・進行に関与する疾患群（公衆衛生審議会，1996年）．がん，心臓病，脳血管疾患，糖尿病などがおもな生活習慣病であり，う蝕や歯周病などもその範疇に含まれる．これまで成人病対策として早期発見，早期治療に重点を置いていた対策（二次予防）に加え，生活習慣の改善による発症予防（一次予防）を推進していく方針を新たに導入した疾患概念である．

関連語 NCD(s)，メタボリックシンドローム

生活の質 せいかつのしつ
quality of life
➡ 同義語 QOL

生活不活発病 せいかつふかっぱつびょう
disuse syndrome
➡ 同義語 廃用症候群

生活保護 せいかつほご
livelihood protection

　公的扶助の1つで，生活困難に陥っている国民に最低限度の生活を補償する制度．生活保護法に基づく無拠出のしくみで成り立っている．生活困難者や低所得者へ対応するため，ある条件を満たせば国民は誰でも生活保護を受けられると同法に定められている．保護は，本人の資産，能力などの活用が要件とされ，民法上の扶養やほかの制度による扶助が優先する．保護の種類は，生活扶助，教育扶助，住宅扶助，医療扶助，介護扶助，出産扶助，生業扶助，葬祭扶助の8種類があり，それぞれ生活保護基準が定められている．

関連語 公的扶助，生活保護法

生活保護法 せいかつほごほう
public assistance act

　国家による生活困窮者に対する最低限度の生活を保障する公的な救済制度を定めた法律．日本国憲法第25条に定められた国民の「健康で文化的な最低限度の生活」を営む権利を保障する制度である．人種，信条，性別，社会的身分，家柄はもとより，生活困窮に至った原因により差別されることなく，生活に困窮しているという経済的状態のみに着目して保護を行うことと規定されている．

関連語 生活保護

精神機能検査 せいしんきのうけんさ
examination of mental function

　精神機能を測定する検査法のこと．広い意味ではすべての心理検査および神経心理学的検査が含まれるが，一般的には知的能力を測定する検査をさす．本来，知能遅滞者の機能を検査する目的で作成されたものとしてビネー式知能検査があり，わが国では田中・ビネー式検査，鈴木・ビネー式検査が用いられる．健常者の知能を診断する目的では成人用としてWAIS，児童用としてWISCなどの検査がある．高齢者の認知機能の評価法としては，テスト法と行動評価法がある．テスト法は施行者による結果のばらつきがなく，対象者の能力を直接判定できるという利点があり，改訂長谷川式簡易知能評価スケールやMMSEがある．行動評価法は対象者への負担が少なく，対象者の協力が得られなくても日常生活の観察により評価できるという

利点があり，柄澤式「老人知能の臨床的判定基準」がよく用いられる．

関連語 MMSE，改訂長谷川式簡易知能評価スケール

精神障害　せいしんしょうがい
mental disorder

脳の器質的変化や機能的障害によって，さまざまな精神・身体症状や行動の変化が現れる状態．法律や診断基準によって，さまざまな解釈があり統一された定義は存在しないが，「精神保健及び精神障害者福祉に関する法律」（精神保健福祉法）では，「統合失調症，精神作用物質による急性中毒またはその依存症，知的障害，精神病質そのほかの精神疾患を有するもの」と定義しており，「障害者基本法」における「精神障害者」の定義は，「精神障害があるため，継続的に日常生活または社会生活に相当な制限を受ける者」とされている．

関連語 精神障害者保健福祉手帳

精神障害者保健福祉手帳
せいしんしょうがいしゃほけんふくしてちょう
mentally disabled person's certificate, mentally disabled person's handbook

精神障害者に対し，社会復帰を促し，自立と社会参加を図るためのもの．精神障害者保健福祉手帳は，居住地の市区町村の障害者福祉担当窓口に申請し，各都道府県・政令指定都市の精神保健福祉センターにおいて，精神障害者と認められた者に対して，都道府県知事・政令指定都市市長が交付する．

精神鎮静法　せいしんちんせいほう
psychosedation

患者の意識を失わせることなく，歯科治療に対する恐怖心や不安感による精神的緊張を和らげて，治療に協力させようとする方法．外界からの刺激に対する過度な反応が抑制され，リラックスした状態となるが応答は保たれる．呼吸・循環器系の変動は少なく，安定した状態となる．鎮痛効果は不完全なので，痛みをともなう処置には局所麻酔を併用する．薬剤の投与経路によって亜酸化窒素（笑気）吸入鎮静法と静脈内鎮静法とに分けられる．

関連語 亜酸化窒素吸入鎮静法，緩和精神安定薬，静脈内鎮静法，鎮静薬

精神保健　せいしんほけん
mental health

精神障害者に対する社会的支援のうち，発生予防，治療，保護，社会復帰，社会参加，家族への支援などをさす．その概念は法律の変遷（精神衛生法，精神保健法から現行の精神保健福祉法へ）でもわかるように，

患者に対する医療，保護施策から，障害者に対する福祉施策として位置づけが変化している．さらに，障害者自立支援法において，精神障害はこの法律の対象となり，より位置づけが明確になった．老年期の精神障害において問題となるものには，身体の加齢による変化がもたらす脳の老化（脳血管や脳実質の変化）によるもの，心理的な変化として起こる精神の老化（知的，感情的，意欲的変化）によるもの，社会的立場の変化による行動の変容（社会的地位や役割変化，収入低下，親族や知人の死亡による喪失感など）によるものなどがある．これらは誰もが避けて通れない事柄であり，精神保健は，すべての高齢者にとって共通の課題である．

生存曲線　せいぞんきょくせん
survival curve

　累積生存率を知るために，観察開始時点を100％として，一定期間ごとの対象集団の生存割合の変化を視覚的にとらえるための曲線．寿命の研究などのような生存分析に用いられるのでこの名がある．半数または90％が死亡した年齢を指標として用いることが多い．観察集団において死亡が発生するまでは生存者数は変わらないので，人数が有限の場合はプロットした線は通常階段状になる．記述疫学的な分野において地域の寿命を調べる場合はもちろん，実験疫学の分野において介入群と対照群との比較を生存分析で行おうとするときにも広く利用される．

生体情報モニタ
せいたいじょうほうもにた
patient monitor

　患者の安全確保を目的としてバイタルサインなどの生体情報を経時的に計測する装置．生体情報には，非観血的血圧，脈拍数（心拍数），経皮的動脈血酸素飽和度，心電図，呼吸数，呼気二酸化炭素分圧，観血的血圧，中心静脈圧などがある．

関連語 生体情報モニタリング

生体情報モニタリング
せいたいじょうほうもにたりんぐ
patient monitoring

　生体情報モニタを用いて，患者のバイタルサインなどの変動を監視（モニタリング）する行為．ICUや病棟などで，複数の生体情報モニタとサーバをネットワークで結び，複数の患者のバイタルサインなどの変動を，一括して監視（モニタリング）するシステムを生体情報モニタリングシステムとよぶ．

関連語 生体情報モニタ

成年後見制度 せいねんこうけんせいど
adult guardianship system

民法に定める制度で，認知症，知的障害，精神障害などによって判断能力の不十分な者が，財産管理，契約締結（医療や介護を受けるときも含まれる），遺産分割協議などをしようとする場合に，不利益を被らないように，家庭裁判所に申立てて援助をする代理人（後見人）を選任し，本人を保護し支援する制度．法定後見制度では，選ばれた成年後見人などが，本人の利益を考えながら，本人の代理として契約などの法律行為をしたり，本人が自分で法律行為をするときに同意を与えたり，本人が同意せずに行った不利益な法律行為を後から取り消したりすることによって本人を保護または支援する．以前は，禁治産，準禁治産制度によっていたが，高齢社会の進展と障害者福祉の観点などから現制度になった．

生物学的年齢 せいぶつがくてきねんれい
biological age

老化の進行状態からみた年齢のこと．さまざまな加齢変化を示す観察値から統計処理によって推定される．出生からの時間的経過を表す暦年齢は，高齢になるほど広がる個体の老化の進行度を評価する理想的な指標とはならない．そこで暦年齢に対して，各個体の老化の程度を加齢にともなう形態的変化やさまざまな機能的変化，すなわち握力，反復横跳び，前屈などの運動能力，血圧，視力，聴力などの生理機能および体形，頭髪，顔面のしわなどの外見などを指標として，総合的に算出した生物学的年齢が考案された．

関連語 ▶ 暦年齢

生命の質 せいめいのしつ
quality of life

➡ **同義語** QOL

生命表 せいめいひょう
life table

ある地域において，一定期間における集団の死亡状況が今後も変わらないと仮定したときに，同一時点に生まれた一定数の出生児の集団が年月が経つにつれて，死亡し減少していく様子を生命関数によって年齢別に示した表．生命表のデータは集団の年齢構造に依存せず，純粋にその地域の死亡状況のみを反映しているので，年齢分布の異なるほかの地域との比較や，年次比較ができるのが特徴である．とくに，0歳における平均余命は平均寿命とよばれ，保健福祉水準の総合的指標として広く活用されている．厚生労働省では，全国規模の生命表として，国勢調査に基づく完全生命表を5年に一度，国

勢調査が実施されない年にはほかの人口動態統計により簡易生命表を作成し公表している．また，最近では都道府県別，市町村別の生命表も5年ごとに公表されている．

関連語 ▶ 平均寿命，平均余命

整容動作　せいようどうさ
personal appearance activity

ADLのうち，洗顔や歯磨きなどの動作．爪の手入れ，髪の毛をとかす，肌の手入れ，さらに化粧をも整容動作に含むとする場合もある．介護福祉の現場における整容動作は，おしゃれの意味で外見を整えたり，衛生的観点からの清潔さを維持したりするばかりでなく，他者に対する自己の確認，さらには個人の尊厳を保つという重要な意味がある．したがって，整容動作の確保は高齢者が意欲をもって生きるための基本であるといえる．

また，歯科の分野においては，歯磨きはこれらの整容動作の意味に加えて，歯や口腔の清潔による内因感染の予防という具体的な意味をもつ．そのため，本人による整容動作が自立しなくなった場合の，介護者や家族による口腔健康管理は非常に大切である．

関連語 ▶ ADL，生活機能

脊髄小脳変性症　せきずいしょうのうへんせいしょう
spinocerebellar degeneration (SCD)

感染症，中毒，腫瘍，栄養障害，奇形，血管障害，自己免疫疾患などの原因以外で運動失調または痙性対麻痺をきたす疾患の総称．遺伝性と孤発性に分類される．小脳性の協調運動障害，パーキンソニズム，錐体路障害，認知症など多様な症状を呈する．多系統萎縮症の一病型であるオリーブ橋小脳萎縮症は，以前脊髄小脳変性症に含まれていたが，現在は別疾患群として扱われる．

脊柱管狭窄症　せきちゅうかんきょうさくしょう
spinal canal stenosis

脊柱管が狭窄してそのなかの神経を圧迫する疾患．背骨は錐体と錐弓からなる錐骨が重なってつくられている．錐体と錐弓の間に錐孔という孔があり，錐骨の重なりにより円柱の脊柱管を形成する．脊柱管には脳からの神経が入っている．なんらかの原因により脊柱管が狭窄してそのなかの神経を圧迫する状態を脊柱管狭窄症といい，腰部脊柱管狭窄症が多い．先天性と後天性があり，前者は発育過程における狭窄でまれである．後者が圧倒的に多く，中高年に好発する．変性による狭窄（変性す

べり症），分離（分離すべり症），混合症（先天性，発育性，変性，ヘルニアの各種の組み合わせ），医原性（脊椎手術後），外傷性などの種類がある．これらにより脊柱管内の脊椎神経もしくは馬尾神経，神経根が圧迫を受けて阻血やうっ血状態となり，下肢の痛みやしびれ感，冷感，灼熱感，絞扼感などを発症する．この結果，歩行困難になるが少し休むとまた歩けるようになる間欠性跛行が最大の特徴である．歩くことにより両脚に痛み，痺れ，脱力が増す．また，会陰部の感覚異常が生じることもある．治療法は薬物療法，硬膜外ブロック法，神経根ブロック法，装具療法，理学療法，ホットパック療法，体操療法などの保存的治療が主である．保存的治療が無効で，高度の神経障害や間欠性跛行が持続するときは手術が適応となる．

咳反射 せきはんしゃ
cough reflex

気道防御反射であり，末梢からの機械的刺激や化学的刺激がおもに迷走神経系を介して脳幹に伝達され，咳パターンジェネレーターにより生成される．咳反射は喉頭の刺激により起こる laryngopharyngeal cough と気管・気管支など下気道の刺激に由来する tracheobronchial cough に区別される．食物などの喉頭内侵入では laryngopharyngeal cough が誘発され異物を輩出し，声帯下へ食物などが入る誤嚥時には tracheobronchial cough が誘発される．

舌圧 ぜつあつ
tongue pressure

生理的には，咀嚼，嚥下，構音時の硬口蓋における舌の接触圧のことであるが，口腔内に挿入した測定装置に対する舌の押し付け圧も舌圧とよんでいる．舌圧は食塊を形成し咽頭に送り込むことに関与する．舌圧を測定することで，舌運動機能障害を把握することができるため，舌機能訓練や代償嚥下法，舌接触補助床の適応を検討するのに有用である．

関連語 舌圧測定器

舌圧子 ぜつあつし
tongue depressor

口腔内に差し入れ，舌を圧迫する木製や金属製の平らな棒．咽頭部後壁や舌根部の発赤，腫脹，出血，後鼻漏を診査，処置する際によく用いられる．そのほか，舌の感覚の有無，左右差，軟口蓋や咽頭部の触診の器具としても使用される．また，咽頭部に挿入して舌の奥を押さえることで嘔吐反射を誘発させたり，噛ませて筋力を推定する場合にも使われる．

舌圧測定器 ぜつあつそくていき
tongue pressure measuring device

舌機能を数値として測定し，定量的に評価する装置．装置にはセンサー式舌圧測定器やバルーン式舌圧測定器がある．センサー式舌圧測定器は咀嚼，嚥下，構音時の舌圧の測定が可能である．バルーン式舌圧測定器は完全な閉口・咬合状態での測定は無歯顎を除いて不可能で，食品嚥下時の生理的な舌圧を測定することはできない．

関連語▶ 舌圧

舌炎 ぜつえん
glossitis

舌の炎症性病変の総称．ただし，必ずしも本態が炎症とは限らない．舌粘膜に上皮増生，角化が起これば表面は灰白色を呈し，乳頭萎縮や乳頭の剝脱があれば舌表面は赤みを帯びて平滑な舌（平滑舌）となる．熱刺激，化学的刺激，外傷などによる急性炎症は，原因がなくなれば治癒も早く，口腔内清掃と二次感染予防に留意すればよい．一般に舌炎は全身状態や局所環境に敏感に反応した状態と考えられ，その治療に際しては局所の刺激を除去するだけでなく，原因疾患に留意することが重要である．全身的疾患の部分症状としてみられるものには，鉄欠乏性貧血（プランマー・ビンソン症候群）による平滑舌，巨赤芽球性貧血（悪性貧血）によるハンター舌炎，Sjögren症候群などの口腔乾燥を原因とする舌炎，第三期梅毒にみられる間質性舌炎などがある．消化管障害，慢性肝炎，ビタミン不足，精神的ストレス，過労なども原因になりうる．とくに名称の付された限局性の舌炎として，アフタ性舌炎，潰瘍性舌炎，黒毛舌，地図状舌（移動性舌炎），正中菱形舌炎，苺舌，リガ・フェーデ病，褥瘡性舌潰瘍，カンジダ性舌炎などがある．

石灰変性（歯髄の）
pulpal calcification

歯髄の石灰変性とは，結合組織に石灰塩が沈着する病態であり，びまん性石灰化と歯髄結石（象牙粒）がある．びまん性石灰化は歯根部歯髄の血管，神経ならびにコラーゲン線維の走行に一致してみられ，慢性歯髄炎の際に頻繁に観察される異栄養性石灰化などがある．歯髄結石は類円形の石灰化物で永久歯の臼歯，とくに高齢者で多くみられる．原生象牙質に類似した構造から不定形塊状などさまざまであり，進行した場合は根管の大半を閉鎖する場合もあり，しばしば根管治療の妨げとなることがある．

関連語▶ 歯髄結石

摂食意欲 せっしょくいよく
will of eating

みずから進んで積極的に食べたいと思う意欲のこと．この意欲の有無は高齢者のQOLや健康状態に大きな影響を与える．認知症や脳疾患などの認知機能障害によって食欲中枢が異常をきたし，食欲が亢進される．逆に，緊張，過労，睡眠不足，ストレス，運動不足，精神症状，消化器疾患により意欲の低下が引き起こされる．また，義歯の不適合，歯痛，口腔清掃不良による味覚の低下によっても食欲の低下が認められる．食欲は，体調の変化や精神的な動揺にも大きく左右される．

摂食嚥下リハビリテーション
せっしょくえんげりはびりてーしょん
dysphagia rehabilitation

摂食嚥下障害のある人々に対して医学的・心理学的な指導や機能訓練を施し，摂食嚥下機能の回復と社会復帰を図ること．健康保険の診療報酬請求上は「摂食機能療法」で同義である．摂食嚥下リハビリテーションを行うことによって，誤嚥性肺炎，窒息，脱水あるいは低栄養の危険を低下させ，人間の基本的な欲望である食べる喜びを回復することによってその人のQOLの向上に寄与できる．摂食嚥下リハビリテーションにおいては，患者の状態を正確に把握し，設定された的確なゴールに向かって医師，言語聴覚士，理学療法士，作業療法士，看護師，栄養士，歯科医師，歯科衛生士，ソーシャルワーカーなどの多職種のスタッフがチームでアプローチすることが重要となる．

関連語 摂食機能訓練，摂食機能療法

摂食機能訓練 せっしょくきのうくんれん
eating functional training

摂食機能障害のリハビリテーションの一部であり，間接訓練と直接訓練に分けられる．間接訓練とは，実際に食事をするときに使う筋や器官に対して食物を用いないで行う基礎的訓練をいう．食物を使わないため比較的安全であり，経管栄養摂取者などでも経口摂取の準備として有効な訓練法である．しかし，間接訓練のなかには，唾液や水分を使用するものもあるので，誤嚥の危険性がある者に対しては，とくに訓練前の口腔衛生管理が重要である．一方，直接訓練とは，ゼリー，ペースト状食品などを少量用いて訓練するものから，食物形態を段階的に上げて食事場面で行う訓練まで，幅広い内容を含む．食物を嚥下するため，誤嚥，窒息などに対するリスク管理が必要であり，個々の患者に合った摂食姿勢や食物形態（物性）を機能障害程度に合わせるなどしながら段階を踏

んで進めていく総合的な訓練である．食事中，訓練中は動脈血酸素飽和度などのモニタを適宜用いるのが望ましい．

関連語 ▶ 摂食嚥下リハビリテーション

摂食機能障害　せっしょくきのうしょうがい
eating dysfunction, disability of food intake function

食物を確認し（認知），口腔に取り込み，咀嚼や舌で押しつぶし（準備期），嚥下する摂食機能における障害．形態異常，神経（中枢を含む）・筋系の障害，そのほかの3つに分かれる．形態異常は，先天的なものとして唇顎口蓋裂，顎形態の異常，後天的なものとして歯列・咬合の不正，口腔咽頭領域の手術などに起因する．神経・筋系の障害は，発達障害として脳性麻痺，精神発達遅滞，各種症候群，中途障害として脳血管疾患，認知症，パーキンソン病，筋ジストロフィー，脳外傷，ALS，多発性硬化症にみられる．そのほかとしては，老人性機能減退，老化現象，個人差，投薬に起因する．

摂食機能療法　せっしょくきのうりょうほう
dysphagia rehabilitation

摂食嚥下リハビリテーションと同義であるが，わが国の健康保険における診療報酬請求上の診療名は摂食機能療法が使用される．

関連語 ▶ 摂食嚥下リハビリテーション

摂食障害　せっしょくしょうがい
eating disorder

神経性食欲不振症，神経性大食症，異食症，反芻障害を含む一群の精神疾患であり，おもに神経性無食欲症と神経性過食症の2つの病態がある．神経性無食欲症は，拒食症とよばれ，主徴として，無食欲，やせ，無月経があり，精神的には活発，活動的，治療を拒否し，どんなにやせていても自分が異常だとは認めない．また，神経性過食症は，過食症とよばれ，主徴としては，「気晴らし食い」とよばれる過食行動を頻繁に繰り返し，過食直後に嘔吐あるいは下剤を乱用する浄化行動がみられる．精神的には，無気力，抑うつ的であり，治療を求め，自分が異常だと自覚している．両者は，相互に移行することや，重複することがある．高齢者において，認知機能障害，異常行動，うつ状態，不安，幻覚，妄想，睡眠障害などの要因に影響されて出現する食思不振や摂食拒否があるが，これらに対して摂食障害という用語は使用しない．

舌清掃　ぜつせいそう
cleaning of tongue

舌を清掃すること．口腔清掃状態が悪いと，舌背に舌苔が付着する．

わが国では舌を清掃する習慣は古くからあって明治時代まで行われていたが，大正時代以降は一般的ではなくなった．しかし，近年の清潔志向や，高齢者介護の必要性から見直され，現在では種々の清掃器具が発売されるようになった．清掃方法としては，付着の多い舌分界溝から前方へ数回，軟毛歯ブラシや専用の清掃用具でかき出すようにする．ガーゼを用いてもよい．頻回に行う必要はないが，要介護者などで口腔内に異常がある場合は，歯科医師の指導を受けてから実行するのが望ましい．

関連語 舌ブラシ

舌接触補助床　ぜつせっしょくほじょしょう
palatal augmentation prosthesis (PAP)

外科的切除や運動障害を原因とした著しい舌の機能障害により，舌と硬・軟口蓋の接触が十分得られないことが原因となって，摂食嚥下障害や構音障害を生じた患者に対して用いる上顎義歯の口蓋部を肥厚させた形態の装置，または口蓋部分だけをかさ上げした装置．口蓋の形態，とくに高さを変えることで舌の機能障害を補い，摂食嚥下障害や発音障害の改善を行う．上顎に歯の欠損がある義歯装着者に対しては，義歯の床を舌機能障害に応じて肥厚させて製作する．上顎に歯の欠損がない患者に対しては，口蓋部分を被覆する床を舌機能障害に応じて肥厚させる．

同義語 PAP

舌苔　ぜったい
tongue coating, bacterial coating of tongue, tongue plaque

舌表面の舌乳頭（糸状乳頭）に口腔粘膜の剥離上皮，食物残渣，細菌，白血球などが付着した偽膜様沈着物．糸状乳頭が長くなり，種々のものが付着すると苔状にみえるようになる．色調は黄色あるいは灰白色，黒色に大別される．舌苔の色調は全身状態と大きく関連しており，東洋医学では舌体と舌苔を観察する舌診が重要な意義をもっている．舌苔が付着する誘因として，胃腸障害，糖尿病，腎疾患，血液疾患，喫煙，抗菌薬の連用などがあげられる．健常者にもみられるが，咀嚼を十分に行えない場合や口腔清掃を行わない場合に舌苔が生じやすい．舌苔は口臭，舌痛，味覚異常などの原因となる．除去法としては，舌ブラシや歯ブラシなどによる機械的清掃が一般的である．

舌痛症　ぜっつうしょう
glossodynia, glossalgia

確定的な診断基準はないが，これまでの報告では局所的な病変が認められず，臨床検査での異常はないが，

舌にピリピリ感と表現されるような疼痛や違和感がある状態．舌のみでなく口腔全体に灼熱感を呈する状態は口腔灼熱感症候群（burning mouth syndrome：BMS）という．舌痛症の特徴として以下のものがあげられる．①表在性の疼痛を訴えるが全身所見，局所所見が認められない．②疼痛は摂食時には消失（あるいは減少）することが多く，悪化しない．③がん恐怖症．④うつ病，精神疾患による症状ではない．⑤舌炎，口腔カンジダ症，プランマー・ビンソン症候群などと鑑別が必要である．

舌突出癖　ぜつとっしゅつへき
tongue thrust

　口唇や舌の突出により口唇閉鎖を行う習癖．舌突出癖は，吸指癖などから生じる前方突出などの歯列咬合形態，咀嚼嚥下や発音などの口腔機能の発達に影響を与える．舌形態や舌小帯の異常，鼻疾患などによる口呼吸，狭窄した高口蓋や骨格性異常，指しゃぶりや吸舌癖，嚥下パターンの異常などが原因としてあげられる．高齢者において，義歯の安定の破綻や舌－口蓋による口腔咽頭部の閉鎖不全により，嚥下前の食物の咽頭への早期流入を生じて，誤嚥の一因となることがある．

舌乳頭萎縮　ぜつにゅうとういしゅく
atrophy of lingual papillae

　舌背部に存在する舌乳頭（おもに糸状乳頭）が萎縮する病態．鉄欠乏性貧血，巨赤芽球性貧血，ビタミンB_{12}，葉酸の欠乏，口腔乾燥症などにより，口腔粘膜の萎縮が進行して発症する．舌背表面部は平滑となり，暗赤色を呈することから平滑舌ともよばれる．灼熱感，接触痛を認め，味覚異常を呈することがある．悪性貧血にともなうものをハンター舌炎，鉄欠乏性貧血にともなうものは，プランマー・ビンソン症候群の一症候として取り扱われている．

舌ブラシ　ぜつぶらし
tongue brush, tongue cleaner

　舌表面に付着する舌苔を除去するための口腔清掃用具．ブラシタイプやモールタイプ，シリコーン樹脂やスクレイパー（へら）タイプなど，形状や材質・大きさなどはさまざまなため，舌苔の付着状況，口腔の湿潤度，心身状態などを加味して選択する必要がある．舌分界溝から前方へ軽い力でかき出すように使用する．強い力で行うと，舌乳頭を傷つけ，痛みをともなうことがあるため注意する．

関連語 ▶ 舌清掃

セメント質 せめんとしつ
cementum

歯根象牙質の表面を被覆する硬組織であると同時に，歯と歯槽骨をつなぐ歯周組織．65％が無機質で象牙質よりもやや軟らかい．歯が萌出し，咬合が開始されてから形成される第二セメント質はセメント小腔中にセメント細胞が存在し，骨組織に類似する．しかし血管，神経はなく，骨よりも吸収されにくい．歯と歯槽骨を結ぶ歯根膜線維の一端であるシャーピー線維が埋入し，歯の支持に重要な役割を果たしている．一般的には歯根全面を無細胞性セメント質（原性セメント質）が覆い，その上を細胞性セメント質（第二セメント質）が覆っている．一生を通じて添加し続けるが，咬合していなかったり，埋伏しているとセメント質の肥大を起こす．

セメント質増殖症
せめんとしつぞうしょくしょう

hypercementosis, cementum hyperplasia

歯根面にセメント質が増生したもの．セメント質肥大，セメント質肥厚，セメント質増生ともいう．過剰な機能圧が加わった場合は，根尖部や根分岐部に多くみられる．外傷性咬合では強く引っ張られた歯根膜線維の起始部に拍車状のセメント質が形成される．逆に咬合機能が消失した場合，たとえば対合歯を失ったり埋伏していたりすると，びまん性に大量のセメント質が形成される．慢性炎症の存在でも限局性に生じる．増生部に相対する歯槽骨は吸収するため癒着はみられないが，抜歯のときの障害になる場合がある．

セルフ・エスティーム
せるふ・えすてぃーむ

self esteem

自己価値についての基本的な感情．自分について抱いているイメージに対する自己評価，理想や一定の基準に照らし合わせたときに感じる個人的な自己認識．一般に，自尊心，自己尊厳ともいわれる．自分自身に対する心情的な評価のことで，身近な出来事，健康状態，周囲の評価など，外部からの影響を受けやすい．社会的役割の変化，地位の喪失によって大きなダメージを受ける．自立し，完全な独立独行を自己の理想としていた高齢者が，脳血管疾患，認知症といった衰弱性の疾病のために自立を損ない，他人の介護に頼らざるをえなくなってしまった結果，セルフ・エスティームが低下するケースが多い．

同義語 自尊心，自己尊厳

セルフケア　せるふけあ
self care

自分の健康を増進し，疾病を予防し，疾病から逃れ，疾病から回復しようとする個々人の管理行動．一般の人々の経験から得られる知識や技能を活用したり，専門家の意見を聞いたり指導は受けるが，専門家の直接の助けを借りない管理行動をいう．歯磨きや含嗽は口腔のセルフケアであるが，高齢や障害があってできなくなったときが問題である．プロフェッショナルケアに対する用語．

[同義語] オーラルセルフケア

線維腫　せんいしゅ
fibroma

線維性組織の増殖からなる非上皮性の良性腫瘍であるが，真の腫瘍は少なく，慢性刺激に対する反応性の線維性組織の増殖性病変（過形成）であることが多い．粘膜色を呈する無痛性の腫瘤を形成する．口腔領域では，不適合義歯の機械的刺激による義歯性線維腫が多く，義歯床縁や床下粘膜に好発する．また，炎症刺激による線維性エプーリスも同様の病態である．一方，顎骨内に生じる中心性線維腫は，歯原性外胚葉間葉組織に由来する良性腫瘍で，発生母地が異なる腫瘍である．

線維性骨異形成症　せんいせいこついけいせいしょう
fibrous dysplasia of bone

骨内部が線維組織に置換される疾患で，1か所に生じる単発性と全身に生じる多発性がある．遺伝性の疾患といわれている．症状としては痛みや病的骨折などであるが，無症状の場合もある．顎骨にも生じるが，多いのは大腿骨である．高齢者特有の疾患ではなく，若年者に発見されることが多い．エックス線やMRIなどによる画像診断が有効で，治療法としては病巣の搔把や骨切除・移植がある．

前期高齢者　ぜんきこうれいしゃ
young old

65歳以上75歳未満の者のことで，75歳以上の後期高齢者に対する社会学用語である．この年齢層では，精神的にも体力的にも健康で元気な者の割合が相対的に高い．

[関連語] 後期高齢者

洗口剤　せんこうざい
rinsing agent, mouth rinse, mouth rinse solution, mouth wash, dental rinse

口をゆすぐことによって口腔内の洗浄・消毒を行える液体製剤．通常，化粧品もしくは，医薬部外品の薬用歯みがき類に該当する．用法は，製

剤を口に含んですすいだ後，吐き出す（洗口剤）．洗口後，ブラッシングを行うことが必須である製剤もある（液体歯磨剤）．効能は，化粧品の場合，製剤の性能に基づき，用法が洗口のみの場合は「口中を浄化する，口臭を防ぐ」，ブラッシングをともなう場合は「むし歯を防ぐ，歯を白くする，歯垢を除去する，歯のやにを取る，歯石の沈着を防ぐ」を標榜することが可能である．医薬部外品の場合，配合する薬用成分や用法により承認される効能が異なる．おもな効能として「口臭の防止，口中を浄化する，口中を爽快にする」がある．なお，薬用歯みがき類では有効成分となっているフッ化物は配合が認められておらず，むし歯予防の目的でフッ化物を配合した液体製剤は医薬品に該当する．フッ化物洗口剤には，歯科医師の処方に基づく医療用医薬品と薬局・薬店で購入できる一般用医薬品（第3類）がある．

関連語 含嗽剤

全身管理　ぜんしんかんり
systemic management

呼吸，循環，代謝を安定させ，主要な臓器を保護しつつ機能を維持し，体液のバランスを保ち，痛みを抑制し，かつ精神的にも安定した状態をつくり，維持すること．医療面接，視診，触診，聴診や適切な検査ならびに各種モニタの装着により患者の全身状態評価を行った後，必要に応じて投薬，補液などの処置を行い，生体の恒常性を維持するように努める．また，急性期集中治療，周術期，慢性期における患者の全身状態の回復，維持を含む．

全身性エリテマトーデス
ぜんしんせいえりてまとーです
systemic lupus erythematosus (SLE)

全身の臓器に炎症性の病変を引き起こす代表的な自己免疫疾患．男女比は1：9と女性に多く，20〜40歳に多く発症する．もっとも高頻度にみられる臓器障害はループス腎炎である．そのほかにも関節，皮膚，神経などの病変をともなうこともある．治療は，ステロイド薬と免疫抑制薬が使用される．ループス腎炎など，重要臓器に病変があれば，ステロイドパルス療法などが行われる．

全身的偶発症　ぜんしんてきぐうはつしょう
systemic complications

歯科治療で発生する偶発症のうち，全身的なものをいう．血管迷走神経反射，過換気症候群など，頻度は高いが比較的軽症のものから，アナフィラキシーショック，脳卒中，心原性ショックなど頻度は低いが，緊急対応を要する重篤なものまでさ

まざまである．歯科患者の高齢化により，重篤な全身疾患をもち，多剤を服用している患者が増えているが，それにともない，全身的偶発症の発生率・重症度も高まっていることが予測される．

前頭側頭葉変性症
ぜんとうそくとうようへんせいしょう
frontotemporal lobar degeneration

認知症の4病型分類の中の1つで，指定難病となっている．アルツハイマー病など，ほかの認知症と比較すると患者数は多くない．前頭葉と側頭葉の神経細胞の変性や脱落が認められ，精神症状，行動異常，言語障害，失語症，運動ニューロン症状など多彩な症状を引き起こす．初老期に発症しやすく，緩徐進行性である．難病指定されているように，有効な治療方法はいまのところ確立されていない．

線副子　せんふくし
splint
➡ 同義語　副子

全部床義歯　ぜんぶしょうぎし
complete denture, full denture

上顎または下顎のすべての歯を喪失した症例に対して適用される有床義歯．喪失した歯に代わる人工歯とそれを固定する義歯床からなる．人工歯には陶歯とレジン歯があるが，既製あるいは鋳造によって各個調整した金属製人工歯を用いる場合もある．義歯床には一般的にアクリルレジンが使用される．口蓋部などの義歯床の一部にコバルトクロム合金やチタン合金などの金属を用いて金属床義歯とすることもある．義歯床は歯の喪失にともなって生じた歯周組織を補うことにより審美性を回復する役割と，人工歯に加わった咬合圧や咀嚼圧を義歯床下粘膜と骨に伝える役割も有する．また義歯床粘膜面が粘膜とよく適合することによって得られる接着現象と，義歯床の周縁が可動粘膜と適切に接して封鎖が図られることによって得られる吸着現象によって義歯の維持力が向上し，咀嚼などの義歯の機能が十分に発揮できるようになる．

同義語　総義歯

喘鳴　ぜんめい，ぜいめい
stridor, wheeze, wheezing

気管狭窄により発生する口笛のような高い音．軽度の気道狭窄の場合，深呼吸や努力性呼吸の速い流速で聴取され，重度の場合，安静時呼吸でも発生する．吸気時では，気管分岐部より上方の気道狭窄，舌根沈下，喉頭痙攣，喉頭浮腫，上気道異物などが原因で，呼気時では，胸郭内の気道狭窄，気管支喘息，気管支痙攣，

肺気腫などが原因で発生する．

せん妄　せんもう
delirium

身体的原因や薬剤によって急性に発現する意識・注意・知覚の障害であり，その症状には変動性がある．見当識障害から始まる場合が多く，注意力や思考力が低下し，興奮や睡眠障害，記憶障害などのさまざま症状を引き起こす．あらゆる年齢で起こりうるが，高齢者でより多くみられる．一過性で可逆的であり通常1～2週間で消退するが，高齢者では1か月以上持続することも少なくない．過活動型，低活動型，混合型の3種類に分けられる．低活動型は無表情，無気力，傾眠などを認めることがあり，高齢者は見逃されやすい．せん妄の原因は直接因子（全身疾患，薬物，手術など），準備因子（高齢，認知症，要介護状態など），促進因子（入院などの環境変化，ストレス，疼痛，睡眠障害など）に分類される．せん妄が発症したら，まず直接因子と促進因子の除去を行うことが重要である．せん妄は認知症や死亡のリスクを高めるため，令和2年度診療報酬改定で，入院早期にリスク因子をスクリーニングすることで「せん妄ハイリスク患者ケア加算」の算定が可能となった．

専門的口腔ケア　せんもんてきこうくうけあ
professional oral health care

医療従事者が行う口腔健康管理を表す一般用語．

関連語 口腔ケア，口腔健康管理

前立腺肥大症　ぜんりつせんひだいしょう
benign prostatic hyperplasia

男性下部尿路症状・前立腺肥大症診療ガイドライン（日本泌尿器科学会，2017年）では，「前立腺の良性過形成による下部尿路機能障害を呈する疾患」とされ，付帯事項として「通常は，前立腺腫大と膀胱出口部閉塞を示唆する下部尿路症状をともなう」と記載されている．臨床的な前立腺肥大症の病態は，前立腺腫大，下部尿路症状，膀胱出口部閉塞の3つの要素より構成されている．前立腺肥大症の重要な合併症には，尿閉，肉眼的血尿，膀胱結石，反復性尿路感染症，腎後性腎不全がある．一般医においては，薬剤の単独療法が基本となる．併用療法は専門医が行うことが望ましい．十分な改善が得られないときには手術療法が適応となる．

総義歯　そうぎし
complete denture, full denture

→ **同義語** 全部床義歯

双極性障害 そうきょくせいしょうがい
bipolar affective disorder（BPAD）

　気分障害（感情障害）の1つ．うつ病相と躁病相が組み合わさり2つ（双）の極をつくるためこのようによばれる．躁状態と抑うつ状態を反復するが，躁状態よりも抑うつ状態の期間のほうが長いことが多い．過去には躁うつ病とよばれていた．躁状態は，過度の活動行動や，誇大的や易怒性，また多弁になる．うつ病相と躁病相のそれぞれの症状の程度や期間などの組み合わせにより，いくつかの亜型に分ける見方がある．

象牙質 ぞうげしつ
dentin

　歯の概形をなす組織で，歯冠部はエナメル質，歯根部はセメント質で被覆され，中心部には歯髄が存在する．約70％はハイドロキシアパタイトの結晶であるが，20％がコラーゲン線維を主体にした有機物からなる黄白色で脈管のない硬組織．歯胚の歯乳頭由来の象牙芽細胞によって形成され，原生象牙質，第二象牙質，第三象牙質の3型に分けられる．う蝕に罹患して脱灰しても軟化象牙質としてしばらくは残る．象牙質を形成する象牙芽細胞は細胞突起を象牙質内に残し，細胞体は歯髄に存在するため歯髄が生存する限り第二象牙質を歯髄側に形成する．疼痛も感じる．

喪失歯 そうしつし
missing tooth

　抜去または脱落により失われた歯．一般に歯の喪失は加齢とともに増加するといわれているが，これは正常な加齢による生理的変化ではなく，疾患や外傷の結果である．この喪失原因としてはう蝕や歯周病が多く，とくに高齢者では歯周病が多くなる．

関連語 ▶ DMF歯

早老症 そうろうしょう
progeria

　体細胞分裂の不全にともなう染色体の異常により，老化に似た現象が急速に進む遺伝子病．小児期に発症し，コケイン症候群，乳歯および永久歯の萌出遅延などがみられるハッチンソン・ギルフォード・プロジェリア症候群，成人になってから発症するウェルナー症候群などがある．早老症の患者は高齢者のような顔貌で，低身長，白髪，脱毛，動脈硬化，白内障，糖尿病などがみられ，若年のうちに動脈硬化，悪性腫瘍などで死に至る．根本的な治療法はいまだ確立されていない．

関連語 ▶ ウェルナー症候群

ソーシャル・キャピタル
そーしゃる・きゃぴたる
social capital

社会や地域における人々の信頼関係や結びつきを表す概念．物的資本や人的資本などと並ぶ新しい概念であり，社会関係資本と訳されることもある．十分なソーシャル・キャピタルを有する社会では，地域住民間で相互に協力関係が構築されているため，地域住民の健康や幸福感などにもよい影響を与え，社会全体の効率性が高まるとされる．「健康日本21（第二次）」においても，「地域のつながりの強化」が目標項目の1つとして掲げられている．

関連語 健康日本21（第二次）

ソーシャルサポート
そーしゃるさぽーと
social support

社会的関係のなかでやりとりされる支援のこと．健康行動の維持や，ストレッサーの緩和に大きな影響を与えることにより，健康づくり対策においてもソーシャルサポートの有無は重要な関連要因となる．その内容によって，情緒的サポート（共感や愛情の提示），道具的サポート（物やサービスの提供），評価的サポート（肯定的な評価の提供），情報的サポート（問題の解決に必要なアドバイスや情報の提供）に分類される．

また，地域において社会生活を送るうえで複数の個人や集団の連携による支援体制が重要である．地域包括ケアシステムの推進においても，支援体制，つまりソーシャルネットワークの考え方が大きな影響を与えている．

即時義歯 そくじぎし
immediate denture

抜歯前に義歯を製作しておき，抜歯後ただちに装着する義歯．抜歯前に印象採得と咬合採得を行い，模型上であらかじめ抜去する歯および歯槽部を顎堤の変化を予測してトリミングし，その模型上で義歯を製作しておく．通常は抜歯創が治癒してから印象を採り，義歯製作に入る．したがって，義歯が完成するまで患者は歯を喪失したまま待つことになる．義歯のない期間は患者にとって機能的，審美的，心理的に大きな負担になる．しかし，即時義歯の場合にはこれらの欠点が解消され，さらに有歯時の咬合高径，歯の位置を比較的容易に知ることができ，抜歯創を被覆することでその治癒も促進する．欠点としてはろう義歯の試適ができないことがある．

側頭筋 そくとうきん
temporal muscle

咀嚼筋の1つで，側頭窩を満たす．

起始は側頭骨の側頭面と側頭筋膜の内面で，下前方に向かって集まり，下顎骨の筋突起に停止する扇形の筋である．側頭筋は下顎骨を挙上させるほか，後部は下顎骨を後方に引く．支配神経は下顎神経の深側頭神経である．

関連語 咀嚼筋

咀嚼 そしゃく
mastication, chewing

食物を摂取した後に，食物を切断，破砕，粉砕し，唾液との混和を行いながら食塊を形成する一連の生理的過程をいう．この過程には，顎口腔系（歯，歯周組織，顎筋，顎骨，顎関節，顔面周囲筋，神経系）の多くの器官・組織が関与し，複雑な系を形成している．歯や顎骨などの欠損部の形態や機能を補い，回復させる補綴装置の影響も大きい．咀嚼を行う意義は，①食物を咬断，粉砕，臼磨し，食塊を形成して嚥下しやすくする，②味覚を刺激して唾液や消化液の分泌を促進し，消化管における食物の消化・吸収を助ける，③口腔諸組織の血流を増加させてその健康を保持し，これらの組織の生理的発育を促進する，④食物を咀嚼することによる心理的な満足感を得る，などがあげられている．また，咀嚼による脳血流増加作用により脳の老化防止にも有効といわれている．生命の維持や健康の増進だけでなく，QOL，生きる力としての重要性が強調されている．

咀嚼機能判定 そしゃくきのうはんてい
measurement of masticatory function

→ 同義語 咀嚼機能評価

咀嚼機能評価 そしゃくきのうひょうか
examination of masticatory function

食物を摂取してから食塊にするまでの，摂食，咬断（切断），粉砕，混合，食塊形成，送り込みなどの顎口腔系のさまざまな機能や能力を科学的に評価すること．それぞれの機能を単独に評価することは困難である．歯科治療の主要な目的が咀嚼機能の回復であり，咀嚼機能を臨床的に簡単に評価することは歯科治療の総合的評価としても重要である．咀嚼機能（咀嚼能力）の検査法には，咀嚼能力を咀嚼試料から直接判定する方法と，咀嚼に関与するほかの要素から間接的に評価する2つの方法がある．直接判定する方法には，篩分法のほか，溶出量や混合状態測定などにより，咀嚼された咀嚼試料の状態を客観的数値として表す方法と，義歯装着者などの咀嚼機能を摂取可能な食品により総合的に評価，判定する方法とがある．間接的検査

法は咀嚼に関与している筋の活動，咬合力，顎運動などを筋電図，咬合力計，下顎運動測定などから評価，判定する方法である．内視鏡を用いた咽頭での食塊形成の観察により，間接的に咀嚼機能を評価する方法もある．

同義語 咀嚼機能判定

咀嚼筋 そしゃくきん
masticatory muscle

下顎骨に付着して，咀嚼のための下顎運動を営む筋で，一般的に咬筋，側頭筋，内側翼突筋，外側翼突筋がこれに属する．外国では顎二腹筋やオトガイ舌骨筋，顎舌骨筋などを含む考え方もある．いずれにせよ咀嚼運動に関与するため，咀嚼筋とよばれている．これらの筋は頭蓋骨から起始して下顎で停止し，下顎骨を中心として左右対称的に存在する．咬筋と内側翼突筋は下顎挙上に，側頭筋は下顎挙上と後退に，外側翼突筋は前突と開口に関与する．これらは三叉神経第3枝である下顎神経の支配を受ける．

関連語 外側翼突筋，咬筋，側頭筋，内側翼突筋

咀嚼効率 そしゃくこうりつ
masticatory efficiency

➡ 同義語 咀嚼能率

咀嚼障害 そしゃくしょうがい
masticatory disorder

食物を摂取し，唾液と混和し食塊にして嚥下するまでに口腔，咽頭中で行われる生理的過程の障害．この過程には，歯，歯周組織，咀嚼筋，顎関節，舌筋，顔面筋など多くの器官・組織が関与しており，歯の欠損や欠如，歯周疾患，不正咬合，う蝕，口内炎，舌の炎症・潰瘍，咀嚼筋・顎関節の障害，中枢での問題などによって生じる．また，咀嚼は味覚を刺激して唾液や消化液の分泌を促進し，消化管における食物の消化，吸収を助ける作用もあるので，これも障害を受け，咀嚼することによる心理的な満足感も薄れ，患者のQOLは低下する．

咀嚼能率 そしゃくのうりつ
masticatory efficiency

咀嚼能力の評価法の1つで，食品を規定の程度まで粉砕するのに必要な仕事量のこと．一般に粉砕能力の評価に用いられる．咀嚼を一定回数行わせて，粉砕された食品の粒子の大きさを調べる方法や表面積の増加量を調べる方法，グミを咀嚼させて含有するグルコース溶出量から求める方法などがある．

同義語 咀嚼効率

咀嚼能力 そしゃくのうりょく
ability of masticatory

顎口腔系（咀嚼系）が食物を切断，破砕，粉砕し，唾液との混和を行いながら食塊を形成して，嚥下動作を遂行する前までの咀嚼に関連する能力．歯，歯周組織，軟組織の健康度や咬合状態，そして上位中枢の関与する神経筋機構による下顎運動の機能など，多くの因子からなる．

尊厳死 そんげんし
death with dignity

狭義には植物状態（遷延性意識障害）や末期状態になる以前の患者の明確な意思（リビングウィル）により，あえて患者の生命維持装置を外すことなどによって迎える死をいう．具体的には，延命だけの処置を控え，苦痛を取り除く，緩和に重点を置いた医療を行うことになる．その場合，やがて死亡することになるが，周囲に十分に見守られて迎える自然死を平穏死としてとらえることができると考え，こうして迎える死を，生前の個人の尊厳を最大に認めたという意味で尊厳死の名でよぶようになった．わが国においても尊厳死運動を推進する団体があり，その主旨に賛同して生前に自分で署名したカードなどを携行している場合がある．公証人による事実実験（直接体験した事実）による尊厳死宣言公正証書を作成し，公証人役場に保管することもできる．

関連語 安楽死，リビングウィル

た

ターミナルケア たーみなるけあ
terminal care

回復が期待できない終末期に，苦痛を軽減し，心身に平安を与えるよう施される医療や介護．さまざまな専門家がチームを組み，家族も含み残された日々を人間らしく過ごせるためのサポートを行うこと．

同義語 終末期介護
関連語 緩和ケア，終末期医療

ターミナルステージ たーみなるすてーじ
terminal stage

➡ **同義語** 終末期

体位 たいい
position, body position

立位，坐位，臥位などの姿勢のこと．立位は足底部を基底面として立っている状態である．坐位は骨盤と大腿部を底面とする体位で，椅坐位（椅子に腰をかけてすわる），端坐位（ベッドの端に両下肢を垂らして腰かける），長坐位（上体を起こして両下肢を伸ばしてすわる），半坐位（上体を45度くらい起こした

体位）などがある．臥位は頭部から下肢まで平面上に位置して横たわっている状態で，仰臥位（背部を下にしてあおむけに臥床する），側臥位（身体の左右どちらかを下にして臥床する），腹臥位（うつぶせになる）などがある．体位からみた安定性は臥位がもっとも優れ，次いで坐位，立位の順である．臥位はエネルギー消費量も少なく，もっとも疲労しにくく安楽な体位であり，長時間の休息や睡眠に適する．特殊な体位としては膝胸位，砕石位，骨盤高位（トレンデレンブルグ体位：骨盤を頭より高くした体位）などがあげられる．診察，診療，あるいは口腔健康管理において，安楽や安全などの種々の要因に配慮して体位を選択する．

第一次予防　だいいちじよぼう
primary prevention
➡ 同義語 一次予防

体格指数　たいかくしすう
body mass index

成人の体格を評価するための国際的な指標．［体重（kg）］÷［身長（m）の2乗］で算出される値．肥満ややせの判定に用いる．乳幼児にはカウプ指数，学童にはローレル指数が存在する．年齢層によって値は変化する．高齢者（65歳以上）ではフレイル予防に配慮し，日本人の食事摂取基準（2020）では65〜69歳の目標とするBMIの下限を従来の20.0から21.5に引き上げた．65歳以上の高齢者の目標とするBMIは21.5〜24.9である．

関連語 日本人の食事摂取基準（2020），BMI

第三次予防　だいさんじよぼう
tertiary prevention
➡ 同義語 三次予防

帯状疱疹　たいじょうほうしん
herpes zoster

水痘帯状疱疹ウイルスによる接触または飛沫感染症．小児期に初感染の場合は水痘として発症するが，不完全免疫をもつ者の再感染または再燃では帯状疱疹となる．神経の走行に沿って皮疹がみられ，激痛をともなう．肋間神経に沿うのが好発部位であるが，顔面に生じ，顔面神経麻痺をともなうこともある．顔面神経第Ⅰ，Ⅱ，Ⅲ枝単独もしくは複数枝で発症する．治療には経口抗ウイルス薬を用いる．高齢者では皮膚症状が治癒した後に，罹患領域に帯状疱疹後神経痛が残ることが多いので，発症後できるだけ早い抗ウイルス薬の投与が重要であり，重症の場合は入院下で点滴静脈内注射を行う．また60歳以上の健常者であれば，罹患経験のあるなしにかかわらず予防

用のワクチンの接種が可能である．

耐糖能　たいとうのう
glucose tolerance

血糖値を正常に保とうとする働き．食物は体内で消化吸収され，血液中にブドウ糖として増加し，インスリンの作用で栄養分として細胞内へ取り込まれる．また，体内には肝臓はじめ脂肪などに栄養分が蓄積されており，この栄養分も利用されるが，インスリンはこれら栄養分の出し入れにも働き，血糖値を正常に保つ．これら一連の作用を通じて血糖値を正常に保つ働きを耐糖能という．耐糖能の評価には75gブドウ糖負荷試験（75g OGTT）が用いられる．

関連語 糖尿病

ダイナペニア　だいなぺにあ
dynapenia

2008年に提唱された概念で，加齢にともなう筋力低下のこと．サルコペニアと同様に，死亡率や身体機能障害のリスク因子であることが報告されている．ダイナペニアでは，骨格筋量は正常であるが，筋機能が低下しているとされている．

第二次予防　だいにじよぼう
secondary prevention

➡ 同義語 二次予防

耐容上限量　たいようじょうげんりょう
tolerable upper intake level (UL)

食事摂取基準で設定されている過剰摂取による健康障害を防ぐ量．習慣的な摂取により，健康障害をもたらすリスクがない上限量としている．脂溶性ビタミンや鉄，カルシウムなどサプリメント摂取の過剰摂取を防ぐために利用されることがある．

関連語 日本人の食事摂取基準（2020）

唾液　だえき
saliva

唾液腺から口腔内に分泌される分泌液で，水，電解質，粘液，多くの種類の酵素からなり，正常では1日に1～1.5L程度，安静時唾液で700～800mL程度分泌される．成分は99.5％が水分で，残りは無機質と有機質が約半分ずつを占める．デンプンをマルトース（麦芽糖）へと分解するβ-アミラーゼを含む消化液としても知られ，口腔粘膜の保護や洗浄，殺菌，抗菌，排泄などの作用をもち，また緩衝液としてpHが急激に低下しないように働くことで，う蝕予防効果を有する．味覚や咀嚼による刺激唾液は，粘り気の少ない漿液性の唾液が大量に分泌される．

唾液減少症　だえきげんしょうしょう
oligoptyalism, oligosialia

唾液分泌の減少した状態．唾液分

泌の阻害，減少により口腔内の粘膜が乾燥した状態を表した病状名である．その原因には，加齢（老人性萎縮），全身疾患（シェーグレン症候群，糖尿病，甲状腺機能亢進症など），医原性のもの（薬の副作用，放射線照射，経口挿管など），心因的なもの（ストレス），習慣性のもの（口呼吸など）が考えられる．唾液の分泌量は平均1～1.5L/日であるが，唾液減少症の患者は0.5L/日ほどに低下することもある．唾液の分泌が障害されると，口腔内の健康も障害され，全身疾患のリスクも高くなる．唾液減少症が持続すると，味覚機能が低下し，咀嚼中に食塊を形成しにくいことから，十分な栄養摂取ができなくなる．また，唾液の減少によって口腔内は易感染性となるため，歯周病の進行やカンジダ菌の感染には注意が必要である．

慢性唾液腺炎や老人性唾液腺萎縮症が原因の唾液減少症では，唾液腺の機能が完全に失われていることはあまりないので，レモン，梅干しなどの酸味の強い食物やガムなどで唾液腺の分泌機能を促すようにし，対症療法としてうがいと口腔清掃を行う．また，人工唾液の使用も有効である．放射線治療などで唾液腺の機能が失われている場合は，対症療法とともに病状に応じて唾液分泌を促す薬剤を投与し，口腔健康管理を注意深く続け，口腔感染症の予防に努める．

関連語 ▶ 唾液分泌障害

唾液腺 だえきせん
salivary gland

口腔粘膜に開口する外分泌腺であり，唾液を分泌する．唾液腺は腺房部と導管部より構成されている．腺房細胞には漿液細胞と粘液細胞の2種類がある．唾液腺は交感神経と副交感神経により二重支配を受ける．ヒトの唾液腺は大唾液腺（耳下腺，顎下腺，舌下腺）と口腔粘膜に広く分布する小唾液腺（口唇腺，頰腺，口蓋腺，舌腺，臼歯腺）に分類される．唾液腺の加齢変化として，腺房細胞の萎縮，間質における脂肪組織の増加などがあげられる．

唾液腺萎縮 だえきせんいしゅく
atrophy of salivary gland

唾液腺の細胞が正常の大きさより小さくなる退行性変化．生理的には加齢による老人性萎縮として現れるが，病的には各種の全身性疾患，唾液腺炎や唾石症など腺自体の疾患，囊胞や腫瘍による圧迫，局所に対する放射線の影響など，さまざまな場合により起こりうる．腺組織のなかでは腺房細胞，とくに漿液細胞が変化を生じやすく，高度な場合，腺房はほとんど消失する．導管部では上

皮が扁平化して管腔が拡大し，末梢導管部では上皮の増殖性変化がみられることもある．耳下腺では腺房の萎縮，消失とともに脂肪組織の増生が生じ，脂肪性萎縮の状態をきたすことが多い．顎下腺では線維の増生が多くみられる．また，実質の加齢変化にともなって，小導管内に唾液糖タンパクの沈着による凝固物が増加することにより，唾石形成の関連因子となりうると考えられている．硬口蓋部の腺組織では，壮年期から徐々に脂肪組織と結合組織の増殖が起こり，高齢者では腺房の大きさも縮小する．

関連語 ▶ 唾液分泌障害

唾液潜血反応　だえきせんけつはんのう
sialotic occult blood test

唾液中に混入している微量な赤血球の有無を検出する検査．歯周病原菌が歯肉溝のなかに侵入し，増殖すると炎症反応が起きる．炎症の徴候の1つである出血の有無を簡単，迅速に判定することで，歯周病のスクリーニングや初期段階の診断の一助となる．唾液潜血反応を調べる検査は，成人歯科検診や歯科ドックなど集団検診の場で広く行われている．方法は，唾液を採取し，採取した唾液に唾液潜血反応試験紙の発色部分を2～3秒浸した後，30秒間放置し，ヘモグロビン濃度を色調により判定する．測定結果は色調で示されるため医師のみならず患者（被験者）も認知できる．検査においては，唾液採取は飲食および歯磨き後2時間以上経過していることが望ましいとされている．

唾液腺腫瘍　だえきせんしゅよう
salivary gland tumor, sialoma

大唾液腺や小唾液腺に生じる腫瘍のこと．良性/悪性，上皮性/非上皮性，原発性/転移性に分けられる．その約9割は耳下腺に発症する．耳下腺に発症する腫瘍の約8割は良性腫瘍であるが，顎下腺に生じる腫瘍の約4割は悪性である．舌下腺や小唾液腺の腫瘍の発症率は，これらに比べてかなり低い．もっとも多い良性多形腺腫は増大するのが非常に遅いため，何年も前から硬い腫瘤を自覚しているということもある．悪性腫瘍の場合は，腫瘤を自覚してからの進行が速く，痛みや顔面神経麻痺が現れたり，放置すると頸部リンパ節転移が現れたりする．診断は画像診断に加え，核医学（RI）検査や細胞診などが行われることもある．治療としては，手術が必要で，耳下腺や顎下腺では顔面神経麻痺に注意が必要となる．

唾液腺造影法　だえきせんぞうえいほう
sialography

大唾液腺の口腔内開口部からヨード製剤を注入し，唾液腺導管や唾液腺の状態をエックス線画像から検査する方法．撮像対象となる部位は耳下腺と顎下腺であり，唾液腺の微細な描出のみならず，導管の走行，導管の拡張，収縮，断裂，さらに唾液腺腫瘍や唾石の有無などを把握することができる．また，腫瘍性病変は造影剤が入らないので無影となる．方法は，唾液腺開口部より造影剤を緩徐に注入し，患者が痛みなど不快感を訴えたら注入を止める．この状態でパノラマ，歯軸方向投影，後方斜位投影などのエックス線画像を撮影する．造影剤注入前の画像と比較することにより，より正確な診断を得ることができる．造影検査においては，ヨード製剤によるアナフィラキシーショックや遅発性の副作用があるため，ヨウ素過敏検査が事前に必要であり，唾液腺病変に急性症状があるときは禁忌である．なお，唾液腺造影法はエックス線を用いるため，微量ではあるが放射線被曝をともなうことを患者に説明する必要がある．

唾液粘稠度 だえきねんちょう（ちゅう）ど
viscosity of saliva

唾液の物理・化学的性状の1つで，唾液粘度，唾液粘性とも表現する．一般に粘稠度とは，物質が流動や形態変化に抵抗する流動抵抗の意味として，液体に用いられる．唾液粘稠度を決める有力な因子は，唾液に含まれるムチンであり，耳下腺唾液の粘調度は水の約1.5倍，混合唾液では耳下腺唾液の1.5〜2倍である．また，粘稠度は加齢とともに上昇し，唾液分泌量も減少する傾向にあるため口腔乾燥感や不快感，会話困難，摂食嚥下困難などと関連することが多い．さらに，う蝕や歯周病への罹患性とも関連があると考えられ，粘稠度を測定する実験が数多く行われている．

唾液分泌障害
だえきぶんぴ（つ）しょうがい
disturbance of saliva secretion

生理的または病的な原因による唾液分泌量の減少あるいは消失．これにより，唾液減少症または口腔乾燥症を引き起こす．成人の唾液分泌量は，1日1〜1.5Lといわれており，そのうち90％は耳下腺，顎下腺から，残りは舌下腺，小唾液腺から分泌される．唾液をつくり，分泌する唾液腺は，自律神経の影響を受けるため，緊張や不安，怒りを感じたときなどには交感神経が優位になり，唾液の分泌量は減少する．また，なんらかの原因で脱水状態になったとき，身体からの水分の喪失を防ぐために，唾液の分泌量は減少する．さ

らに，加齢とともに唾液腺の分泌機能は衰えていくため，一般に高齢者では口腔内が乾燥しやすくなり，女性の場合は，閉経にともないホルモンなどの関係で分泌障害が起こる．

病的な原因としては，炎症や腫瘍を含む唾液腺疾患，全身疾患による唾液腺機能障害，放射線照射による唾液腺萎縮，咀嚼障害などがあげられる．また，薬剤による唾液の分泌障害は，副交感神経遮断薬であるアトロピン硫酸塩，ロートエキスのほか，ニコチン，コカイン，降圧薬，向精神薬，抗悪性腫瘍薬，抗ヒスタミン薬などでみられる．

関連語 口腔乾燥症，シェーグレン症候群，唾液腺萎縮，唾液減少症

唾液分泌促進剤
だえきぶんぴ（つ）そくしんざい
sialogogue,
saliva stimulating agent

唾液の分泌を促進する作用をもつ薬剤．塩酸セビメリンや塩酸ピロカルピンは副交感神経系の唾液腺内ムスカリンM3受容体を刺激することにより，唾液の分泌を促進させる．これらの薬剤はシェーグレン症候群または頭頸部の放射線治療にともなう口腔乾燥症の治療薬として用いられる．ほかに，胆汁分泌促進作用をもつアネトールトリチオンや，痰分泌促進作用をもつ塩酸ブロムヘキシンなどもムスカリン受容体作動薬とは作用機序が異なるが，唾液分泌促進作用をもつため，治療薬として用いられる．さらに，対症療法の1つであるが哺乳動物の耳下腺から抽出されたホルモン製剤も用いられる．また，近年は漢方薬も注目されており，気管支炎の治療に用いられる麦門冬湯などが唾液分泌促進作用ももつことから，促進剤として用いられることもある．

唾液分泌量
だえきぶんぴ（つ）りょう
salivary flow rate,
salivary secretion rate

単位時間あたりの唾液採取容量または重量のこと．採取時の条件や採取対象などにより種別される．採取時の条件では，味覚，咀嚼など一定の刺激条件下で唾液採取を行う刺激唾液分泌量や，安静条件下で唾液採取を行う安静時唾液分泌量などがある．採取対象では全唾液分泌量，耳下腺唾液分泌量などがある．採取量の多い刺激唾液分泌量などでは1分間あたりの，採取量の少ない安静時唾液分泌量などでは10～15分程度での採取量で表すことが多い．一般に，日内変動，年内変動，年齢，性別，性ホルモン（月経，妊娠），薬剤，喫煙などにより変化するといわれている．しかし近年では，日内変動よりも気分による変化のほうが大きい

という報告もある．また，検査前の経口摂取や喫煙，ブラッシングの影響を受けるため，採取前一定時間はそれらを禁止する．口腔乾燥の診査，う蝕リスク判定，補綴治療のためなどに測定される．

関連語 刺激唾液分泌量

多系統萎縮症 たけいとういしゅくしょう
multiple system atrophy（MSA）

中年発症の孤発性で進行性の神経変性疾患であり，小脳失調やパーキンソニズムのような運動障害と自律神経障害を示す病態．シャイ・ドレーガー症候群，オリーブ橋小脳萎縮症，線条体黒質変性症は，それぞれ多系統萎縮症（MSA）の表現型の1つである．変性は小脳，大脳基底核，脳幹，脊髄に認められる．MSAは小脳症状を示すもの（MSA-C），パーキンソニズムを示すもの（MSA-P）に分類される．わが国ではMSA-Cが多い．いずれの病型も嚥下障害を発症しうる．

関連語 シャイ・ドレーガー症候群

多剤耐性菌 たざいたいせいきん
multidrug-resistant bacteria

多くの抗菌薬（抗生物質）に耐性を獲得した菌のこと．多くの菌種があるが，代表的なものは1970年代以降に発見されたMRSA（メチシリン耐性黄色ブドウ球菌）や2000年代に入って発見された多剤耐性結核菌などが有名である．多剤耐性菌の出現は抗菌薬の不適切な使用を背景に世界的に増加の傾向にあり，それに対応して2015年5月の世界保健総会では，薬剤耐性（AMR）に関するグローバル・アクション・プランが採択され，加盟国は2年以内に薬剤耐性に関する国家行動計画を策定することを求められた．わが国でも薬剤耐性対策に関する包括的な取り組みについて議論するとともに，「国際的に脅威となる感染症対策関係閣僚会議」のもとに，「薬剤耐性に関する検討調整会議」を設置，2016年4月，同関係閣僚会議において，わが国として初めての薬剤耐性（AMR）アクションプランが決定された．

多剤投与 たざいとうよ
polypharmacy

1人の患者に多くの種類の薬剤が投与されている状態．一般的に，薬剤数が増加するにつれ，有害作用の発現頻度も高くなる．高齢者では，疾患にともなう薬剤数増加に加え，副作用の発現率も高いため注意が必要である．また，複数の診療科を受診していることが多く，同じような薬効の薬剤が処方されていることもある．お薬手帳などを活用して重複を防ぐことに加え，薬剤の相対価値

や優先順位を考えて投薬数を調整することも重要である．

多職種連携　たしょくしゅれんけい
cooperation of multidisciplinary team, interdisciplinary team

　歯科医療，医療，看護，予防，健康増進，介護，福祉などを適切かつ効率的に実施するために，これらにかかわる職種が連携してチームアプローチを行うこと．具体的には，歯科医師，歯科衛生士，医師，看護師，薬剤師，栄養士，言語聴覚士，理学療法士，作業療法士，ソーシャルワーカーなどがかかわる．

唾石症　だせきしょう
salivolithiasis

　唾液腺導管もしくは導管内に生じる結石で，主成分は唾液由来のリン酸カルシウムである．唾液の排出障害により，唾液腺の腫脹や食事時の疼痛（唾疝痛）を引き起こす．ときに無症状で経過し，パノラマエックス線写真などで，偶見的に発見される．排出障害が遷延化すると唾液腺機能が低下して，腺体の廃用萎縮を認めることがある．症状や部位に応じて，唾石や腺体の摘出が行われる．

多臓器不全　たぞうきふぜん
multiple organ failure (MOF)

　肝臓，腎臓，心臓，脳などの多くの臓器が，同時にあるいは連鎖的に侵されていく急性で重篤な不全病態．おもに，重症のショック，敗血症など重度の感染症，重度の外傷や熱傷，重症内科疾患などを原因として，腎不全，肝不全，呼吸不全に陥る．重症感染症と組織・細胞障害が絡んで発生し，重症のショックでは組織の血圧低下が酸素低下をもたらし，組織障害を起こす．細胞障害による細網内皮系の機能低下が進むとさらに感染症が増悪する．

同義語 MOF

脱感作　だつかんさ
desensitization

　特異的な反応が生じる刺激を減弱させたり類似した条件で刺激することで，その後にはじめの条件の刺激を与えても反応しなくなること．細胞や組織に刺激を与えるとその刺激に特異的な反応が生じるが，その際，最適でない条件下などで刺激すると，その後に最適条件に戻しても，細胞や組織は反応を示さないことがある．アレルギー治療に用いる減感作療法はこれに相当する．気管支喘息，アレルギー性鼻炎，花粉症などにおいて原因となる抗原（アレルゲン）を回避できない場合や，ハチアレルギーで次回刺傷時にアナフィラキシーショックに陥る危険性の高い場合に行う免疫療法などがある．こ

れはIgE抗体が関与する即時型アレルギー反応の原因抗原を，順次濃度と量を増しながら皮下注射を繰り返し，そのアレルゲンに対する過敏性を低下させようとする治療法である．注射の間隔は通常，週1～2回である．最近は，短期間に大量のアレルゲンを投与する急速減感作療法も試みられており，連日あるいは1日に複数回の投与を行う場合もある．奏効機序としては，IgE抗体の減少，遮断抗体の出現，肥満細胞の反応性の低下などが考えられているが，詳細は明らかではない．

脱水 だっすい
dehydration

体内の水分と電解質が欠乏している状態．原因として水分の摂取不足，多量の発汗，嘔吐，下痢，利尿薬の使用などが考えられる．症状としては，口渇や体重減少，皮膚乾燥，皮膚の緊張感・湿潤感の喪失，眼窩陥凹などで，さらに進むと，体温上昇，衰弱，全身痙攣などの神経症状，幻覚，意識の錯乱に及ぶこともある．対策は水分や電解質の補給で，経口的あるいは経静脈的に緩徐に行う．

多発性硬化症 たはつせいこうかしょう
multiple sclerosis

中枢神経における原因不明の慢性炎症性脱髄疾患．20歳代での発症が多く，女性に多い．患者数は増え続けている．視神経症状，脊髄症状，脳幹症状が認められる．1か月程度で自然寛解することもあるが，多くは再発を繰り返す．発症後，20年程度で小脳失調などにより歩行障害をきたす．認知機能障害がみられることがある．髄鞘に対する自己免疫的機序が関連していると考えられている．治療としては，副腎皮質ステロイド投与や疾患修飾療法（disease modifying therapy：DMT）が行われる．

タフトブラシ たふとぶらし
tuft brush

円錐状の毛束よりなる歯ブラシ．植毛が1束のタイプや，小さな植毛を数束集めたタイプのものもあり，ブラシの硬さや刷毛部の長さもさまざまで，刷掃部位に応じたものを選択する．歯間鼓形空隙が大きく開いたポンティック・補綴歯の周囲・インプラント，孤立歯，最後臼歯遠心面，挺出歯，矯正装置装着部や叢生歯など，歯間ブラシではプラーク除去のむずかしい部位に使用する．

関連語 歯ブラシ

DALY だりー
disability adjusted life years

傷病，機能障害，リスク要因，社会事象ごとに健康に影響する大きさ

を定量的に取り入れた指標.障害調整生命年ともいう.早期死亡による疾病負担を示す損失生存年数（YLL）と日常生活への障害負担を定量化し重みづけされた障害生存年数（YLD）の合計値で表される.理想的平均寿命からの質的乖離年数を示し，集団における健康結果を評価する指標になる.

同義語 障害調整生命年

短期入所 たんきにゅうしょ
short stay, respite care unit
➡ **同義語** ショートステイ

短期入所生活介護
たんきにゅうしょせいかつかいご
short-term admission for daily life long-term care
➡ **同義語** ショートステイ

短期入所療養介護
たんきにゅうしょりょうようかいご
short-term admission for recuperation
➡ **同義語** ショートステイ

地域医療構想 ちいきいりょうこうそう
community health care vision

地域医療ビジョンともいい，病床の機能分化・連携を進めるために，高度急性期，急性期，回復期，慢性期の4つの医療機能ごとに2025年の医療需要と病床の必要量を推計し，提示するもの.2014年の通常国会で成立した「医療介護総合確保推進法」により，2015年度より都道府県が二次医療圏単位で地域医療構想を策定している.地域医療構想により，医療の機能分化と連携がさらに進むことが期待されている.

関連語 医療介護総合確保推進法

地域医療支援病院
ちいきいりょうしえんびょういん
community health care support hospital

医療法で定められている医療機関の機能別区分のうちの1つで，都道府県知事によって承認される.二次医療圏あたり1つ以上存在することが望ましいとされており，地域医療連携を行ううえで中核的な役割を有する.地域医療支援病院の要件は，原則として病床数が200床以上の病院であること，紹介患者に対する医療を提供すること，ほかの医療機関に対して高額な医療機器や病床を提供し共同利用すること，地域の医療従事者の資質向上のため生涯教育などの研修を実施すること，救急医療を提供する能力を有することである.

関連語 医療法，医療連携

地域ケア会議　ちいきけあかいぎ
community care conference

　地域包括ケアシステムの実現のために，高齢者個人に対する支援の充実と，それを支える社会基盤の整備を同時に推進するための手法．地域包括支援センターで実施される圏域ごとの個別ケースのケアマネジメント支援のための実務者による地域ケア個別会議と，関係諸機関の代表者を包含する地域ケア推進会議がある．地域ケア会議では，多職種の協働による困難事例などの支援を図り，地域支援ネットワークの構築，高齢者の自立支援に資するケアマネジメント支援，地域課題の把握などを行うため，歯科医師，歯科衛生士のさらなる参画が期待されている．

関連語 地域包括ケアシステム，介護保険法

地域支援事業　ちいきしえんじぎょう
community support projects

　2006年の介護保険法の改正で組み入れられた事業で，介護保険サービスの非該当者を対象とし，できる限り地域で自立した生活を続けられるように市区町村が実施する「介護予防・日常生活支援総合事業」「包括的支援事業」と「任意事業」から構成される．2015年4月の介護保険法の改正により，新たに包括的支援事業として，生活支援体制整備，認知症施策推進，在宅医療・介護連携推進，地域ケア会議推進にかかわる事業が加わり，体制強化が図られた．

地域包括ケアシステム
ちいきほうかつけあしすてむ

community-based integrated care system

　介護が必要になった高齢者が，住み慣れた自宅や地域で暮らし続けられるように，医療，介護，介護予防，生活支援，住まいの5つのサービスを，一体的に受けられる支援体制のこと．今後の地域における高齢者ケアに関する基幹システムである．PDCAサイクルに基づき，市町村で実施されている3年ごとの介護保険事業計画の策定と実施によって，地域でのニーズを踏まえたうえで，構築を図っていくことが求められている．

関連語 地域包括ケア病棟

地域包括ケア病棟
ちいきほうかつけあびょうとう

hospital ward for community-based integrated care system

　在宅医療を含む地域医療連携を円滑に推進させることを目的とした病棟または病室．2014年の診療報酬改定により新たに設定された．高度急性期・急性期医療から在宅療養ま

でを結ぶ要として期待されている．①高度急性期病院などからの患者の受け入れ，②在宅療養あるいは居住系介護施設などに入所している高齢者の急性疾患の患者の受け入れ，③在宅復帰支援の3つの重要な機能を有し，病棟全体が包括ケアを行う体制となっている．

関連語 地域包括ケアシステム

地域包括支援センター

ちいきほうかつしえんせんたー

community health and care support center for elderly

地域住民の心身の健康の保持および生活の安定のために必要な援助を行うことにより，保健医療の向上及び福祉の増進を包括的に支援することを目的とする施設（介護保険法第115条の46）のこと．設置の目安は中学校区域（人口2～3万人程度の規模）に1か所とされている．2005年の介護保険法の改正で創設された．設置主体は市町村であるが，社会福祉法人，社会福祉協議会，医療法人などに委託することもできる．保健師，社会福祉士，主任介護支援専門員といった専門の職種が配置されている．利用対象者はその地域に住んでいる65歳以上の高齢者やその家族などであり，要介護度にかかわらず利用できる．事業内容としては，総合相談支援，権利擁護，包括的・継続的ケアマネジメント支援，介護予防ケアマネジメント，地域ケア会議など地域支援事業を中心に実施する．地域包括ケアシステムを実現するための施設である．

関連語 介護保険

地域保健

ちいきほけん

community health

地域住民の健康の維持・増進を目的として行われる疾病予防と衛生対策を中心とした行政サービス．わが国では，この用語が行政的に用いられてきた経緯があり，母子保健，成人保健，老人保健などの対人保健に，環境衛生，食品衛生，廃棄物処理などの対物保健が加わる．近年の包括医療の概念の普及により，地域医療と同義に用いられることもある．

関連語 地域保健法，公衆衛生

地域保健法

ちいきほけんほう

community health act

保健所法が1994年の「地域保健対策強化のための関係法律の整備に関する法律」の成立により，改正されたもの．1997年に完全施行された．地方分権の推進を踏まえ，高齢化，疾病構造の変化，地域住民のニーズの多様化などを背景に，新たな地域保健体系のあり方を示した法律である．国，地方自治体の責務，地域保健に関する基本方針の策定，保健

所，市町村保健センター，小規模市町村への支援などについて定められている．

地域密着型介護老人福祉施設
ちいきみっちゃくがたかいごろうじんふくししせつ

nursing welfare facility for the elderly in the community

2006年の介護保険法の改正にともなって導入された地域密着型サービスの1つ．定員29人以下の小規模な介護老人福祉施設（特別養護老人ホーム）である．原則として施設が所在する市町村に居住する要介護者を対象として，入浴，排泄，食事などの介護，機能訓練，健康管理などを提供する．

関連語 介護老人福祉施設，特別養護老人ホーム

地域密着型サービス
ちいきみっちゃくがたさーびす

community based care service

2006年の介護保険法の改正によって創設されたものであり，今後増加が見込まれる認知症の高齢者や中重度の要介護高齢者などが，できる限り住み慣れた地域での生活が継続できるように，市町村で提供されるサービス．その市町村の住民のみがサービスを利用することが可能であり，市町村単位で必要整備量を定めることで，地域のニーズに応じたバランスの取れた整備を促進することをめざしている．市町村が地域の実情を踏まえ，事業者の指定や監督を行う．

関連語 介護保険，介護保険施設

地域連携クリティカルパス
ちいきれんけいくりてぃかるぱす

community cooperation clinical path, community cooperation critical path

複数の医療機関や介護施設などが連携して作成する，疾病の発生からリハビリテーション，在宅復帰までの一連の診療計画のこと．地域連携クリニカルパスともいう．疾患ごとに作成される地域連携クリティカルパスを地域の関係機関で共有することにより早期回復，早期退院を促し，地域での切れ目のない医療の提供が可能となる．地域完結型医療の推進のためには不可欠なものであり，地域包括ケアシステムとも密接に関連する．

関連語 医療法，医療連携

チーム医療
ちーむいりょう

team medical care

医療環境モデルの1つで，患者の疾病に的確に対応するために，医療に従事する多種多様なスタッフが各々の高い専門性を前提にして情報や目的を共有し，業務は専門ごとに

分担するが，同時に互いに連携していく医療のこと．医療の複雑化，高度化が進んでいるので，チーム医療により患者中心の医療をめざし，医療の質と安全の向上，医療従事者の負担軽減などが期待されている．

知覚運動検査　ちかくうんどうけんさ
sensory-motor examination

　運動障害や行動障害の原因や脳の機能を知る手がかりを得るための作業検査の1つ．人間は，視覚や聴覚などの知覚情報を得て，それらを統合して手や足をはじめとする諸器官の運動機能に反映して一連の作業を遂行する．しかし，高齢者においては，脳血管疾患の後遺症や加齢による機能低下など種々の原因により，十分な運動機能や作業が阻害されることがあるのでその程度を知るための検査が必要になる．代表的な検査法であるベンダー・ゲシュタルト・テスト（BGT）においては，被検者に点や直線，曲線，併合図形などを模写させて，正確さ，混乱度，描画方法などを検査する．視覚・運動機能の障害，器質的脳疾患の診断，認知症や統合失調症などの診断にも使用されている．

智歯周囲炎　ちししゅういえん
pericoronitis of the wisdom tooth

　智歯の解剖学的な萌出部位が不足するため半埋伏状態となり，深い歯肉囊を形成する．智歯の歯冠周囲に慢性炎症が持続し，ときに急性転化を生じる．とくに下顎智歯に周囲炎が出現しやすい．半埋伏智歯部の周囲粘膜の発赤と腫脹，歯肉囊からの排膿，自発痛と圧痛，開口障害が著明となり，重症感染症を引き起こすこともある．

地図状舌　ちずじょうぜつ
geographic tongue

　舌背や舌側縁の舌乳頭が一部欠損し，地図のようにまだらな模様を呈した舌のこと．模様は変化することが多い．原因は不明であるが，基本的には病的意義はないため治療は不要である．自覚症状はないことが多いが，疼痛や灼熱感をともなうことがまれにある．舌炎や口腔カンジダ症による舌の偽膜形成や紅斑との鑑別が必要である．若年者に生じることが多いが，高齢者でも生じる．

窒息　ちっそく
choking, suffocation

　組織が低酸素分圧下で機能することを強いられると，組織，細胞が低酸素，無酸素の状態に陥り，最終的には死に至る病態．気道閉塞などによる酸素供給の遮断が完全で，中枢神経症状をともないながら，数分～10分で死に至る急性窒息と気道

閉塞などが不完全で，比較的長時間経過後に死亡する遷延性窒息とに分類される．

中心静脈栄養法
ちゅうしんじょうみゃくえいようほう
intravenous hyperalimentation
　大静脈にカテーテルを挿入して高カロリーの輸液を行うこと．経口摂取が不能になった場合，末梢静脈からの輸液は1週間程度が限度なので，それ以上の期間にわたる栄養管理が必要な場合に用いる．元来，手術後回復期の栄養補給のための方法であり，直接栄養成分を注入することになるが，気胸，出血，細菌感染などの合併症を起こしやすく，十分量を摂らせるためや回復後の見通しも含めて，1か月程度をめどに経管栄養法に切り替えることを原則とする．したがって，終末期の患者に長期にわたって用いる方法ではないとされる．

関連語▶ 末梢静脈栄養法

中性脂肪　ちゅうせいしぼう
neutral fat
　グリセロールと脂肪酸が1～3分子結合したものである．生物学では一般に，脂肪酸が3つ結合したトリグリセリド（triglyceride：TG）のことをさす．血清TGが150 mg/dL以上は高トリグリセリド血症といい，脂質異常症の診断基準の1つであり，動脈硬化性疾患の危険因子とされている．

関連語▶ 脂質異常症

超音波歯ブラシ　ちょうおんぱはぶらし
ultrasonic tooth brush
　ブラシ先端に超音波振動素子があり，それによって発生した超音波振動（1.6 MHz）によって機械的に清掃をする電動歯ブラシ．プラーク細菌層のバクテリアの繊毛や不溶性グルカンを破壊し，連鎖を切る．また，唾液中で使用することで，キャビテーション効果が増大し，歯の表面だけでなく，歯間部や歯周ポケットなどまでその効果が得られるとされている．超音波による振動は補助的な効果であるため，手用歯ブラシと同様に小刻みに動かす必要がある．

関連語▶ 電動歯ブラシ

聴覚障害　ちょうかくしょうがい
hearing impaired
　聴覚が低下し，音が聞こえにくいこと．外耳，鼓膜および中耳の障害による伝音性と，内耳または聴覚神経の障害による感音性，および両者を併発している混合性に分類される．加齢が原因の聴覚障害を老人性難聴といい，感音性が多い．駅のアナウンスや自動車の近づく音など，音声の情報が多く使われている現代

社会では，聴覚障害は生活の支障をきたしやすい．聴覚障害に対しては，補聴器の装用による聴力の補償が望まれるが，補聴器は音をマイクロフォンで拾って音圧を増幅し，それを耳に聴かせるため，音がある程度のひずみをもつ．装用するだけでは使いこなすことはできず，装用訓練が必要である．内耳に人工のチップを埋め込む人工内耳は，健康保険適用となっている．

関連語 老人性難聴，難聴

超高齢社会 ちょうこうれいしゃかい
super aged society

高齢化率が21％を超えるなど，高齢化が著しく進展した社会のこと．わが国は先進国のなかでも高齢化が急速に進み，2007年には超高齢社会に突入したといわれている．

関連語 高齢化社会，高齢社会

聴診 ちょうしん
auscultation

呼吸音，心音，腹部音などを聴いて，診断の一助とすること．呼吸音は，減弱または消失，喘鳴，捻髪音，ラ音などがある．心音は心臓の弁によって生じる音であり，雑音の部位により僧帽弁閉鎖不全症や大動脈弁閉鎖不全症といった弁の閉鎖不全，大動脈瘤などの心室または大動脈の形状の異常，大動脈弁狭窄症，肺動脈狭窄などが鑑別できる．腹部音は，腹部，おもに腸の器官が発生する音であり，無腸雑音，低腸雑音，高腸雑音などがわかる．

直接訓練 ちょくせつくんれん
direct therapy

摂食嚥下障害に対する訓練のうち食物を使うものをさす．誤嚥の危険性がある患者に対して食物を使わない訓練（間接訓練）を行い，嚥下機能が改善した後に安全に摂取可能な食物を練習として摂取させ，徐々に栄養摂取経路としての経口摂取に移行する．経管で栄養摂取している患者が，練習という意味合いではなく，いわゆる「お楽しみ」としての少量の経口摂取を行っている場合には，直接訓練と表現しないほうが望ましい．

関連語 間接訓練，摂食機能訓練，摂食機能療法

治療用義歯 ちりょうようぎし
treatment denture

最終義歯の製作に先立ち，咬合治療，粘膜治療などを目的として装着される暫間的な義歯のこと．その治療目的としては，咬合高径や下顎偏位などの下顎位の修正と確立，変形した顎堤粘膜の調整，発赤や炎症の治療，歯の小移動（MTM）などがある．新たに義歯を製作する場合と，

現在使用中の義歯を修正または改造して治療用義歯とする場合とがあるが，症例とその目的によって選択する．

鎮静薬　ちんせいやく
sedative drug, sedative medicine

脳や神経の活動を抑えたり鎮めたり，睡眠を導入したり，精神的緊張や不安を軽減するための薬剤の総称．種類としてはベンゾジアゼピン系，バルビタール系などさまざまな薬剤がある．これらの薬は不安や緊張の軽減のほかに睡眠薬としても使用され，また一部の薬は痙攣やてんかんの治療にも使用される．副作用として発疹，発熱，頭痛，疲労感，幻覚などがある．周術期の管理でも広く使われており，とくに術後の鎮静，集中治療室などでは必須の薬剤である．

関連語▶ 精神鎮静法

鎮痛薬　ちんつうやく
analgesic

意識喪失を起こさず，選択的に痛みを抑制する薬剤．大別すると麻薬性鎮痛薬と解熱性鎮痛薬がある．麻薬性鎮痛薬は，麻薬性鎮痛薬と拮抗性鎮痛薬に分類される．モルヒネをはじめとする麻薬性鎮痛薬は手術侵襲に対する鎮痛と過剰なストレス反応の制御，強い痛みに対する治療手段として用いられている．拮抗性鎮痛薬は身体依存形成作用が弱く，耽溺性が低い．解熱性鎮痛薬には，末梢でのCOX-2の作用を阻害することにより，炎症促進性プロスタグランジン産生を抑制する非ステロイド系抗炎症薬（NSAIDs）と，脳内および脊髄内のCOXを阻害し，複数の機序で下行性疼痛抑制系を賦活することにより鎮痛効果を発現すると考えられているアセトアミノフェンがある．

関連語▶ 非ステロイド系抗炎症薬

通院困難者　つういんこんなんしゃ
patients having a condition that it is difficult to visit to the clinic

身体的もしくは精神的理由により，病院（診療所）に通院することが困難な条件を有する者．医療保険制度においては原因疾患の有無で決まるものではなく，個々の患者の状況を勘案することで訪問診療の対象とするかどうか検討する．

通院者率　つういんしゃりつ
outpatient rate

疾病頻度の指標の1つ．ある集団のなかで，医療機関に通院している者の割合．

通所介護　つうしょかいご
day service

　自宅で生活する高齢者のうち，介護や援助が必要な者や若年性認知症の者を，通所介護事業所などにおいて昼間だけ預かり，入浴や食事の提供や，それらにともなう介護や軽い運動やレクリエーション，手芸などの趣味的活動をして過ごす事業をいう．この活動を通じて，生活上の相談，助言，健康状態の確認などを行うことも期待されている．

同義語 デイサービス

通所介護事業所
つうしょかいごじぎょうしょ
day service center

　なんらかの支援が必要な者に対し，日帰りにて通所介護（デイサービス）を提供する施設のこと．デイサービスセンターともいう．児童や障害者などを対象にするセンターもあるが，要介護高齢者を対象にした通所介護事業所がわが国ではもっとも多い．送迎などにより日帰りで，入浴，日常動作訓練，養護，食事，生活指導，家族介護教室，健康チェックなどのサービスを実施するのが一般的であるが，近年では介護予防を目的にサービスを提供する施設も増加している．このサービスは，利用者の自立生活の助長，心身機能の維持・向上を図るとともに，社会的孤独感を解消し，その家族の身体的・精神的な介護負担を軽くすることで在宅療養・介護を支援する目的で設立されている．

同義語 デイサービスセンター

通所サービス　つうしょさーびす
outpatient services

　介護保険サービスにおける施設に通って利用するサービス．通所介護（デイサービス）と通所リハビリテーション（デイケア）がある．

関連語 介護保険，通所介護，通所リハビリテーション

通所リハビリテーション
つうしょりはびりてーしょん
day care

　病状が安定期にあり，計画的な医学的管理のもとにおいて，リハビリテーションを必要とする在宅の要支援，要介護高齢者を，介護老人保健施設，病院，診療所などに通わせ，心身の機能の維持回復を図り，日常生活の自立を助けるために理学療法，作業療法およびそのほか必要なリハビリテーションを行うことをいう．デイケアともいう．

同義語 デイケア

て

TIA てぃーあいえー
transient ischemic attack
➡ 同義語 脳虚血発作

DNAR 指示 でぃーえぬえーあーるしじ
do not attempt resuscitation order

重篤な疾患の末期などにおいて，心肺停止になっても心肺蘇生を行わない，という患者あるいは家族の意思に基づいて，医師が出す指示．DNR 指示あるいは DNACPR 指示ともいう．

関連語 ▶ アドバンスケアプランニング

DMF 歯 でぃーえむえふし
DMF teeth

未処置，抜去および処置された歯の過去のう蝕経験をあわせたもの．高齢者のう蝕診査の集計にもこの指数が使われることが多い．DMF の文字は，順に未処置歯（decayed：D），喪失歯（missing：M），処置歯（filled：F）を表すが，この場合の喪失歯は，本来，う蝕により歯を失った場合のみに限定されている．これまでの研究によると，30〜40歳を境に，歯周病による喪失が多数を占めるようになるので，個人の歯の喪失原因を特定することが困難な成人や高齢者の疫学調査報告における DMF については，その解釈には注意を要する．

関連語 ▶ 未処置歯，喪失歯，処置歯

TMJ てぃーえむじぇー
temporomandibular joint
➡ 同義語 顎関節

低位咬合 ていいこうごう
infraocclusion

一部の歯あるいは人工歯の咬合面が正常な咬合平面まで達しないような咬合状態と，咬頭嵌合位が適正な咬合高径よりも低い位置にある咬合状態．前者の場合，咬合平面の乱れや咬合接触の異常をともなう場合も多い．矯正治療と補綴装置による治療が必要となる．後者の場合，咬合高径の低下により，咀嚼時の下顎の異常運動，咀嚼筋の疲労感や顎関節に障害を起こす場合などがある．咬合挙上を行う場合，天然歯列者の場合は歯冠修復，義歯装着者の場合は咬合面再構成あるいは義歯の再製作が必要となる．

TBI てぃーびーあい
tooth brushing instruction
➡ 同義語 刷掃指導

低栄養 ていえいよう
undernutrition, underfeeding

栄養素の摂取量が必要量に満たないこと，または満たない状態．長期間にわたり極端に少ない食事量や極

端な偏食を続けると，正常な代謝機能を維持できない．その結果，貧血，体重減少，抵抗力の減退が起こる．

デイケア でいけあ
day care
➡ 同義語 通所リハビリテーション

デイサービス でいさーびす
day service
➡ 同義語 通所介護

デイサービスセンター
でいさーびすせんたー
day service center
➡ 同義語 通所介護事業所

データヘルス計画 でーたへるすけいかく
data health plan

　レセプト・健診情報などのデータ分析に基づき，保健事業をPDCAサイクルで効果的・効率的に実施するための事業計画のこと．高齢化や生活習慣病の増加にともなう医療費の増加を抑制するために，各保険者にて特定健診やレセプトなどの情報を活用することにより，実施する保健事業をより費用対効果の高いものとし，最終的には健康寿命の延伸を図ることをめざす施策である．すべての健康保険組合は2015年度からデータヘルス計画を実施しており，医療ビッグデータ分析を保健活動に活用する取り組みがなされている．

電解質異常 でんかいしついじょう
electrolyte imbalance

　電解質のバランスが崩れた状態．体内のナトリウムや塩素，カリウム，重炭酸などの値が異常になると生体にさまざまかつ大きな影響が現れる．脱水，低タンパク血症，内分泌疾患，嘔吐，下痢，消化管液の漏出，尿細管性アシドーシス，アジソン病，ネフローゼ，利尿薬投与，腎不全などが原因として考えられる．

電子歯ブラシ でんしはぶらし
electronic tooth brush

　内蔵した電池により人体との間に直流回路を構成することによって流れる微弱電流を利用して，通常の歯ブラシよりも高い刷掃効果を期待する歯ブラシ．微弱電流による回路でブラシにマイナスイオンが発生し，ブラシは（−），歯・プラークは（＋）に帯電する結果，プラークが歯から離れやすくなり効果的に除去される．電子歯ブラシの応用には，①歯肉炎などの歯周疾患に対する治療効果，②象牙質知覚過敏症に対する効果，③う蝕予防を目的としたフッ化物イオン導入への応用，④口腔清掃効果の向上，がある．普通の歯ブラシと比較して，プラークが除去されやすいこと，使用後，プラークが付

着しにくいことが報告されている．

関連語 歯ブラシ，電動歯ブラシ，超音波歯ブラシ

伝達麻酔　でんたつますい
conduction anesthesia, field block

　治療する部位より中枢側の知覚神経伝導路に局所麻酔薬を作用させ，その部位より末梢側を麻酔すること．広範囲で長時間を要する治療を中心に，複数歯など比較的広い治療部位，治療部位に炎症がある場合，治療部位の変形を避けたい場合，浸潤麻酔では十分な効果が得られない場合，あるいは三叉神経痛の診断ならびに治療に用いられる．歯科領域の注射部位では下顎孔が多いが，そのほかにも，眼窩下孔，上顎結節，大口蓋孔，切歯孔，オトガイ孔などが使用される．浸潤麻酔と同じまたはより低濃度の局所麻酔薬を使用する．

関連語 局所麻酔

デンタルフロス　でんたるふろす
dental floss

　隣接面や歯肉溝内のプラークの除去，う蝕の検査などに用いるナイロン製の糸．糸にワックスのついているものとついていないものがあるが，ついているほうが緊密な接触点の場合でも通過しやすく切れにくい．通常，フロスは糸巻きに巻かれた状態でパッキングされ，指に巻いて用いるが，使いやすいようにホルダー付きでさらにディスポーザブルのもの（糸楊子）もある．また糸自体が太くて軟らかいものや幅の広いテープ状のものは，ブリッジのポンティックの下面や，歯根の露出の著しい場合に効率よく清掃できる．ポンティックの下面の清掃には，細く硬い通し糸がついた極太のブラシ様フロス（スーパーフロス®など）やフロススレッダー（糸通し）があると便利である．高齢者の場合は手先の巧緻性が衰えていることも多いので，初めて使うのであればホルダー付きのものが望ましい．

関連語 フロッシング

デンチャープラーク　でんちゃーぷらーく
denture plaque

　義歯に付着したプラーク．義歯の材料であるレジンは長期間使用すると，ブラシによる傷などにより，その表面が粗糙になる．歯にプラークが付着するのと同様に，粗糙になった義歯には，歯の場合と多少細菌叢は異なるがデンチャープラークが付着する．デンチャープラーク中の細菌でとくに問題になるのは，*Candida albicans*で，義歯性口内炎や嚥下による消化管のカンジダ症の原因となる．高齢者では*Candida albicans*

に限らず，デンチャープラークに生息する菌によって起こる誤嚥性肺炎も重要な問題である．

転倒　てんとう
accidental fall

高齢者が要介護状態になる原因として，転倒による骨折が引き金になることが多い．要介護にならずとも骨折は高齢者の身体自立を阻害するため，転倒予防対策は大切である．転倒事故の約半数は自宅で起こっているとされ，階段，風呂場などが事故発生場所になるのは当然として，1〜2cm程度の段差やカーペットの端など，ふだん見過ごされている場所での転倒も数多く報告されている．これらの場所の足元の改良や手すりの設置など，住宅の改造は転倒予防に有効である．転倒を運動機能面から眺めてみると，老化による身体バランス感覚の低下や，いったん崩れた体勢を立て直すための反射的な反応の遅れと筋力不足など平衡機能によるもの，高血圧や循環器障害，パーキンソン病や中枢神経障害などの疾患によるもの，服用している薬物の副作用によるものなどが，単独であるいは複合してその原因になる．一般的な転倒予防のためには日常生活のなかに本人の体力に見合った体操や運動を取り入れるのが効果的であるとされている．

電動歯ブラシ　でんどうはぶらし
electric toothbrush

電気の動力によって作動する歯ブラシ．歯ブラシ本体の把柄内にあるギアモーターにより，ヘッドが往復運動，反復回転運動，楕円運動，振動運動，偏心運動，複合運動する．電池式のものと充電式のものがある．現在，高速運動電動歯ブラシ，音波歯ブラシ，超音波歯ブラシに大別される．電動歯ブラシは短時間で清掃効果が高く，技術習得が容易であるため，上肢の不自由な人や手用歯ブラシをうまく使えない人（矯正装置装着者）などにはとくに適している．手の巧緻性が衰えたり，障害のある高齢者，また要介護者を介護する者にとっては，使い方によっては便利である．プラークの除去効果は手用と同等もしくはそれ以上と考えられている．プラークがよく落ちるということは，やりすぎにもなりやすく，また正確に当てられなければ，手用同様にプラークを落とせないこともある．歯科医師や歯科衛生士の指導のもとに有効に活用するのが望ましい．

関連語 歯ブラシ，超音波歯ブラシ，電子歯ブラシ

と

トゥースウェア とぅーすうぇあ
tooth wear

酸蝕, 咬耗, 摩耗によって生じた歯の実質欠損. 酸蝕は歯が酸によって化学的に溶解されること, 咬耗は歯と歯の接触によりすり減ること, 摩耗は歯以外の物理的な方法・手段によりすり減ることと定義されている. 最近では咬合異常などバイオメカニカルな荷重のひずみによる歯質の喪失をアブフラクション (abfraction) として, トゥースウェアの要因に入れることがある. トゥースウェアは上述の病態が独立して生じる現象ではなく, 各要因が同時にかかわった病的状態といえる.

関連語 酸蝕症（歯の）

統合失調症 とうごうしっちょうしょう
schizophrenia (SZ)

主として若年から壮年期前に発症する. 発症年齢や特徴により, 破瓜型, 緊張型, 妄想型, 単純型などの亜型に分類される. 有病率は1%前後である. 症状は, 陽性症状（幻覚や妄想）や陰性症状（感情などの平板化, 意欲の低下）がみられ, 基本的には慢性的に進行し,「残遺状態」とよばれる状態に至る. 統合失調症患者は口腔の清浄行動が適切に行えないなどの理由で口腔領域の種々の疾患に罹患しやすいといわれている. また服薬の影響により, 口腔機能の運動障害や唾液分泌低下, さらに咽頭反射が低下するという報告もある.

疼痛管理 とうつうかんり
pain control

おもに薬剤を用いて痛みをコントロールすること. 術後では鎮痛薬の投与が中心になる. かつては, 痛みは避けられず, 耐えるものとの考えがあったが, 近年は, 治療中の局所・全身麻酔を積極的に利用したり, 術中から術後にかけて麻薬性鎮痛薬, 拮抗性鎮痛薬, 非ステロイド系抗炎症薬も含めた薬剤で痛みをコントロールしてQOLの向上を図る疼痛管理が主流となってきた.

導尿 どうにょう
urethral catheterization

尿道カテーテルを外尿道口から挿入し, 尿道を通して膀胱まで誘導し, 膀胱内の尿を排出させること. 輸液管理のための尿量測定, 膀胱内洗浄, 前立腺肥大による排尿困難などの治療目的や尿路感染症検査, 糖尿病や腎機能検査, 尿路外傷の診断に使用されている. 尿道カテーテル使用の合併症としては, 尿道や腎臓の感染症, 敗血症, 尿道外傷, 皮膚の炎症, 膀胱結石, 血尿などがある.

糖尿病 とうにょうびょう
diabetes mellitus, diabetes

インスリン量あるいはその作用の低下による慢性の高血糖状態を示す代謝疾患．糖尿病は1型，2型，その他の特定の機序，疾患によるもの，妊娠糖尿病に分類される．1型は膵ランゲルハンス島のβ細胞の破壊・消失によりインスリンが欠乏することが原因で発症する．2型はインスリン分泌低下やインスリン抵抗性上昇をきたす遺伝因子に，過食，生活習慣，肥満などの環境因子が加わり，発症する．糖尿病の典型的症状は，口渇，多飲，多尿，体重減少である．糖尿病による高血糖状態が持続すると，合併症として，糖尿病性神経障害，糖尿病性腎症，糖尿病性網膜症などが起こる．そのほかにも，低血糖，心血管系合併症，脳血管疾患などのリスクも上昇する．治療は食事療法や運動療法，経口血糖降下薬やインスリンの皮下注射などを行う．

> 関連語　HbA1c，耐糖能

糖尿病性神経障害
とうにょうびょうせいしんけいしょうがい
diabetic neuropathy (DN)

糖尿病による慢性合併症で，糖尿病性細小血管症を病因とする末梢神経障害．糖尿病の三大合併症の1つ．糖尿病合併症でもっとも高頻度である．病態としては，血糖コントロールが不良であるときに観察される四肢感覚異常であり，通常は血糖のコントロールで消失していく．発生の機序は確立されておらず，代謝異常，血管障害（血流低下），神経再生障害などが原因としてあげられるが，多因子が関与されている．サイトカインの関与した炎症性機序も考慮されており，インスリンやCペプチドの神経に対する直接作用の作用不足の重要性を各受容体との関連で示唆する報告もある．

> 関連語　糖尿病，糖尿病性腎症

糖尿病性腎症
とうにょうびょうせいじんしょう
diabetic nephropathy (DN)

糖尿病による慢性合併症で，糖尿病性細小血管障害によるびまん性あるいは結節性の糸球体硬化症を主体とする腎疾患．糖尿病の三大合併症の1つ．糖尿病性腎症は，維持透析の原因疾患の第1位である．1型糖尿病における腎症は微量アルブミン尿の出現から発症し，10～15年で顕性腎症期に移行していく．その後は約半数の症例で末期腎不全に至る．生活習慣に依存する2型糖尿病でも，腎症を発症すれば類似した経過をたどる．血糖コントロールだけでなく，血圧コントロール，タンパク質摂取制限など多岐にわたる対応

が必要である．

関連語 糖尿病，糖尿病性神経障害

糖尿病性網膜症
とうにょうびょうせいもうまくしょう
diabetic retinopathy

　糖尿病による慢性合併症で，後天性失明の原因の多くを占める病態．糖尿病の三大合併症の1つ．ほかの病因による視力低下との鑑別は眼底所見による．単純網膜症および前増殖網膜症では病変が黄斑部付近でなければほとんど無症状だが，増殖網膜症では出血による光路遮断や牽引性網膜剥離による視力低下が急速に出現する．単純網膜症の治療は血糖や血圧の管理が中心となるが，黄斑症をともなうものや前増殖網膜症や早期の増殖網膜症に対しては光凝固療法が適応となる．硝子体出血，網膜剥離に対しては硝子体手術を行う．

関連語 糖尿病

糖負荷試験　とうふかしけん
glucose tolerance test

　糖尿病の診断および治療方針を決定するために用いられる検査．通常は早朝空腹時に開始し，75ｇのブドウ糖の内服前，30，60，120分後の血糖値や尿糖，血中インスリン値などを測定する．負荷後2時間血糖値が200 mg/dL以上を糖尿病型，負荷後2時間血糖値が140〜200 mg/dLの場合を境界型とする．

関連語 糖尿病

動脈硬化　どうみゃくこうか
arteriosclerosis

　動脈の壁が厚くなり，弾力性が低下し，動脈の内腔が狭くなる病態．動脈硬化症はアテローム性動脈硬化症（粥状硬化症），細動脈硬化症，メンケベルク硬化症に分類される．このうち，もっとも多いのはアテローム性動脈硬化症である．動脈硬化症のリスク因子には，脂質異常症，高血圧，喫煙，糖尿病，肥満，年齢などがある．動脈硬化症は，虚血性心疾患，脳血管疾患，動脈瘤などを引き起こすリスクがある．このため，先進国では主要な死亡原因である．

動脈瘤　どうみゃくりゅう
aneurysm

　動脈の一部が異常に拡張し，瘤状になった病態．部位により脳動脈瘤，胸部大動脈瘤，腹部大動脈瘤などがある．原因は動脈硬化，大動脈炎，外傷，結核などがある．動脈瘤があり，高血圧などで内圧が上昇すると，動脈瘤が破裂するリスクがある．脳動脈が破裂すると，クモ膜下出血，脳内出血などとなる．また，大動脈の破裂は致死的である．破裂の可能性が高い動脈瘤が発見された場合は，脳動脈瘤ではクリッピングやコ

イル塞栓術，胸腹部大動脈瘤では，人工血管置換術あるいはステントグラフト内挿術が行われる．動脈壁の解離で発生し，瘤状となったものを解離性大動脈瘤という．

動揺歯　どうようし
tooth loosening, tooth mobility, mobility tooth

　重症化した歯周疾患や咬合性外傷などにより生理的範囲を超えて動揺が激しくなった歯のこと．定められた検査基準はないが，多くの例では，生理的動揺，軽度の動揺，中程度の動揺，強度の動揺（垂直的方向にも動くもの）などのように4段階に分類している．歯科用ピンセットを用いて，前歯部は挟んで，臼歯部は中心窩などに先端を立てて，おもに頰舌方向に動かして判定する．ある程度以上に進行した歯周病においては，歯周ポケットの深さよりも歯の動揺のほうが重症度をより反映しているともいわれる．

特定機能病院　とくていきのうびょういん
advanced treatment hospital

　医療法に基づき，高度な医療技術や設備を備え，高度医療の研究開発や医師の研修を行う病院であり，厚生労働大臣が承認する．配置の目安は三次医療圏（都道府県単位）に約1施設である．具体的な基準は，定められた16以上の診療科があることや400以上の病床を備えていることなどである．入院基本料の加算で一般病院より多くの診療報酬を受けられるといったメリットがある一方で，医療事故の防止を徹底する安全管理委員会の設置などが義務づけられている．

関連語▶ 医療法

特定健康診査　とくていけんこうしんさ
specific medical check up

　メタボリックシンドローム（内臓脂肪症候群）のリスクについて階層的に評価するもの．生活習慣病といわれる糖尿病や高血圧症や脂質異常症は，心筋梗塞や脳血管疾患などの重大な病気につながり，QOLの低下や医療費の増大を招く．特定健康診査でリスクが高いと判定された者については，特定保健指導を行い，生活習慣をより望ましいものに変えていく行動変容を促す．法的根拠は，「高齢者の医療の確保に関する法律」であり，医療費適正化の見地から特定健康診査の実施主体は医療保険の保険者となっている．

関連語▶ 特定保健指導

特定高齢者　とくていこうれいしゃ
high-risk elderly

　2006年の介護保険法の改正による予防重視型システムの導入により

位置づけられたもので，要支援，要介護状態となる可能性が高いと考えられる65歳以上の高齢者のこと．介護予防健診で生活機能についてのリスクを問診，理学的検査，血液化学検査などにより把握し，また，保健師などの訪問指導により，生活機能が低下していると思われる高齢者の把握を行うこととなった．地域包括支援センターにおいて作成される「介護予防サービス計画」に基づき，みずからの意思によって地域支援事業としての介護予防事業に参加できる．その後2010年には「二次予防事業対象者」と名称が変更された．

関連語 介護予防・生活支援サービス事業対象者

特定保健指導 とくていほけんしどう
specific health guidance

特定健康診査によって判定されたメタボリックシンドロームのリスク階層に基づき実施される保健指導．その目的は，対象者が自分の健康状態を自覚し，生活習慣の改善のための自主的な取り組みを継続的に行うことができるようにすることにあり，対象者が健康的な生活にみずから改善できるよう，さまざまな働きかけやアドバイスを行う．生活習慣の改善の必要性が高い者を「積極的支援レベル」，中程度の者を「動機づけ支援レベル」，低い者を「情報提供レベル」と3つのレベルに分け，リスクに応じた指導を行う．

関連語 特定健康診査

特定保健用食品
とくていほけんようしょくひん
food for specified health uses

通常の食生活において身体の生理学的機能などに影響を与える保健機能成分を含み，特定の保健効果があることが承認された食品のこと．製品ごとに食品の有効性や安全性について審査を受け，表示について国の許可を受ける必要がある（健康増進法第26条第1項の許可または同法第29条第1項の承認）．有効性の科学的根拠のレベルには届かないが，一定の有効性が確認される「条件付き特定保健用食品」と，科学的根拠が蓄積されている関与成分について規格基準を定め，審議会の個別審査なく，規格基準により許可する「特定保健用食品（規格基準型）」がある．また関与成分の疾病リスク低減効果が医学的，栄養学的に確立されている場合，許可表示の1つとして疾病リスク低減表示が認められているものもある．特定保健用食品および条件付き特定保健用食品には，それぞれに許可マーク（通称トクホマーク）がついている．

関連語 保健機能食品，栄養機能食品

特別養護老人ホーム
とくべつようごろうじんほーむ
special nursing home for the elderly

　日常生活に常時介護が必要で，自宅では介護が困難な要介護高齢者を対象とした老人福祉施設の1つ．介護保険における施設サービスの1つである．介護保険法上は，指定介護老人福祉施設とよばれる．入所者は食事，入浴，排泄などの日常生活の介護や健康管理を受けることができる．老人福祉法で指定された特別養護老人ホームのみが介護保険法によって，都道府県から「介護老人福祉施設」の指定を受けられる．

関連語▶ 老人福祉施設，老人ホーム，介護老人福祉施設

特別用途食品
とくべつようとしょくひん
food for special dietary uses

　乳児，妊産婦，授乳婦，嚥下困難者，病者など，医学・栄養学的に特別な配慮が必要な対象者の発育，健康の保持，病気の回復に適するという，特別な用途の表示が許可された食品．表示の許可にあたっては，規格または要件への適合性が審査され，消費者庁長官の許可を受ける．特定保健用食品は特別用途食品制度と保健機能食品制度の両制度から位置づけられている．

ドライアイ
どらいあい
dry eye

　涙液（層）の質的または量的な異常により引き起こされた角結膜上皮障害．症状として，眼乾燥感，眼疲労，起床時の粘着感，異物感，瘙痒感，充血などがあげられる．治療法として，ウェットガーゼアイマスク療法，涙点プラグ，涙点閉鎖，蒸発予防のためのサイドシールドのついた眼鏡の装用，人口涙液の点眼，サイクロスポリンAの点眼などが行われているが，ドライアイの原因は広範であり，決定的治療法がないのが現状である．ドライアイの診断法としては，シルマー試験紙などによる涙液の量的測定や，角結膜上皮の病理染色法などがある．

ドライマウス
どらいまうす
dry mouth

➡ 同義語 口腔乾燥症

トロミ食
とろみしょく
mixed meal, blended meal, liquized meal, blender food

➡ 同義語 ミキサー食

トロンボ試験
とろんぼしけん
thrombo test

　おもに経口抗凝固薬（ワルファリンカリウム）療法において利用される止血機能検査の1つ．ビタミンK

に関連した凝固因子である第Ⅱ, Ⅶ, Ⅹ因子の活性を測定する検査. 基準値は, 健常者では70％以上であるが, 臨床的には経口抗凝固療法の治療域として10〜25％を用いる.

な

内臓脂肪　ないぞうしぼう
visceral fat

腹腔内に存在する腸間膜および大網に存在している脂肪組織. 日本における内臓脂肪の量的判定は, 臍高レベルでの腹部CT断面像で内臓脂肪面積が$100\,cm^2$を基準として, それを超えれば内臓脂肪過剰蓄積とされる. 簡易的に推定する方法としてウエスト長が採用され, 内臓脂肪面積が$100\,cm^2$に相当する値が男性85 cm, 女性90 mと示され, スクリーニングとして用いられる. 上記の基準に加え, 血統, 脂質, 血圧の異常を2つ以上合併する場合はメタボリックシンドロームとされる.

関連語 メタボリックシンドローム

内側翼突筋　ないそくよくとつきん
medial pterygoid muscle

咀嚼筋の1つで, 下顎枝内面に広がる四辺形の筋. 起始は, 蝶形骨の翼突窩（翼状突起後面）と, これに接する上顎骨（一部）と翼状突起外側板下端で, 後外下方に走り, 停止は下顎骨内面の翼突筋粗面である. 内側翼突筋は下顎骨を挙上させ, 顎を閉じる. 支配神経は下顎神経の内側翼突筋神経である.

関連語 咀嚼筋

軟口蓋挙上装置　なんこうがいきょじょうそうち
palatal lift prosthesis（PLP）

脳血管疾患や神経疾患, 中咽頭がん外科手術, 口蓋裂などに起因した軟口蓋の運動障害に対し, 軟口蓋を持続的に挙上することで鼻咽腔閉鎖機能不全（鼻漏れ）による言語障害を改善させる装置. 硬口蓋部（床, 支台装置）と, 軟口蓋を挙上するための挙上子および連結部からなる軟口蓋部で構成されている. 鼻咽腔閉鎖を助けるだけでなく, 閉鎖に関与する筋の賦活効果も期待して用いる. 鼻咽腔閉鎖機能不全への補綴的アプローチとしては, ほかにバルブ型スピーチエイドや軟口蓋栓塞子があるが, 一般的に軟口蓋が短い場合はバルブ型スピーチエイドを, 欠損など形態異常がある場合は軟口蓋栓塞子を, 形態に異常がなく単に運動障害に起因する症例には軟口蓋挙上装置を適用する.

同義語 PLP

軟食　なんしょく
soft-diet

一般的に，常食（普通食）よりも軟らかめの食物形態のこと．主食は軟飯，三分粥食，五分粥食，全粥食がある．三分粥食の副菜は，白身魚，豆腐，半熟卵，軟らかい野菜のような，繊維の少ない食品を煮て裏ごしした，十分に咀嚼しなくても嚥下できる状態のものである．五分粥食の副菜はほぼ固形食であり，茹でる，蒸す，煮るなどの方法で調理される．全粥食の副菜には，ほぼすべての食品が用いられ，繊維の強い食品も調理法によっては利用される．軟食は流動食とともに，発熱，食欲低下，歯・口腔内の異常による摂食嚥下機能不全，消化・吸収能力の低下，下痢などの場合に用いられるが，常食よりも水分含有量が多く，その分栄養量が少なくなることから栄養低下に陥りやすく，定期的な栄養アセスメントが必要である．

関連語 粥食

難聴 なんちょう
hearing impairment

聴覚が低下した状態のこと．難聴の種類は，①伝音性難聴（外耳や中耳などの伝音系の障害により音が小さくなる），②感音性難聴（内耳または脳への神経路の感音系の障害により音が歪んで聞こえる），③混合性難聴（伝音性難聴と感音性難聴の両方を併発）がある．障害のある側により両側性難聴と一側性難聴に分けられる．

加齢以外に難聴の原因がないものを「老人性難聴（加齢性難聴）」といい，感音性難聴である．老人性難聴は，高い音が聞こえにくい，言葉の聞き分けがむずかしい，男性のほうが低下しやすい，両側性に進行性するなどの特徴がある．

関連語 老人性難聴，聴覚障害

難病 なんびょう
intractable disease

発病の機構が明らかではないため治療方法が確立していない希少な疾病であって，長期間の療養を必要とするもの．難病のうち，患者数が国内において一定の人数に達しておらず，かつ客観的な診断基準が確立しているものを指定難病とし，医療費助成の対象としている．2015年1月に「難病の患者に対する医療等に関する法律」が施行されたのを受けて，医療費助成制度の整備が図られた．新たな医療費助成制度では，「指定難病」や「小児慢性特定疾病」の医療費助成に要する費用の1/2を国が負担する．2021年11月現在の指定難病は338疾病である．

に

二次医療　にじいりょう
secondary medical care

特殊な医療を除き，入院を要する医療および専門外来において提供される医療．主として入院医療を行う地域の中核病院が担い，一次医療を行う診療所，三次医療を行う大規模病院など，ほかの医療機関と役割分担・連携を構築することにより，地域住民への適切な医療提供体制を確保する役割を担う．

関連語 医療圏，一次医療，三次医療

二次予防　にじよぼう
secondary prevention

治療を中心としたいわゆる医療のこと．二次予防は，早期発見，早期治療として，各種集団検診事業の推進と医療受診機会の促進のための基本的考え方となった．また，歯科における抜歯などのような障害の拡大防止や，救命も二次予防に含まれる．疾病の自然史の観点から，投薬などの治療や手術などの処置は，健康の回復や余命の延長，すなわち死の予防と位置づけられ，医療は二次予防に相当すると考えられる．

同義語 第二次予防
関連語 一次予防，三次予防

2025年問題　にせんにじゅうごねんもんだい
2025 problem

第1次ベビーブーム時に産まれた世代（団塊の世代）が，2025年頃に後期高齢者（75歳以上）に達することにより，社会保障費の急増が懸念される問題のこと．2025年問題に対応すべく，国は地域包括ケアシステムの構築などの関連諸施策の導入を図った．今後の課題として，第2次ベビーブーム時に産まれた世代（団塊ジュニア）が65歳以上となり，高齢者人口の最大化が予想される2040年問題が懸念されている．

日常生活動作　にちじょうせいかつどうさ
activities of daily living
➡ **同義語** ADL

日本人の食事摂取基準（2020）
にほんじんのしょくじせっしゅきじゅん（にせんにじゅう）
dietary reference intakes for Japanese（2020）

「日本人の食事摂取基準」は，健康増進法（2002年）に基づき，国民の健康の保持・増進を図るうえで摂取することが望ましいエネルギーおよび栄養素の量の基準を厚生労働大臣が定めるものである．5年ごとに改定を行っており，2005年より食事摂取基準となった．2020年の策定の目的は，健康の保持・増進，

生活習慣病の発症予防・重症化予防とともに，高齢者の低栄養予防・フレイル予防が追加された．

ニューロパチー　にゅーろぱちー
neuropathy

炎症のみではなく変性を含めた末梢神経障害の総称．高齢者では，遺伝的疾患，変性疾患が少なく，内科疾患にともなう各種の末梢神経障害の占める割合が高くなっているのが特徴である．臨床的には，1本の末梢神経のみが障害された場合を単ニューロパチーといい，いくつかの末梢神経が多発性（左右対称性，びまん性に障害される）に障害された場合を多発性ニューロパチーという．内科疾患にともなう各種の末梢神経障害には，糖尿病性ニューロパチー，ポルフィリン尿症にともなう多発性ニューロパチー，がん性ニューロパチー，アミロイドニューロパチー，妊娠中の多発性ニューロパチー，産褥における神経炎，悪性貧血における神経障害などがある．このなかでも高齢者において比較的多い末梢神経障害は糖尿病性ニューロパチーであり，糖尿病の患者によく起こる合併症である．

尿失禁　にょうしっきん
urinary incontinence

本人の意思に反して，あるいは無意識のうちに尿が排出される状態．その機序により，腹圧性尿失禁，切迫性尿失禁，溢流性尿失禁，機能性尿失禁に分類される．また，原因別にみると，膀胱・尿道の機能低下，老化，認知症，意欲の低下によるもの，中枢神経系疾患，糖尿病によるもの，服用薬剤によるもの，住宅環境によるものなどがある．したがって，原因に合わせた対応が必要となるが，これらのうち，最初にあげた機能低下による尿失禁に対しては，介護予防の観点から運動による機能的訓練を積極的に取り入れる試みがなされるようになった．

同義語 失禁

尿素窒素　にょうそちっそ
blood urea nitrogen（BUN）

腎臓から排出されるタンパク質終末代謝産物．慢性腎炎，腎不全，消化管出血，尿毒症などによる腎障害が生じると，濾過しきれない血液尿素窒素（BUN）が血液中に残遺し，BUN値が高くなる．逆に肝機能不全などがあると，BUN値は低くなる．このため，BUNは腎機能の指標として用いられることがあるが，摂取タンパク量などに影響されるためクレアチニンに比較して信頼性は低い．

認知機能 にんちきのう
cognitive function

さまざまな外来からの情報を視覚，聴覚，味覚，嗅覚，体性感覚を通じて知覚し，それを認識して活動するための脳の働き．認知症の進行による障害を表す表現として用いられることが多い．具体的には，記憶，注意，遂行機能，言語機能，視空間認識機能，構成機能などの総称として表現される．

認知症 にんちしょう
dementia

正常に発達した認知機能が，後天的な脳の器質的な障害により低下した状態であり，中核症状としては，記憶障害のほか，言語機能，見当識，視空間機能，実行機能，知的機能などの低下を示す．二次的に現れる症状として，幻覚，妄想，徘徊，昼夜逆転，抑うつ，不安・焦燥，易怒性，暴言，暴力などが認められることがある（behavioral and psychological symptoms of dementia：BPSD）．アルツハイマー型認知症，脳血管性認知症，レビー小体型認知症が三大認知症疾患とよばれている．

▶関連語 アルツハイマー病，認知機能，脳血管性認知症，レビー小体型認知症

認知症高齢者の日常生活自立度
にんちしょうこうれいしゃのにちじょうせいかつじりつど
independence degree of daily living for the demented elderly

高齢者の認知症の程度を踏まえた日常生活の自立度合のこと．判定は，なんらかの認知症を有するが，日常生活は家庭内および社会的にほぼ自立しているものから，著しい精神症状や問題行動あるいは重篤な身体疾患がみられ，専門医療を必要とする7段階のレベルがある．この指標は，介護保険制度の要介護認定を受ける際の「要介護認定調査」や「主治医意見書」に用いられている．また，病院などで作成される「看護計画書」や「リハビリテーション計画書」，介護支援専門員が作成する「介護サービス計画」などにも基本情報としても記載されている．

認知症施策推進大綱
にんちしょうせさくすいしんたいこう
the Framework for Promoting Dementia Care

認知症になっても希望と尊厳をもって住み慣れた地域で自分らしく暮らし続けられる「共生」を目指し，「認知症バリアフリー」の取り組みを進めていくとともに，認知症発症予防や進行を穏やかにすることを含めた「予防」の取り組みを政府一丸となって進めるため2019年に取りまとめられた国家戦略．①普及啓発・本人発信支援，②予防，③医療・

ケア・介護サービス・介護者への支援，④認知症バリアフリーの推進・若年性認知症の人への支援・社会参加支援，⑤研究開発・産業促進・国際展開の5つの主要施策を，認知症の人やその家族の視点に立って推進する．

認知症治療薬 にんちしょうちりょうやく
antidementia drugs, antidementia medicine

認知症に対する治療薬の総称．従来の認知症の薬物療法は，記憶障害などのために二次的に現れる症状を対象にしたもので，これらの薬を単独か組み合わせて使用し，症状を軽減するための治療が大部分であったが，現時点では，認知症の根本的な薬物治療は困難であるため，周辺症状である幻覚，妄想，いらだち，不安，うつ状態，攻撃性（暴力），興奮などの症状のコントロールをおもな目的として薬物療法が行われるようになってきた．認知症治療薬としては，コリンエステラーゼ阻害薬とNMDA受容体拮抗薬の2つのグループに分けられる．アルツハイマー病の認知機能を改善する目的でコリンエステラーゼ阻害薬の使用が推奨され，認知機能障害の進行抑制に有効であるとされている．症状をコントロールするために使われている薬は，抗不安薬，精神安定薬，抗うつ薬，脳循環代謝改善薬，睡眠薬などがある．漢方薬の抑肝散も周辺症状を抑える働きが知られている．

ね

寝たきり度 ねたきりど
bedridden degree
➡ 同義語 障害高齢者の日常生活自立度

寝たきり老人 ねたきりろうじん
bedridden elderly, bed-bound elderly

1984年の厚生行政基礎調査においては「病気（老衰を含む），けがなどで日常生活のほとんどを寝ている状態にある者」が「寝たきり者」とされ，1986年の国民生活基礎調査では「要介護者で病気（老衰を含む）やけがなどで日常生活をほとんど寝ている状態が6か月以上続いている者」とされている．介護保険の導入まで自治体が支給していた介護手当の条件としての「寝たきり老人」も，おおむねこれらの概念に該当する65歳以上の高齢者とされていた．今日では慣用語としての「寝たきり」という言葉を避け，「要介護高齢者」という言葉が用いられることが多い．

関連語 要介護高齢者

ネブライザー ねぶらいざー
nebulizer

液体エアロゾル（霧）を発生する装置．ジェットネブライザーと超音波ネブライザーがある．水や薬液を霧状にして吸入させることにより気道内を湿潤させ，喀痰の粘稠性を低下させ，喀痰を容易に排出させる（ネブライゼーション nebulization）目的で使用する．薬液として，気管支拡張薬，タンパク融解剤，界面活性剤などを用いる．

粘液囊胞 ねんえきのうほう
mucous cyst

唾液腺導管から溢出した唾液が貯留した囊胞で，好発部位は小唾液腺由来の下唇である．舌下腺に由来し，口底に生じるものはラヌーラという．また，前舌腺由来の舌下面に生じたものをブランディン・ヌーン囊胞という．

年金 ねんきん
pension

老齢，障害，死亡に際し，その後の本人や家族の生活を保障するために長期的に給付される金銭のこと．社会保険方式を取り，制度に加入して保険料を支払った者が給付を受ける権利をもつ．わが国では「国民皆年金」制のもと，20歳になると国民全員が国民年金の被保険者となる．公的年金は，国民すべてが基礎年金給付を受ける．世代間扶養方式であり，現役世代が高齢世代を扶養することになる．被保険者は，20歳以上60歳未満の自営業者（第1号被保険者），厚生年金や共済組合の組合員（第2号被保険者），その被扶養配偶者（第3号被保険者）の3種類がある．支給形態は，いわゆる3階建てで，1階は基礎年金（国民年金），2階は厚生年金，3階は企業年金である．

関連語 国民年金

粘膜調整材 ねんまくちょうせいざい
tissue conditioner,
tissue conditioning material

義歯の不適合などによる床下粘膜の変形や傷害がある場合に，新義歯製作やリラインの前処置として床下粘膜の状態を正常に戻す目的で，使用中の義歯床粘膜面に応用されるアクリル系の材料．ある程度の硬度に達するまでに時間を要するのでダイナミック印象（動的印象）にも用いられる．

粘膜皮膚眼症候群
ねんまくひふがんしょうこうぐん
muco-cutaneo-ocular syndrome

➡ **同義語** スティーブンス・ジョンソン症候群

脳虚血発作 のうきょけつほっさ
transient ischemic attack (TIA)

脳の局所あるいは網膜において，虚血による一過性の神経機能障害が起きるが，症候に合致する脳領域に病変が確認できず，24時間以内に神経機能障害が消失する病態．多くは数分から30分で症状は消退する．発症の基本的なメカニズムは脳梗塞と同じである．脳虚血発作は心原性と非心原性に分けられる．心原性では直接経口抗凝固薬（DOAC）あるいはワルファリンが用いられる．非心原性では，脂質および血圧を管理し，抗血小板薬2剤併用療法（dual anti-platelet therapy：DAPT）が行われることが多い．

同義語 TIA
関連語 脳梗塞，脳血管疾患

脳血管疾患 のうけっかんしっかん
cerebrovascular disease

脳血管の病理学的変化，灌流圧の変化，血漿・血球成分の変化などにより，脳に一過性ないし持続性の血流障害または出血などが生じたもの．脳の血管の閉塞（梗塞）や破綻（出血）によって生じた脳の局在性病変により，神経症状が出現する．臨床的には急性に出現する片麻痺や意識障害を特徴とする．脳出血（高血圧性脳内出血），脳梗塞（脳血栓症，脳塞栓症），一過性脳虚血発作，高血圧脳症，側頭動脈炎，もやもや病，脳静脈・静脈洞血栓症などがある．かつては脳血管障害，脳卒中ともいわれた．

同義語 脳血管障害，脳卒中
関連語 片麻痺，脳虚血発作

脳血管障害 のうけっかんしょうがい
cerebrovascular disorder

➡ **同義語** 脳血管疾患

脳血管性認知症
のうけっかんせいにんちしょう
cerebrovascular dementia

脳梗塞や脳出血などの脳血管疾患の後遺症によって発症する認知症．脳の損傷部位や程度によって，症状は多彩である．緩徐に進行し，記憶機能や見当識は比較的保たれるが，実行機能障害やワーキングメモリの障害を認める．精神症状として，意欲の低下，自発性の低下・感情失禁・無気力・無関心などが認められる．脳血管疾患は再発することが多く，そのたびに段階上に悪化する傾向がみられるため，高血圧症などのリスク因子の管理とリハビリテーションが重要となる．

関連語 認知症

脳血栓 のうけっせん
cerebral thrombosis

脳動脈の動脈硬化性病変に血栓が形成されることにより，脳動脈が閉塞して起きる脳梗塞．血圧の低下する夜間，睡眠中に起こることが少なくない．症状は，重篤な意識障害は比較的少なく，片麻痺，上下肢の運動障害，言語障害，視力低下，めまい，精神障害をきたす．神経学的所見のほか，CT検査により脳出血との鑑別を行う．治療は，脳浮腫に対する治療，血栓溶解薬などの薬物療法である．

関連語 脳梗塞，脳血管疾患

脳梗塞 のうこうそく
cerebral infarction, brain infarction

脳へ血液を送る血管が詰まって脳の組織が壊死した状態のこと．成因により脳血栓，脳塞栓，そのほかに分けられる．症状は，麻痺，しびれ，ろれつが回らなくなる，めまい，ふらつき感，失語症，道に迷う，道具の使い方がわからなくなる，衣服を着られないなどである．治療法は，血栓溶解薬，微小循環改善薬などの服用を中心とした内科的治療や，血栓内膜剥離術やバイパス手術などの外科的治療などがある．

関連語 脳血管疾患

濃厚流動食 のうこうりゅうどうしょく
thick liquid diet

経管栄養法に用いられる流動食のこと．流動食にはほかに，普通流動食，ミキサー食，特殊流動食，成分栄養（消化態栄養剤）があり，多くは経管栄養法によるが，経口摂取される場合もある．濃厚流動食には，天然濃厚流動食，人工濃厚流動食，混合濃厚流動食がある．天然濃厚流動食は，天然の食品だけを素材にした流動食で，各栄養素とも摂取基準を十分補給できるような食品構成とし，消化がよく，刺激の強いものは避けなくてはならない．人工濃厚流動食は，主として半消化態栄養剤だけを用いたものである．混合濃厚流動食は，天然濃厚流動食と人工的な半消化態栄養剤を混同して調製されたもので，1 mL中1 kcal以上ですべての栄養素が含有されていることが条件である．濃厚流動食は，食物の通過障害，筋麻痺，意識障害，上部消化管術後，神経性食欲不振などで経口から事事が不可能な場合に，長期間にわたって与えるものである．

関連語 流動食

脳死 のうし
brain death

脳機能が不可逆的に喪失した状態と定義される．この脳機能を小脳，脳幹も含む脳全体の機能とする考え

が全脳死であり，わが国の厚生労働省脳死判定基準をはじめ，世界的に広く受け入れられている概念である．一方，英国に代表される脳幹機能を重視する考え方が脳幹死の立場である．どちらの立場でも，脳幹機能の喪失を確認することが重要であるが，両者の差は臨床上，脳波検査の取り扱いに現れ，前者の立場では平坦脳波の確認が必須の条件であるが，後者では必要とされない．

脳出血　のうしゅっけつ
cerebral hemorrhage

脳血管疾患のうち，脳実質内の出血による病態．脳出血の原因には高血圧，動脈瘤，血管奇形，脳腫瘍，白血病や血友病などのような血液疾患，抗凝固薬の使用など多くの疾患や状況があるが，多くは高血圧性の脳内出血で，50〜60歳代が約半数を占める．症状は頭痛，嘔気，嘔吐，運動麻痺，感覚障害，言語障害，重篤な場合は呼吸障害，四肢麻痺，意識障害，昏睡で，遷延性意識障害や片麻痺などの後遺症を残すことがある．治療法には開頭血腫除去術，定位的脳内血腫除去術などがある．

> 関連語　脳血管疾患

脳塞栓　のうそくせん
cerebral embolism

脳血管以外，すなわち，心臓あるいは主幹動脈内にできた血栓が遊離して，脳血管を閉塞して生じる脳梗塞．原因は心房細動が多い．若年者にも発症し，急激な経過をたどり，痙攣をともなうことがあるが，頭痛を訴えたり意識障害をきたすことは少ない．瞬時に血管が閉塞され，側副血行を形成する時間的な余裕がないので，重症化しやすい．検査・診断の方法として，頭部CT検査やMRI検査を行う．治療は，再灌流療法として，静注血栓溶解療法あるいは機械的血栓回収療法を行う．そのほかの治療法として抗血栓療法を行う．

> 関連語　脳梗塞，脳血管疾患

脳卒中　のうそっちゅう
stroke, cerebral apoplexy

> 同義語　脳血管疾患

脳波　のうは
electroencephalogram（EEG）

脳が示す電気活動（電位差）を，オシログラフや用紙上に記録したもの．変動する電位を縦軸に，時間的推移を横軸に描かせ，ある場所の電位を基準の場所の電位と比べた電位差の刻々の変動を表現する．描かれた個々の波は高さと幅とをもち，多数の波の連なり方から種々の律動が形成される．脳波は，直接的には，電極の下にある大脳皮質の多数の神

経細胞やシナプシスの電気活動の集積，総和を示すと考えられている．

同義語 EEG

囊胞 のうほう
cyst

組織中に形成された分泌物を含む袋状の病態であり，内容物は液性，粘液性あるいはペースト状を呈する．囊胞壁の内側は線維性結合組織で，上皮により覆われている．上皮に覆われていない場合は偽囊胞として区別する．上皮による被覆も強度の炎症により破壊されたり，急激に囊胞が拡大した場合には一部で被覆に欠損が生じることがある．口腔領域に発生する囊胞は，歯に由来する歯原性囊胞と歯には関与しない非歯原性囊胞に分類される．また発生部位により顎骨に発生するものと，口腔軟組織に発生するものに分類される．高頻度に発生する囊胞は，感染根管に継発する歯根囊胞であり，顎骨内に生じる囊胞の50％以上を占めている．

ノーマライゼーション
のーまらいぜーしょん
normalization

「高齢者も障害者もそうでない者も，すべてがあるがままの人間として特別視されることなく一般の社会に参加し，ともに暮らし，生活できる社会こそノーマルである」という考え方であり，こうした社会を実現するための取り組みをいう．つまり障害者であろうと健常者であろうと，同じ条件で生活を送ることができる成熟した社会に改善していこうという営みのすべてをさし，障害者が普通の市民と同じ生活ができるような環境づくりをすることがノーマライゼーションの目的である．この概念はデンマークのBank-Mikkelsenにより初めて提唱され，スウェーデンのNirjeにより世界中に広められた．ノーマライゼーションを推進する方法の1つがバリアフリー化であり，さらに進めた理念にユニバーサルデザインがある．

関連語 障害，障害者

ノロウイルス のろういるす
norovirus

冬場に多い急性胃腸炎の原因ウイルス．カキなどの貝類の摂取により感染することが多い．感染したヒトの吐瀉物や糞便，それらが付着したり乾燥して飛散したものからも経口感染するので，感染源が不明なことも多い．感染後24〜48時間以内に下痢だけでなく嘔吐をきたすのが特徴で，通常は1〜2日で治癒するがウイルスは1週間以上排泄される．有効な抗ウイルス薬はない．老人保健施設や病院での集団感染も多く，

免疫力の低下した高齢者は症状が長引いたり脱水症状を起こすことがあるので注意が必要である．

は

パーキンソン病 ぱーきんそんびょう
Parkinson's disease

中脳黒質の変性によりドーパミンを産生する神経細胞が減少するためにドーパミン量が減少し，線条体においてドーパミンが不足してアセチルコリン優位の状態になることで，運動障害が起こる疾病．すなわち，脳が出す運動の指令がうまく伝わらず，スムーズに動けなくなる病気である．わが国の患者数は人口10万人につき100～150人で，まれな疾患ではない．発病するのは50～70歳代が多く，20歳代～80歳近くまで幅広い年齢で発症し，男女差はない．症状は，手足のふるえ（振戦），筋固縮，無動，姿勢反射障害が特徴的である．そのほかに，うつ状態などの精神症状，自律神経症状（起立性低血圧，流涎）などがある．嚥下障害がみられることがあるので，歯科治療において誤嚥の防止が重要である．

パーキンソン病関連疾患 ぱーきんそんびょうかんれんしっかん
Parkinson's disease and related disorders

国の難病医療費支援制度対象疾患リストの20番目の項目であり，①進行性核上性麻痺，②大脳皮質基底核変性症，③パーキンソン病の3疾患を包含する．

関連語 進行性核上性麻痺，パーキンソン病

バーセル指数 ばーせるしすう
Barthel index（BI）

ADLの評価法の1つで，わが国でもリハビリテーション医学の領域で比較的普及している．BIと略される．10項目（食事，椅子ベッド移乗，整容，トイレ動作，入浴，平地歩行，階段，更衣，排便コントロール，排尿コントロール）について評価し，要介助と自立の基準がある．

同義語 BI
関連語 機能的自立度評価法，ADL

バーニングマウス症候群 ばーにんぐまうすしょうこうぐん
burning mouth syndrome（BMS）

舌または口腔粘膜の灼熱感をおもな徴候とする病態．60歳以上が好発年齢とされ，性差はないが，閉経後の女性にやや多いともいわれている．原因はさまざまで正確に特定することは困難であり，その30％は全身疾患に起因するとされるが，大多数の患者は原因不明である．全身

的な原因としては，特定の薬物，放射線療法や化学療法，不安や苛立ちなどの精神的な要因，鉄分やビタミンなどの栄養不足，味覚や舌を司る神経の過敏または障害，糖尿病や甲状腺機能低下などの内分泌疾患，更年期などのホルモンのアンバランス，胃酸の逆流，調味料や食品添加物などのアレルギーなどがあげられる．口腔内の原因としては，口腔乾燥，歯ぎしり，鋭利な咬頭や修復物による傷，不適合な義歯，口腔カンジダ症などである．原因の特定が困難であるため，十分に問診，カウンセリングを行い，必要であれば血液検査を行って，慎重に診断する．原因がまったくわからないこともめずらしくないので，治療が長引き，症状が悪化するおそれもあり，患者の精神的なケアと医科との連携が重要である．

関連語 灼熱感，口渇

肺炎 はいえん
pneumonia

病原微生物により肺実質に起きる急性の感染性炎症．日本呼吸器学会によれば，市中肺炎，医療・介護関連肺炎，院内肺炎に分類される．誤嚥性肺炎は原因による分類の1つである．発熱，悪寒，咳嗽などの初期症状から始まり，進展すると呼吸機能低下などの症状が加わる．基礎疾患がない限り，抗菌薬の使用など適切な治療により予後は良好であるが，免疫不全，糖尿病，高齢者などでは予後不良となることが多い．嚥下障害により誤嚥性肺炎が繰り返して発症した場合は，耐性菌が発生しやすく，抗菌薬による治療が困難な場合が多いため，多くの高齢者の死亡原因となっている．

関連語 誤嚥性肺炎

バイオフィルム ばいおふぃるむ
biofilm

おもに菌体外多糖とタンパク質からなる細胞外高分子物質（extracellular polymeric substance：EPS）に覆われた細菌の凝集塊がフィルム状に付着したもの．バイオフィルム中の細菌は共生，共存してそれ自体が1つの器官であるかのような代謝機能をもち，抗菌物質や免疫細胞の食作用に対しても，浮遊状態で細菌が存在するときに比べてはるかに高い抵抗性をもつ．口腔内ではプラークをバイオフィルムとよぶことがある．

徘徊 はいかい
poriomania, wandering behavior

あてどなく歩きまわり，迷い，さまよい歩くこと．認知症の問題行動の1つとしてよく現れる．また，青少年期の逃避行動，記憶喪失時にも

現れることがある．徘徊中に死亡や行方不明の事故に遭う高齢者も多く，家族にとっても心配や不安など精神的な負担が大きい．しかし，周囲からは目的がないようにみえても，本人には目的や理由がある場合もある．そのため，原因をみきわめ，むやみに抑制や閉じ込めという対応にならないように注意が必要である．

関連語 認知症

肺気腫 はいきしゅ
pulmonary emphysema

呼吸細気管支より末梢の肺胞が恒常的に異常に拡大している病態．慢性閉塞性肺疾患（COPD）に含まれる．咳嗽，喀痰，呼吸困難を主徴とし，換気，血液分布異常が著明に認められる．胸部エックス線写真では，胸郭変形，血管影の低下，横隔膜の平低下，肋骨間の拡大，中心部肺血管と心臓の圧迫などが，呼吸機能検査では一秒量，一秒率の低下，残気量の増加がみられる．原因は喫煙と遺伝的要素が考えられている．気管支拡張薬，去痰薬，抗菌薬，利尿薬が用いられるが，重篤な場合は在宅酸素療法の適応となる．

関連語 COPD

肺水腫 はいすいしゅ
pulmonary edema

肺の血管外である肺胞内や間質に過剰な水分が貯留した病態．心不全，急性心筋梗塞などが原因の心原性肺水腫，敗血症，薬剤，アナフィラキシーショック，低アルブミン血症による血漿膠質浸透圧低下などが原因の非心原性肺水腫がある．症状は息切れ，呼吸困難，喘鳴，湿性ラ音，血痰，咳嗽，多汗症で，ときには呼吸停止をきたすこともある．治療として，酸素吸入，非侵襲性陽圧換気，原因疾患の治療を行うが，重篤な場合は気管挿管下の人工呼吸器管理を行う．

肺性心 はいせいしん
cor pulmonale

肺実質や肺血管の障害から肺循環障害をきたし，肺動脈圧が高くなり，右心が拡張・肥大するなど肺の機能が原因で心臓に影響が及んだ状態．急性肺性心は急性の肺血栓・塞栓症によって肺高血圧をきたし，右心肥大を欠く点が特徴的な所見である．慢性肺性心では，肺血管がその機能を失ったために右心が後負荷の増大に反応して右心不全を招く．肺血管の障害や換気障害，肺血管型，肺塞栓症，換気障害型，COPD，胸郭変形が原因となる．

関連語 心肥大

バイタルサイン　ばいたるさいん
vital signs

生命徴候．すなわち生命の維持に直接に関係する呼吸と循環などの状態を示す指標．一般的には，呼吸，脈拍，血圧および体温をさす．バイタルサインを評価することにより，術前，術中，術後の患者の呼吸，循環などの変化を評価することができる．若年者に比較して，高齢者は，呼吸数および体温はやや低下し，脈拍数は安静時では変わらず，血圧は収縮期で上昇，拡張期で低下し，平均血圧は上昇する．

排尿障害　はいにょうしょうがい
dysuria

なんらかの原因で排尿の困難を認めること．排尿障害の症候として，1日尿量 2,500 mL 以上の多尿，覚醒時排尿回数 8 回以上あるいは夜間排尿回数 2 回以上の頻尿，自分の意思によらず排泄してしまう尿失禁，尿閉，1日 400 mL 未満の乏尿，1日 100 mL 未満の無尿などがある．症状としては，排尿後も尿が残っているように感じる残尿感などがあり．治療は原因疾患の治療を行うことが多い．神経因性膀胱など排尿機能の調節が必要な場合は症状に合わせて処方を行う．

廃用萎縮　はいようしゅく
disuse atrophy

使わないことによって生じる器官の萎縮で，それにともない機能も減退する．ほとんどすべての機能について認められる．口腔領域では歯が喪失することにより骨や筋にその影響が及ぶ．

関連語 廃用症候群

廃用症候群　はいようしょうこうぐん
disuse syndrome

安静状態が長期に続くことにより，心肺や消化器，関節や筋肉，さらには精神的な機能が低下すること．いわゆる寝たきり状態が続くことによって起こるが，日本では災害後の不活発により同様の症状が現れることが認識され，生活不活発病ともよばれる．

同義語 生活不活発病
関連語 廃用萎縮

白内障　はくないしょう
cataract

水晶体が混濁し，視力障害を生じる疾患．先天性と後天性のものがあり，後者は老人性，糖尿病性，外傷性などに分けられる．もっとも多いのは老人性白内障で，多くは 50 歳以後に発症し，60 歳代で 70％，70 歳代で 90％，80 歳代ではほぼ 100％に白内障による視力の低下が

みられる．自覚症状は視力障害，眼精疲労，霧視（ぼやける），羞明（まぶしい）で，黄白色のフィルターがかかったようなみえ方と考えればよい．他覚的には水晶体の一部に白濁がみられるものから，全体が灰白色や乳白色になるものまである．点眼薬は早期に用いれば進行を遅らせることはできるが，最終的には手術に至ることが多い．最近は生活様式の変化から，早期に手術を受ける者が多く，白濁部を吸引すると同時に眼内レンズを入れることもある．

白板症 はくばんしょう
leukoplakia

ほかのいかなる疾患ともみなされない白色が優勢な口腔粘膜の病変であり，がんの危険性が疑われる病変．口腔潜在的悪性疾患とされる．白色の板状あるいは斑状で擦過によって容易に除去できない．好発部位は舌や頬粘膜などである．50〜70歳代に多い．喫煙，擦過，不適合補綴装置，う蝕などが原因にあげられるが，原因不明のものもある．病理組織学的には過角化症，上皮性異形成に分類される．悪性化の可能性が高い場合の確実な治療法としては病変の切除があげられるが，広範囲な病変では全切除により機能障害を引き起こす．切除を行わない場合には経過観察を厳重に行う．

橋本病 はしもとびょう
Hashimoto disease

慢性甲状腺炎のことであり，症例報告者の名前が橋本病の名の由来である．甲状腺を標的とした自己免疫疾患であり，甲状腺ホルモンの分泌が少なくなることで，甲状腺機能低下症となる場合もある．その場合，易疲労性，全身浮腫，体重増加などの症状が現れる．甲状腺が硬くなり，頸部の圧迫感や違和感が生じることがある．成人女性に発症することが多い．甲状腺機能低下症がある場合は合成T4製剤の内服やヨードの摂取制限が行われる．高齢者特有の疾患ではないが，疾患を抱えて高齢者になる者は当然存在する．

破折（歯の） はせつ（はの）
fracture of tooth

外力や咬合によって，歯冠や歯根に亀裂，欠損などの裂傷を生じた状態．交通事故，打撲，スポーツ外傷あるいは転倒などにより急激に強い力が歯に作用して生じる外傷性と大きな齲窩や修復物，根管支持の補綴装置，あるいは歯頸部の大きなくさび状欠損などによる健全歯質の菲薄化が原因で，通常の咬合力や小さな外力によって発生する場合がある．また，支台装置による負担過重やテレスコープクラウンなどで歯根破折を生じることがある．

8020運動 はちまるにいまるうんどう
8020 (eighty-twenty) movement

80歳になっても自分の歯を20本以上保つことを目標とする口腔保健のスローガン．80歳は日本人の平均寿命を意味しており，20本の歯はなんでもおいしく食べることができるという咀嚼機能に主眼を置いた数値である．したがって，80歳においてこのような歯の状態を保つためには，ライフサイクルのすべての段階で適切な歯科保健医療の展開を図っていく必要があり，またQOLの観点からもその過程が重要な意味をもっている．

発音障害 はつおんしょうがい
speech disorder

発音器官（肺，気管，喉頭，咽頭，口腔，鼻腔などの呼気流に関与するすべての器官）の器質的・機能的要因による音を出すことの障害．会話に支障をきたし，コミュニケーションに不都合を生じる．歯科領域にかかわる器質的要因としては，唇顎口蓋裂，舌小帯短縮症，咬合異常，歯列不正，歯の欠損などがある．とくに高齢者の場合，歯の欠損放置により正常でない位置からの呼気の流出や，オーラルジスキネジア，義歯の不適合によって会話が不明瞭になることが多い．一般に歯科では，構音障害が問題となることが多いが，これらも含めて発音障害とよぶ．

関連語 構音障害

白血病 はっけつびょう
leukemia

血液のがんのこと．がん化した白血病細胞が骨髄に存在することで，正常な造血機能が働かず，赤血球，白血球，血小板が産生されなくなる．そのため，急性白血病では，貧血，易感染，出血傾向が認められ，口腔内にもそれらに関連する症状が現れる．化学療法や造血幹細胞移植が行われ，その支持療法として周術期口腔機能管理を歯科が担当する．慢性白血病は緩徐に進行する慢性期を経て移行期，急性転化という転機をたどる．有効な薬剤が開発されてきている．

抜歯 ばっし
exodontia, odontectomy, tooth extraction

歯槽から歯を人工的に脱臼させ，抜去すること．一般的には局所麻酔下で挺子あるいは抜歯鉗子を使用して徐々に脱臼させ，抜歯鉗子で歯を抜去する．挺子と抜歯鉗子のみで抜歯できないものを難抜歯という．歯の状態により，粘膜・骨膜の切開と剥離，骨の削除，歯の分割を行うことがある．抜歯の適応症としては，歯科治療による保存が不可能な歯，

歯科治療の障害や二次病変の原因となる歯，病巣感染の原因となる歯，医科の治療上抜去が必要となる歯があげられる．禁忌症としては全身的および局所的な原因があげられる．抜歯時に起こる局所的併発症としては，上顎洞穿孔，軟組織損傷，下歯槽神経損傷，組織隙・上顎洞への歯の迷入などがあげられる．抜歯後に起こる併発症としては，抜歯後異常出血，ドライソケットなどがあげられる．

抜髄　ばつずい
pulpectomy, pulp extirpation

保存不可能と診断された生活歯髄を根尖狭窄部（生理的根尖孔）で切断し除去する処置．抜髄法は歯髄の除去，根管拡大形成，根管充填までの一連の処置を行う．適応症は，歯髄鎮痛消炎療法が奏効せず，歯髄保存療法や一部歯髄除去療法での対応が不可能な歯髄炎（急性化膿性歯髄炎，慢性潰瘍性歯髄炎，内部吸収など），歯冠破折などによる露髄で覆髄や歯髄切断が困難な場合，補綴的要求による便宜抜髄などがある．不可逆性歯髄炎に対しては，歯髄炎による疼痛の除去とともに，根尖歯周組織への炎症の波及を防止する目的もある．局所麻酔下で行う直接（麻酔）抜髄法と，失活剤によって歯髄を失活させて行う間接（失活）抜髄法があるが，現在は歯髄失活剤が供給されておらず，臨床では直接抜髄法が行われることが多い．

関連語 歯髄炎

歯ブラシ　はぶらし
tooth brush

歯面に付着しているプラークなどの付着物を機械的に除去するために設計された口腔内清掃用具．手用歯ブラシと電動歯ブラシに大別され，電動歯ブラシは，高速運動電動歯ブラシ・音波歯ブラシ・超音波歯ブラシに分類される．構造はヘッド（頭部），ネック（頸部），ハンドル（把持部）からなり，ヘッド部には飽和ポリエステル樹脂やナイロン毛，天然毛が植毛されている．毛先の処理方法により，ラウンド毛・テーパード毛，スーパーテーパード毛などの形状がある．また，毛束の刈り込みの形により，平坦型・波型・ドーム型・多面型・傾斜型・矯正用2段型などがあり，毛の硬さはおもにやわらかめ・ふつう・かために分類される．ネックの形態は，ストレートネック・ロングネック・カーブネックがあり，ハンドルはストレートハンドルが基本である．歯ブラシの規格は，日本工業規格（JIS）と国際標準化規格（ISO）により規定されており，JISでは歯ブラシの形・大きさ・色・材質などが定められている．また，

家庭用品品質表示法により，ケースの外側に柄や毛の材質，毛の硬さ，耐熱温度などの表示が義務づけられている．ライフステージや使用目的に応じて，ヘッドの大きさや毛束の種類，刈り込み形態，ネックやハンドルのサイズなどを選択して使用する．

関連語 電動歯ブラシ，音波歯ブラシ，超音波歯ブラシ

歯磨き指導　はみがきしどう
tooth brushing instruction
➡ **同義語** 刷掃指導

バリアフリー　ばりあふりー
barrier free

　障害者や高齢者，妊婦，幼児あるいはそれを介護，援助する者に対し，行動の妨げとなる障壁（バリア）がないこと，またはバリアを取り除いた生活空間をいう．障害のある者にとってのバリアは，物理的バリア，制度のバリア，文化・情報のバリア，意識のバリアの4つに分けられる．1995年策定の「障害者プラン―ノーマライゼーション7カ年戦略―」の重点的推進施策として，バリアフリー化の促進が盛り込まれて以降，近年のバリアフリー化の変容は著しく，障害のある者にとっては，より住みやすい環境へと変化している．1994年制定のハートビル法によって，病院，デパート，ホテルなどへの対応が充実し，2000年には交通バリアフリー法が制定され，ノンステップバスや駅のエレベーター，エスカレーターの設置などのバリアフリー化の推進につながっている．その後，交通バリアフリー法はハートビル法と一本化されて，2006年に「高齢者，障害者等の移動の円滑化の促進に関する法律」（バリアフリー新法）となり，現在も環境整備が図られている．

パルスオキシメータ　ぱるすおきしめーた
pulse oximeter

　経皮的に動脈血酸素飽和度と脈拍数を連続測定する装置．パルスオキシメータによる動脈血酸素飽和度を経皮的酸素飽和度（SpO_2：saturation of percutaneous oxygen）という．正常値は95％以上．低下する原因として，吸入酸素濃度の低下，低換気，気道閉塞，肺水腫，無気肺，気胸，肺塞栓症などがある．実際より低く表示される原因には，末梢動脈の拍動（脈波）が小さい，血管圧迫による血流が低下している，末梢循環不全，血管内への色素注入，爪のマニキュア（青系統）がある．

関連語 経皮的動脈血酸素飽和度

反復唾液嚥下テスト
はんぷくだえきえんげてすと

repetitive saliva swallowing test（RSST）

　嚥下機能の低下を判定する試験のこと．誤嚥のリスクを見出す方法としてもっとも簡便な方法の1つであり，わが国で開発された．患者の甲状軟骨を指で触知して空嚥下をさせると，嚥下できた場合には挙上が確認される．30秒間に繰り返し空嚥下を指示し，3回以上の挙上が確認された場合を誤嚥なしと判定するスクリーニングテストである．

[同義語] RSST
[関連語] 空嚥下

ひ

BI びーあい
Barthel index
➡ [同義語] バーセル指数

PI ぴーあい
periodontal index
➡ [同義語] 歯周疾患指数

PHC ぴーえいちしー
primary health care
➡ [同義語] プライマリヘルスケア

PAP ぴーえーぴー
palatal augmentation prosthesis

➡ [同義語] 舌接触補助床

BMI びーえむあい
body mass index

　身長と体重から導き出されるヒトの肥満度を表す体格指数．体重(kg)/身長(m)/身長(m)で算出する．日本肥満学会の判定基準ではBMI＝22を標準とし，統計学的に病気にかかりにくい体形としている．25以上は肥満として，肥満度を4つの段階（1：25以上30未満，2：30以上35未満，3：35以上40未満，4：40以上）に分類しており，高血圧，脂質異常症，糖尿病など生活習慣病に罹患しやすいと考えられている．

[関連語] 体格指数，メタボリックシンドローム

PMTC ぴーえむてぃーしー
professional mechanical tooth cleaning

　Axelssonによって提唱されたプラークコントロールの方法．う蝕および歯周病に対する効果的な予防方法．プラスチックや木製のチップを特殊なコントラアングル（エバシステム）に装着し，フッ化物配合ペーストを使用して隣接面を含めたすべての歯面の歯肉縁上ならびに歯肉縁下2～3mmのプラークを機械的に除去する．通常，歯石除去やルート

プレーニングは含まない．う蝕や歯周病の原因である細菌バイオフィルムを破壊するため，繰り返しPMTCを行うことは，う蝕や歯周病の予防あるいは進行抑制にきわめて有効だと考えられている．補綴装置を長く使用するためにも，またセルフケアが十分にできない高齢者にとっても必要である．

関連語 ▶ PTC

PLP ぴーえるぴー
palatal lift prosthesis
➡ 同義語 軟口蓋挙上装置

BOP ぴーおーぴー
bleeding on probing

プロービング時のポケット底部からの出血．炎症がポケット底部にある場合，周囲の上皮や結合組織は破壊されており，プロービングにより上皮下の歯肉固有層の毛細血管が傷つけられ出血が生じる．この出血の有無からポケット底部の抵抗性と炎症の存在（歯周病の活動度）を評価することができる．ただし，出血はプローブを抜いてただちにみられる場合と，緩徐に出血する場合があるので，口腔全体を検査した後で，再度観察することが必要である．インプラントにおいて，インプラント周囲溝のプロービングによって出血が生じた場合にもプロービング時の出血という．

PCR ぴーしーあーる
plaque control record

歯頸部歯面におけるプラーク付着の有無を測定し，プラーク付着状態を評価する口腔衛生状態に関する代表的な評価指標．O'Learyらに（1972）よって提唱された．第三大臼歯を含む現在歯を対象歯とし，歯面を頬側，舌側，近心，遠心に4分割し，歯頸部に付着したプラークの有無を評価する．被検歯面数（現在歯数×4）に対してプラークが付着している歯頸部歯面数の割合をパーセンテージで算出する．臨床的には20％以下が望ましいとされている．

PCR法 ぴーしーあーるほう
polymerase chain reaction

DNA配列の断片を大量に増やす分子生物学の手法．DNAを鋳型にして，相補的なプライマーと耐熱性DNAポリメラーゼを用いて，設定温度を繰り返し変化させるサイクル反応を行うことにより，DNA領域を増幅させる．複製過程を簡単かつ短時間に行え，DNAを大量に増やすことが可能である．

同義語 ポリメラーゼ連鎖反応法

PGC モラールスケール
ぴーじーしーもらーるすけーる

Philadelphia Geriatric Center morale scale

高齢者の主観的幸福感を測定するための尺度として老年学研究で広く利用されている質問票．原法は22の質問項目からなるが，その後，開発者であるLawton自身が17項目に整理した．研究者によっては，さらに短縮した形でこの尺度を用いている場合もある．モラールスケールにより測定できるとされる高齢者の幸福感の因子として，第一に心理的動揺，第二に自己の老化に対する態度，第三に孤独に関する不満の3つがあげられている．

関連語 QOL

PT ぴーてぃー
physical therapist
→ 同義語 理学療法士

PT-INR ぴーてぃーあいえぬあーる
prothrombin time-international normalized ratio

血液凝固の指標．PTはプロトロンビン時間，INRは国際標準比を表し，患者のプロトロンビン時間を標準血漿のプロトロンビン時間で割りつけたPT比を，国際感度指数で累乗することで，地域や施設間の数値のばらつきを補正した指標で，経口抗凝固薬の投薬量の決定に用いられる．正常値は1.0であり，数値が高いほど血液凝固が抑制されていることを示す．ワルファリン服用者，重篤な肝硬変あるいは肝細胞癌患者などでは上昇する．

同義語 プロトロンビン時間国際標準比

PTC ぴーてぃーしー
professional tooth cleaning

歯科医療の専門家（歯科医師または歯科衛生士）による歯間隣接面を含めた歯面からのプラークの除去で，歯石除去，ルートプレーニング，歯面研磨をいう．歯面研磨は歯面研磨剤を用い，エンジンとラバーカップ，ポリッシングブラシ，ラバーポイントを使用する．器具の挿入しにくい隣接面や歯肉溝には，デンタルフロスやデンタルテープも用いる．最後にフッ化物を塗布する．歯周疾患のメインテナンスに用いることが多い．PMTCの歯面研磨との違いはエバシステムを使うか否かである．

関連語 PMTC

鼻咽腔閉鎖機能 びいんくうへいさきのう
velopharyngeal function (VPF)

軟口蓋と咽頭後壁および左右咽頭側壁の動きによる鼻腔と咽頭腔を分離する機能のこと．口蓋帆咽頭閉鎖機能ともよぶ．発声と嚥下に大きな役割を負う．視診，鼻息鏡検査，ブローイング検査，エックス線検査，

内視鏡検査などで評価する．装具による改善が知られており，スピーチエイドや軟口蓋挙上装置が用いられる．

関連語 スピーチエイド，軟口蓋挙上装置

非観血的整復法（顎顔面骨折に対する）
ひかんけつてきせいふくほう（がくがんめんこっせつにたいする）

closed reduction for fracture of maxillofacial bone

顎顔面骨折に対する非観血的整復法は，骨片と咬合の偏位が少ない症例，または小児の関節突起骨折などに適用される保存療法である．骨折部の骨片を，粘膜，皮膚に切開を加えず，徒手的またはエラスティックゴムやアクチバートルなどの装置を用いて牽引誘導して整復させる．整復後の骨折部の固定は，オトガイ帽（チンキャップ）や弾性包帯を用いる顎外固定と，上下顎の歯に線副子などを装着し固定源として，その間をワイヤー結紮する顎間固定が行われる．前者は骨片の偏位がない症例に用いられる．顎間固定は線副子のほか，上下の歯を数か所ワイヤー結紮する歯牙結紮法，歯を固定源にできない場合に行う床副子を用いる方法，矯正用ブラケットを用いる方法，顎間固定用の骨ネジを上下歯槽骨に打ち込み，固定源とする方法などがある．固定期間は，年齢，骨折の状況により異なるが，通常2～3週間を目安とする．高齢者や萎縮骨では，固定期間を長くすることがある．通常，固定期間中は，経口摂取が不可能となるため，経鼻経管栄養法が選択されることが多い．

非経口摂取患者の口腔粘膜処置
ひけいこうせっしゅかんじゃのこうくうねんまくしょち

oral mucosal treatment of parenteral patients

末梢静脈栄養法（静脈点滴，皮下点滴）・中心静脈栄養法（中心静脈カテーテル）・経鼻経管栄養法（NGチューブ，EDチューブ）・胃瘻（腸瘻含む）などを必要とする非経口摂取患者に対して行われる口腔衛生管理の1つで，口腔衛生状態の改善を目的として，口腔清掃用具を用いて口腔内のいわゆる剝離上皮膜の除去を行うこと．わが国の健康保険制度上の「非経口摂取患者の口腔粘膜処置」に対応する傷病名は「口腔剝離上皮膜」である．

皮脂欠乏性皮膚炎
ひしけつぼうせいひふえん

xerosis

皮脂の分泌が減退して，皮膚の乾燥粗糙化が生じる皮膚炎．高齢者の背中や下腿伸側に起こることが多

い，カサカサしてフケ状のものが付着したようにみえる場合を乾皮症，瘙痒のみで皮疹のみられないものを，瘙痒症という．実際には瘙痒のため，瘙痕や瘙破湿疹などがみられることが多い．高齢者の場合は皮膚の乾燥しやすい冬季に起こしやすく，エアコン，炬燵，電気毛布の使用，熱い風呂や長湯も原因となる．石鹸の使いすぎ，硫黄の入った入浴剤の使用も注意が必要である．尿素入り軟膏，ワセリンなどの外用や保湿入浴剤が効果的である．

同義語 老人乾皮症，皮膚瘙痒症

非ステロイド系抗炎症薬
ひすてろいどけいこうえんしょうやく

non-steroidal anti-inflammatory drug(s)(NSAID(s))

　ステロイド系以外の抗炎症薬．NSAIDsはシクロオキシゲナーゼ（COX）阻害により薬理学的作用を示す．COXには1と2があり，後者の阻害により治療効果としての，解熱，鎮痛，抗炎症作用がもたらされる．市販されているすべてのNSAIDsはCOX-1，2両方の阻害作用をもつが，薬剤によりその比率が異なる．このうち，相対的にCOX-2阻害作用が強くなるように創薬されたNSAIDsをCOX-2選択的阻害薬という．副作用には消化性潰瘍などの消化器症状，腎機能障害，急性心筋梗塞などの心臓血管系イベント，NSAIDs過敏喘息などがある．

同義語 NSAID(s)
関連語 鎮痛薬

ビスホスホネート系薬剤関連顎骨壊死
びすほすほねーとけいやくざいかんれんがっこつえし

bisphosphonate-related osteonecrosis of the jaw(BRONJ)

　2003年にMarx（米国）が，骨粗鬆症や骨転移などの骨吸収を抑制するビスホスホネート系薬剤の投与患者に対する抜歯などの口腔外科手術後に発生する顎骨壊死を，ビスホスホネート系薬剤関連顎骨壊死として報告した．その後，分子標的治療薬のデノスマブや加齢黄斑変性に使用する血管新生阻害薬によっても同様の顎骨壊死が発生した．そのため，2014年に米国口腔顎顔面外科学会はこれらをまとめて薬剤関連顎骨壊死（MRONJ）との概念を提唱した．さらに2016年，日本骨代謝学会，日本骨粗鬆症学会，日本歯科放射線学会，日本歯周病学会，日本口腔外科学会，日本臨床口腔病理学会の6学会が共同でポジションペーパー2016を作成した．そのなかでビスホスホネート系薬剤関連顎骨壊死とデノスマブ関連顎骨壊死を包括した骨吸収抑制薬関連顎骨壊死（ARONJ）の名称を用いている．診

断基準は「骨吸収抑制薬関連顎骨壊死」を参照.

同義語 BRONJ
関連語 薬剤関連顎骨壊死, 骨吸収抑制薬関連顎骨壊死

ビデオ嚥下造影検査
びでおえんげぞうえいけんさ
videofluoroscopic examination of swallowing (VF)

造影剤または造影剤を含む食物を嚥下させて,造影剤の動きや嚥下関連器官の状態と運動(口腔から咽頭部の正面像,側面像と食道部の正面像)をエックス線透視下に観察する嚥下機能検査である.検査の目的は,①嚥下障害の原因と病態(口腔・咽頭・食道などの器質的病変の有無の判定および機能的異常)について評価し,②嚥下障害に対する治療効果の判定および経口摂取の可否・食物形態の選択について判断することである.

同義語 嚥下造影検査, VF, VFSS

皮膚瘙痒症 ひふそうようしょう
cutaneous pruritus
➡ **同義語** 皮脂欠乏性皮膚炎

肥満 ひまん
obesity

脂肪が一定以上になり,その割合が多くなった状態のこと.通常,体重と身長により計算されるBMIを判定に使用し,BMIが30以上を肥満という.しかし,ある種の運動選手などは体重は重くても骨や筋肉の割合が多く脂肪が少ないため,BMIが30以上であっても肥満ではない場合がある.肥満になると高血圧,脂質異常症,糖尿病などの生活習慣病に罹患しやすくなる.

関連語 メタボリックシンドローム, BMI

被用者保険 ひようしゃほけん
employment insurance

日本の公的医療保険制度は被用者保険,国民健康保険および高齢者医療保険に大別される.被用者保険の対象者は,中小企業・大企業の従業員,船員,公務員であり,全国健康保険協会管掌健康保険〔全国健康保険協会(協会けんぽ)が運営している健康保険制度〕,組合管掌健康保険(常時700人以上の従業員がいるか,または同じ業種の事業所が集まって,3,000人以上いる場合に健康保険組合を設立できる),船員保険,共済組合(国家公務員共済組合,地方公務員等共済組合,私立学校教職員共済組合)に分けられる.受診の際の自己負担は3割である.2019年度国民医療費では,保険適用人口は被扶養者を含め総人口の約60%を占めており,制度区分別国民医療

費でみると全体の24％を占めている．

関連語 医療保険，国民健康保険

標準予防策　ひょうじゅんよぼうさく
standard precautions
→ **同義語** スタンダードプリコーション

表面麻酔　ひょうめんますい
topical anesthesia,
surface anesthesia

　粘膜または皮膚に局所麻酔薬を塗布あるいは噴霧して表在性の知覚神経を麻酔すること．おもに歯科領域では注射針を刺入する部位の麻酔として用いられるが，そのほかに歯周ポケットの搔爬や表在性の切開などの比較的痛みの少ない処置，嘔吐反射の抑制，創傷部の除痛，気管挿管時の粘膜の鈍麻，胃管の挿入などにも使われる．薬剤としてほかの麻酔法に比べて高濃度のリドカイン，ベンゾカイン，テトラカイン，ジブカインなどが液体，軟膏，ゼリーなどの剤型で提供されている．

関連語 局所麻酔

日和見感染　ひよりみかんせん
opportunistic infection

　宿主の抵抗力や免疫力が低下した際に，通常は病原性を発揮しない弱毒微生物や非病原微生物・平素無害菌などの病原体が引き起こす感染症．要介護高齢者や有病者では，口腔内常在菌である*Candida albicans*などのカンジダ菌によりカンジダ症やカンジダ性口内炎を発症することがある．

貧血　ひんけつ
anemia

　循環血液中の赤血球数およびヘモグロビン量が正常より減少している状態．加齢によりヘモグロビン量の低下が認められるが，高齢者における診断基準はヘモグロビン量が11 g/dL未満である．しかし，一般成人と正常値は変わりがないという報告もある．高齢者の貧血の特徴は，症状が典型的に現れないこと，心疾患や肺疾患など高齢者に多い慢性疾患の症状と紛らわしいこと，また軽度の貧血が重篤な全身疾患の初期症状であることなどである．

ふ

FAST分類　ふぁすとぶんるい
functional assessment staging

　変性性認知症であるアルツハイマー型認知症の進行度をADL障害の程度によって7段階に分類した指標．世界的に広く用いられており，患者の病気の進行度や今後予想される症状について説明することができる．その進行過程で，不眠，興奮，

易怒，被害念慮，幻覚，妄想などのBPSD（behavioral and psychologic symptoms of dimentia）が出現することがあり，環境の整備や適切なケア，薬物療法が必要になることがある．後期には重度のADLの低下にともない，摂食嚥下障害や肺炎などを併発し，終末期を迎えるケースが多い．

VE ぶいいー
videoendoscopic evaluation of swallowing
➡ 同義語 嚥下内視鏡検査

FEES ふぃーず
fiberoptic endoscopic evaluation of swallowing
➡ 同義語 嚥下内視鏡検査

VF ぶいえふ
videofluoroscopic examination of swallowing
➡ 同義語 ビデオ嚥下造影検査

VFSS ぶいえふえすえす
videofluorographic swallowing study
➡ 同義語 ビデオ嚥下造影検査

FIM ふぃむ
functional independence measure
➡ 同義語 機能的自立度評価法

フードテスト ふーどてすと
food test (FT)

茶さじ1杯のプリンを患者の舌背において嚥下させ，口腔における食塊形成能と咽頭への送り込みを評価するスクリーニングテスト．評価基準は改訂水飲みテストとほぼ同様であるが，嚥下後に口腔内残留を確認する点が異なる．プリン，粥，液状食品と段階的に負荷を上げる方法もある．

FOIS ふぉいす
functional oral intake scale

現在栄養摂取をどのように行っているかを評価する尺度．7段階に分類され，まったく経口摂取がない場合からお楽しみ程度に食べている場合，経管栄養法と経口摂取の併用，さらにはすべて経口摂取であっても物性に制限がある場合や，物性ではなく特別な準備などが必要な場合など，具体的な場合分けがなされている．妥当性と信頼性は検証されている．嚥下障害の程度を表すものではなく，栄養摂取方法をさしているものであることに注意する．

副子 ふくし
splint

骨折や脱臼などで患部に添えて固定する機材の総称．歯の脱臼，歯槽骨や顎骨骨折，口腔外科手術後の歯

牙固定，顎内・顎間固定に用いる方法として，①歯を固定する金属線副子や鋳造副子，②顎を固定する床副子やレジン副子，③顎骨手術に使用する内副子（金属または吸収性素材のプレート）などがある．

同義語　線副子

福祉事務所　ふくしじむしょ
social welfare office

生活困窮者，児童，高齢者，身体・知的障害者などに対する福祉の第一線の総合的相談窓口として，社会福祉法に基づき市部においては市が，町村部については県が設置する事務所．事業内容は，福祉関連法規に定めるとおり，「生活困窮者の相談，指導，生活保護の実施，母子生活支援施設・助産施設への入所など児童の福祉について」「身体障害者手帳の受付，補装具や更生医療の給付など身体障害者の福祉について」「知的障害者援護施設への入所など知的障害者の福祉，母子福祉資金の貸付けなど母子福祉について」「在宅福祉サービスや老人ホームの入所など高齢者福祉について」「生活一般に関する相談，関係機関への紹介など市町村間の広域的な連絡調整および市町村に対する技術的支援」などがある．

関連語　社会福祉法

副食　ふくしょく
side diet, side dishes

主食に添えて食べるおかず．主食は米を中心とした炭水化物，副食は主菜と副菜からなる．厚生労働省と農林水産省により2010年8月に策定された食事バランスガイドによると，主菜はタンパク質の供給源としての位置づけを考慮し，肉，魚，卵，大豆などの主材料に由来するタンパク質がおおよそ6gであることを，本区分の「1つ（SV）」に設定し，1日に摂る量としては，3〜5つ（SV）としている．なお，脂質を多く含む料理を選択する場合は，過剰摂取を避ける意味から，上記の目安よりも少なめに選択する必要がある．また，副菜は，各種ビタミン，ミネラルおよび食物繊維の供給源となる野菜，海草，きのこなどに関して，主材料の重量がおおよそ70gであることを，「1つ（SV）」（野菜の小鉢やサラダなど）とし，1日に摂る量としては，5〜6つ（SV）としている．

関連語　食事バランスガイド

不顕性感染　ふけんせいかんせん
inapparent infection

病原体に感染したにもかかわらず，自覚的，他覚的に症状が発現しないこと．一般に病原体に感染すると，一定の潜伏期を経て，自覚的，他覚的に症状が発現する（発症ある

いは発病という）が，不顕性感染では感染に気づかず，後に抗体が確認されて初めて感染したことが判明する．

不顕性誤嚥 ふけんせいごえん
silent aspiration

飲食物や唾液などが誤って声門を越えて気管に入り誤嚥をしても，むせや咳の反射もなく，飲食物や唾液が気管に入った自覚もない状態．このように，防御反応が生じなくても，呼吸状態の悪化や酸素飽和度が低下，発熱や炎症反応，声の変化や喉がゴロゴロする・痰が増えるなどの症状が出る場合には，不顕性誤嚥を疑う必要がある．高齢者では夜間に自己唾液を無意識に気管流入しているが誤嚥症状は認められない場合が多いが，誤嚥物の状態（細菌数を多く含む唾液や数日前の食物残渣など）によっては症状を生じる危険性が高いため，つねに口腔内を清潔に保つことが大切である．また，健常者でも睡眠中，無意識に唾液を誤嚥していることが報告されている．

腐骨 ふこつ
sequester, sequestrum

壊死した骨で顎骨にも生じる．壊死の原因は骨髄炎や放射線治療歴，近年ではビスホスホネート，デノスマブなど骨吸収抑制薬の影響があげられる．一般的には外科的切除による対応がとられるが，骨吸収抑制薬の関与が疑われる場合は，局所洗浄と抗菌薬投与による保存的対応で健常骨から自然に分離されることもある．高齢者，とくに女性では骨粗鬆症薬として骨吸収抑制薬が投与されていることが多く，頻度は低いものの抜歯などを契機とした顎骨壊死により腐骨を形成する可能性がある．

不随意運動 ふずいいうんどう
involuntary movement

本人の意思とは無関係に横紋筋が繰り返して収縮する運動のこと．主として錐体外路系の障害によって起こる．振戦，舞踏病，アテトーゼ，バリスム，ジストニア，ミオクローヌスなどが含まれる．身体の部位からいえば，手指，舌，口唇などに限局してみられるものから，体幹や近位筋などに起こるもの（ジストニア，バリスム）がある．比較的に規則性のあるものとして振戦があり，不規則のものにアテトーゼや舞踏病がある．さらに，大脳基底核以外に由来する不随意運動がある．不随意運動を呈する患者に対しては，その部位，規則性の有無，速度，振戦などについて観察し，その特徴をとらえることが大切である．歯科に関連する不随意運動としては，オーラルジスキネジア（舞踏運動），メージュ症候

群（ジストニア），口蓋ミオクローヌス，チック，ブラキシズム，筋スパスムなどがある．

関連語 ジスキネジア，振戦

不整脈 ふせいみゃく
arrhythmia, dysrhythmia

心拍の規則性が乱れたり，心拍数が高すぎたり低すぎたりする病態．心電図検査で診断される．不整脈には多くの種類があるが，一般に頻脈性（心拍数が高い）と徐脈性（心拍数が低い）に分けられる．頻脈性不整脈には，心室性（心室頻拍，心室細動，心室性期外収縮など）と上室性（心房細動，心房粗動，発作性上室性頻拍，上室性期外収縮など）がある．徐脈性不整脈には洞性徐脈，洞機能不全症候群，房室ブロックなどがある．不整脈のリスクはさまざまであり，ただちに対応が必要な心室細動，心室頻拍などから，とくに処置を必要としない上室性期外収縮などまで幅が広い．このうち，心室細動，心室頻拍などを致死性不整脈という．不整脈の治療法には，抗不整脈薬の内服，電気的除細動，心臓ペースメーカの埋め込み，カテーテルアブレーションなどがある．

部分床義歯 ぶぶんしょうぎし
removable partial denture, partial denture

歯列内の部分的な歯の喪失と，それにともなって生じた歯周組織の実質欠損の補綴を目的として用いられる患者自身による着脱が可能な義歯のこと．その構成は人工歯，義歯床，支台装置および連結子からなる．1歯欠損から1歯残存に至るまでのあらゆる症例に適用され，種々の点で多様性に富む．義歯の維持，咬合力や咀嚼力の支持，義歯に加わる側方力に抵抗する作用である把持，さらには審美性や装着感などを考慮しながら適切なデザインを決定する．咬合圧や咀嚼圧の負担様式によって，歯根膜負担，粘膜負担および歯根膜粘膜負担の3つに区分できる．もっとも多いのは歯根膜粘膜負担様式の義歯である．支台歯と粘膜の被圧変位性やそれぞれの圧負担能力を考慮して，適切な負担圧の配分を図る．

同義語 局部（床）義歯

プラーク ぷらーく
dental plaque, plaque

歯や口腔内の固形構造物上に付着または固着した白色から黄白色の軟性の付着物．デンタルプラークともいう．成分は約80％の水分と20％の有形成分よりなる．有形成分は微生物（口腔内細菌，70％）と基質（唾液タンパク，菌由来の多糖体，歯肉滲出液由来の物質，30％）からなる菌塊である．歯肉縁上プラークと歯

肉縁下プラークに分類される．プラーク中の細菌がう蝕や歯周疾患の原因となる．また多量に付着すると口臭の原因にもなる．プラーク1mg（湿重量）あたり10^8個以上の細菌が存在する．プラークの成熟過程において初期の頃は好気性菌の集積であるが，時間の経過とともに嫌気性菌を中心として炎症や膿瘍をつくる菌が増加するようになる．ただし，全期間を通して通性嫌気性菌（*Streptococcus* 属）はプラーク細菌のなかでもっとも多い．高齢者では，とくに唾液分泌が減少することがあるので，プラークの成熟が小児よりも早い傾向にある．プラークは水で洗口しても取り除けないのでブラッシング，フロッシング，歯間ブラシの使用，PTCなどが必要である．プラークを放置しておくと石灰化して歯石になる．

同義語 歯垢

関連語 バイオフィルム，歯周病原菌

プラークコントロール

ぷらーくこんとろーる

plaque control

歯面に付着したプラークを除去し，再付着を防止して口腔内を清潔に保つこと．口腔内は皮膚や腸管と同じように，健康な状態を維持するために常在菌叢が存在する．この量が生体の許容量を超えると病気を引き起こすことになり，これは内因感染である．口腔の二大疾患であるう蝕および歯周病も常在菌量の増加が原因であるし，高齢者に多い口腔カンジダ症も同様である．これらの疾患の原因菌はプラーク中に生息している．生体が許容できるプラークの質と量は個人により異なるが，許容量以下にコントロールすることが，病気の発症を防ぐ（予防）うえでも治療のうえでも大切である．プラークコントロールにはさまざまな方法があり，専門家は検査を行い診断し，その個人に合ったプラークコントロールのプログラムをたて，指導や治療にあたるべきである．プラークコントロールでは患者自身が行うブラッシングやフロッシング，歯間ブラシの使用，歯磨剤や含嗽剤，洗口剤の使用はもちろん重要な方法ではあるが，決してプラークコントロール＝ブラッシングではない．診療室で行う歯科医師や歯科衛生士によるPTC，PMTC，歯石除去，ルートプレーニング，ポリッシングや食事指導，義歯の清掃管理指導，歯科医師による保存，補綴，外科，矯正治療による口腔環境の改善もまたプラークコントロールの方法である．これらを組み合わせて，プラークコントロールを継続して行うことが大切である．

プラーク指数　ぷらーくしすう
plaque index

　プラークの歯面への付着を数量的に評価するための指数．プラークの絶対的な量を表すのではなく，おもにプラークの歯面への付着範囲・部位や量を表す．プラーク指数には，OHI（Oral Hygiene Index），OHI-S（Simplified Oral Hygiene Index），PHP（Patient Hygiene Performance），PCR（O'Leary のPlaque Control Record），PlI（Plaque Index）などがある．PlI（Silness & Löe. 1964）は，歯肉辺縁部におけるプラークの付着量を評価するもので，各被験歯を4歯面に分けて評価を行う．OHI がプラークの広がりを評価するのに対し，PlI はプラークの量を評価する．臨床的にもっともよく用いられるのは PCR である．口腔内の清掃状況を示す指標であるとともに，う蝕や歯周疾患予防，治療のための評価や刷掃指導の評価に用いられる．

同義語 歯垢指数
関連語 プラーク

プライマリケア　ぷらいまりけあ
primary care

　患者が抱える問題のほとんどに対して総合的な視点から対処でき，信頼感が醸成される人間関係を築くことで患者が受診しやすい状況をつくりだし，かつ家族や地域という枠組みのなかで責任ある診療を行う医師によって提供されるヘルスケアサービスのこと．プライマリケアはプライマリヘルスケアよりも古く1960年代から用いられており，英国では一般医師に登録している住民を担当する保健師，地域看護師，理学療法士や作業療法士，ソーシャルワーカーなどのグループをプライマリケアチームとよび，保健・医療・福祉ケアの最小グループ単位ととらえられてきた．チームケアの普及していない北米では，プライマリケアは病院や専門医師ではなく第一線の医師による診療一般をさして用いられていた．アルマ・アタ宣言〔世界保健機関（WHO），1978年〕で示されたプライマリヘルスケアは，従来の医師を中心とするプライマリケアとは異なり，専門家や医師が十分に得られない地域においても住民の自律的な保健活動を促す意味がこめられていたが，わが国へはこれらの言葉が同時期に導入されたため，しばしば混同して用いられることがある．

関連語 プライマリヘルスケア

プライマリヘルスケア　ぷらいまりへるすけあ
primary health care（PHC）

　世界保健機関（WHO）が掲げる「すべての人々に健康を」を基本理

念とした総合的な保健医療活動のこと．略語としてPHCと表記されることが多い．1978年のアルマ・アタ宣言で提唱された理念である．地域住民が主体となってみずから保健活動を自主的に運営し，地域社会が負担できる費用の範囲内で行う「自助自決」の精神に則り実施される．当初，主として途上国対象の保健戦略として用いられてきたが，住民参加，地域資源の有効活用，地域の実情に見合った適正技術の導入といった基本原則は，先進国の保健活動にも大きな影響を与えた．

同義語 PHC
関連語 アルマ・アタ宣言

ブラッシング　ぶらっしんぐ
tooth brushing

　歯ブラシを使用してプラークを除去，あるいは辺縁歯肉をマッサージする機械的清掃のこと．患者自身が行うセルフケア（ホームケア）に分類される．毛先を用いる方法と毛の脇腹を用いる方法の2つに大別される．比較的よく用いられているのはスクラビング法（スクラブ法）である．スクラビング法は，歯ブラシを垂直に歯と歯肉の境目に軽く（200〜300ｇの圧）当て，細かく左右に振動させる．圧をかけすぎたり，横に大きく動かす不適切なブラッシングにより，歯肉退縮，歯肉の擦過傷や炎症を引き起こすことがあるので注意する．ブラッシングのみで，歯間部や大臼歯周辺のプラークをすべて除去することは不可能なので，歯間ブラシやデンタルフロスなどを併用するとよい．

関連語 口腔清掃

ブラッシング指導　ぶらっしんぐしどう
tooth brushing instruction
➡ **同義語** 刷掃指導

フラビーガム　ふらびーがむ
flabby tissue, flabby gum

　顎堤粘膜下の骨が吸収した部分に増殖した軟組織のこと．コンニャク状顎堤ともいう．病理学的には，顎堤粘膜の結合組織の増殖をともなった慢性炎症であるとされ，長期間にわたる不適切な咬合状態や適合不良な義歯の使用により，床下粘膜に過度の機械的刺激が加わることにより生じるとされる．好発部位は上下顎前歯部であるが切歯乳頭，口蓋ヒダ部や臼歯部顎堤を含む広範囲に及ぶこともある．補綴治療に際しては被圧変位量を考慮し，該当部には印象圧をかけない印象法を選択する．また程度により外科的に切除を行う場合もあるが，顎堤の高径の減少，付着上皮の消失など，術後に新たな問題が生じることもある．

同義語 フラビーティッシュ

フラビーティッシュ
ふらびーてぃっしゅ
flabby tissue, flabby gum
➡ 同義語 フラビーガム

ブリッジ ぶりっじ
fixed partial denture, bridge

　少数歯の欠如に対し，残存歯あるいはインプラントを支台歯として連結して補綴することにより，形態や機能さらには審美性を回復する補綴装置．支台歯の部分に適用される支台装置，欠如部に適用されるポンティックおよび両者をつなぐ連結部で構成される．支台装置とポンティックとの連結方法の違いにより，固定性ブリッジ，半固定性ブリッジ，可撤性ブリッジに分類される．有床義歯に比べて装着時の異物感が少なく，動揺もないので咀嚼の効率もよい．しかし咬合圧や咀嚼圧はすべて支台歯が負担するため，支台歯となる歯の動揺度や歯冠・歯根長比，咬合状態，支台歯数などを考慮してブリッジを設計する．

同義語 橋義歯，架工義歯，架橋義歯

フレイル ふれいる
frailty

　Fried らが提唱した frailty の日本語訳．加齢にともなうさまざまな臓器機能低下によって外的なストレスに対する脆弱性が亢進した状態と定義される．健常な状態と要介護状態の中間の状態として扱われ，身体的フレイル，精神・心理的フレイル，認知的フレイル，社会的フレイル，オーラルフレイルなどが提唱されている．これらは適切な支援などにより健常な状態に戻りうる状態であるとされる．身体的フレイル評価法はFreid の提唱したCHS 基準が代表的である．日本人に用いやすく修正したJ-CHS 基準がある．

同義語 虚弱
関連語 オーラルフレイル

ブレンダー食 ぶれんだーしょく
mixed meal, blended meal, liquized meal, blender food
➡ 同義語 ミキサー食

プロービングデプス
ぷろーびんぐでぷす
probing depth（PD）

　プローブにより測定した歯肉溝（病的であれば歯周ポケット）の深さ．歯肉辺縁から歯肉溝底（上皮性付着最歯冠側）までの距離．ただしプロービングデプスは種々の条件で変化し，必ずしも解剖学的なものに一致しない．プロービングデプスに影響を与えるものとしては，プローブ側と組織側の要因がある．プローブ側のものとしては，プローブの形態，プロービング圧，挿入方向（角

度）がその主たるものである．組織側の要因としては，歯の位置異常や歯石，補綴装置の状態もあるが，炎症の存在やそれによる変化が大きい．炎症で歯肉が腫脹，増殖したり，すでに歯根が露出していることもある．また炎症が強いと結合組織中のコラーゲン線維が破壊，減少するため，プローブの受ける歯肉からの側方圧は小さくなり，プローブは深く入りやすくなる．したがって，プローブの先端は健康歯肉では上皮中で止まり，炎症があると結合組織性付着の最歯冠側，炎症が著しいと結合組織中にまで入るといわれている．

プロセスモデル ぷろせすもでる
process model

Palmerらによって提唱された咀嚼嚥下のモデル．咀嚼嚥下のプロセスをStage I transport, Processing, Stage II transport, Swallowing の4つのステージに分けている．Stage I transport で捕食した食物を臼歯部まで運び，Processing で食物を粉砕し唾液と混和することで食塊をつくる．Processing の途中で，Stage II transport によって咀嚼された食物は順次咽頭へと送り込まれる．咽頭へと送り込まれた食物は，嚥下までそこで蓄積し，最終的に口腔内でさらに咀嚼された食物と一緒になって嚥下される．プロセスモデルでは，Processing と Stage II transport とがオーバーラップしているのが特徴である．

プロダクティビティ ぷろだくてぃびてぃ
productivity

高齢者のもつ社会経済的価値を含む生産性にかかわる要素のこと．実際には高齢者の社会貢献活動の度合を表す概念である．その背景には，高齢者といえども自立している者が多数であることや，高齢者の理想的な状態を社会貢献活動の量と質に求めるプロダクティブエイジングの考えなどがある．プロダクティビティの内容として「有償労働（就労）」「無償労働（家事，介護など）」「ボランティア」「個人レベルの相互扶助」をあげることができる．高齢者であっても可能な範囲で自発的に社会経済的な役割を担い続けることは，対価やねぎらいの言葉など社会貢献を比較的わかりやすい形で受け止めることができ，その活動を通じて得られた経験は自分自身の幸福や生きがいにつながるといえる．

フロッシング ふろっしんぐ
flossing

歯間隣接面や歯周ポケット内のプラークをデンタルフロスを用いて除去すること．デンタルフロスは，ワッ

クスタイプとアンワックスタイプがあり，フロスの線維が糸状・帯状・スポンジ状のものや，水分に触れると膨らむものなどがあり，指巻法・サークル法・フロスホルダーを用いて使用する方法がある．ブラッシングと併用することでプラーク清掃効果をより高める．

プロトロンビン時間国際標準比
ぷろとろんびんじかんこくさいひょうじゅんひ
prothrombin time-international normalized ratio

➡ 同義語 PT-INR

BRONJ ぶろんじぇ
bisphosphonate-related osteonecrosis of the jaw

➡ 同義語 ビスホスホネート系薬剤関連顎骨壊死

平均寿命 へいきんじゅみょう
life span, average life span, natural span

ある人口集団の0歳の平均余命のこと．国別，地域別に求めた数値はその国の国民（住民）の保健衛生状態を評価する重要な指標である．日本では，第二次世界大戦後の約10年間に，乳幼児や青年期の死亡率の低下により急速に延び，長寿国の仲間入りをした．その後も，おもに高齢者の死亡率の低下が寄与するなどして平均寿命を延ばし続け，現在わが国は，男女とも平均寿命が世界でも最も長い国のうちに含まれる．

関連語 平均余命，生命表

平均余命 へいきんよめい，へいきんよみょう
average life expectancy, mean life expectancy

ある人口集団について，その年齢の生存者が今後何年生きられるかを示すもの．国民レベルでは国勢調査などの人口静態統計資料に，出生，死亡などの人口動態統計を合わせた生存数と死亡数の資料から生命表を作成して，毎年公表されている．そのなかで，とくに0歳の平均余命を平均寿命という．

関連語 平均寿命，生命表

閉塞性睡眠時無呼吸
へいそくせいすいみんじむこきゅう
obstructive sleep apnea (OSA)

上気道の形態学的あるいは機能的な異常により，睡眠中に上気道が狭窄・閉塞し，無呼吸が出現する病態．睡眠関連呼吸障害のなかでもっとも頻度が高い．発症に起因する因子でもっとも重要なものは肥満であり，ほかに性差（男性），加齢，頭蓋顔面形態（顎骨の後方偏位，小下顎症など）や上気道軟部組織の増大など

がある．日中の眠気や睡眠中のいびき・無呼吸だけでなく，循環器疾患・脳血管疾患の発症リスクが高まる．高齢者では明らかな肥満がみられない場合も多く，加齢とともに気道周囲の脂肪沈着が増加するといわれている．治療法として持続陽圧呼吸（continuous positive pressure breathing），口腔内装置（OA），減量，手術などがある．

関連語 睡眠関連呼吸障害，口腔内装置

閉塞性動脈硬化症
へいそくせいどうみゃくこうかしょう

arteriosclerotic obliteration, arteriosclerosis obliterans（ASO）

動脈硬化症により末梢動脈に病変が生じ慢性的な循環障害を起こした状態．主として下肢動脈の動脈硬化による閉塞ないし狭窄により，下肢への血液供給が不足する慢性の動脈閉塞．初発症状では間歇性跛行が多い．病変が重度になると，安静時痛，潰瘍，壊疽が起こる．問診で閉塞病変に由来する症状（下肢冷感，しびれ感，安静時痛，壊死など）があるかどうかを聞き，視診により下肢の皮膚色調，潰瘍，壊死の有無をチェックして，触診ですべての下肢動脈の拍動の有無を調べる．

同義語 ASO

ペースメーカ　ぺーすめーか

pacemaker

重篤な徐脈性不整脈である高度房室ブロック，洞機能不全症候群，徐脈性心房細動などで，めまい，失神，心不全などの症状を示す患者に対して，その改善のために用いられる治療装置．徐脈性不整脈の病態に応じて，適切なペーシングモードが設定される．体内に植え込まれる植込み型と，一時的なペーシングに用いられる体外式に分けられる．最近ではMRI対応デバイスや，リードレスペースメーカなどが実用化されている．

PEG　ぺぐ

percutaneous endoscopic gastrostomy

胃瘻を造設する術式の名称．経皮内視鏡的胃瘻造設術．わが国では胃瘻造設のことを「PEGをつくる」といったり，胃瘻管理になった際に「PEGになった」などといった使われ方もするが，本来は術式の名称である．

同義語 経皮内視鏡的胃瘻造設術
関連語 胃瘻

HbA1c　へもぐろびんえーわんしー

hemoglobin A1c

赤血球のヘモグロビンにブドウ糖が結合したもの．赤血球の寿命をも

とにすると，1～2か月前の平均血糖値を反映するので，糖尿病の診断と重症度の指標になる．血糖値は検査前の食事や検査を行う時期によって変動するのに対し，HbA1cはそれらにほとんど影響を受けないので，糖尿病の重症度を示す．血糖値が糖尿病型の場合，HbA1cが6.5%以上か，糖尿病の典型的症状（多飲，多尿，口渇，体重減少）か糖尿病性網膜症があれば，糖尿病と診断される．

関連語 ▶ 糖尿病

ヘルスプロモーション
へるすぷろもーしょん
health promotion

世界保健機関（WHO）が1986年のオタワ憲章（カナダのオタワで開催された第1回ヘルスプロモーション国際会議で採択された）において提唱した健康戦略．①健康的な公共政策づくり，②健康を支援する環境づくり，③地域活動の強化，④個人技術の開発，⑤ヘルスサービスの方向転換の5項目が主要な活動分野としてあげられている．健康づくりに対しての公共政策づくりや環境づくりを掲げていることが特徴といえる．

関連語 ▶ オタワ憲章

ヘルペス
へるぺす
herpes

ヘルペスには単純疱疹と帯状疱疹が含まれる．複数の小水疱が生じ，ピリピリとした違和感，かゆみ，疼痛が生じ，対応としては抗ウイルス薬の投与が行われる．単純疱疹は単純疱疹ヘルペスウイルスが関与しており，口唇や性器に生じる．帯状疱疹には水痘帯状疱疹ウイルスが関与しており，片側の神経支配領域に水疱が多数生じる．三叉神経や顔面神経にも生じる．帯状疱疹は高齢者など，免疫力が低下した者で生じやすく，疼痛が後遺することがあるが，ワクチンもある．

変形性関節症
へんけいせいかんせつしょう
osteoarthritis (OA)

慢性の関節炎をともなう関節疾患．関節の退行性変化と増殖性変化が同時に起こり，軟骨の破壊と骨，軟骨の異常増殖性変化がみられ，関節炎（滑膜炎）は二次的に発症する．加齢とともに増加し，60歳以上になると膝，肘，股関節および脊椎で80％以上の者に症状の程度の差はあれ発現する．本症は男性では重労働者に明らかに多く，女性では肥満の関与も指摘されている．関節構成要素の退行性変化を基盤として遺伝的要因，加齢，肥満，関節不安定症，繰り返しの亜脱臼・脱臼，労働やス

ポーツなどによる関節への負荷などがその進行に関与している．治療は初期には，抗炎症薬，鎮痛薬またそれらの湿布薬を使用する．膝関節では大腿四頭筋の筋力強化訓練，足座板，装具療法が適応となる．股関節では外転筋力の強化訓練などが有効である．また，関節内ヒアルロン酸注射など関節保護薬の注入も有効であるが，多用すると関節破壊を強めることもあり，注意を要する．さらに進行した場合，関節鏡視下手術も有効であり，痛みや変形が強い場合は膝関節や股関節では骨切り術や人工関節などの手術が適応となる．

偏食 へんしょく
deviated food habit, unbalanced diet

栄養素の配分から，きわめて偏った食物の摂り方をすること．食物の好き嫌いが激しい場合にみられることが多いが，高齢者とくに一人暮らしの場合は，長年の習慣や献立の内容，調理や食事の準備のわずらわしさ，食べることへの情熱の不足，精神的，経済的理由から偏食になりやすい．また義歯不適合など口腔内の不調も原因となる．長く偏食を続けると，適切な栄養素の摂取ができず，生体の免疫力や調整力の減退を招き，健康障害につながる．

便秘 べんぴ
constipation

大便が大腸内に長期間とどまり，水分含有率が低下し固くなり，排便困難となる状態．2～3日に1回しか排便がなくても，大便の硬さが普通で，排便困難をともなわないのであれば，便秘とはいわない．しかし，毎日排便があっても，量が少量で固く，排便時に疼痛があったり努力を要したり，あるいは腹部膨満感や頭痛，吐き気などの症状がある場合は便秘と考える．器質的なもの（腸閉塞，腸の腫瘍や炎症，近接臓器の腫瘍などによる圧迫，癒着など）もあるが，機能的なもの（大腸の攣縮や弛緩，習慣性）が大部分で，とくに便意を我慢することで正常な直腸内圧では便意が起きなくなることが多い．高齢者の場合は，腸壁の緊張感が低下し，蠕動が弱くなり便秘を起こしやすい．また長年の習慣に加え，口腔状況の変化による食品摂取の偏り，頻尿を恐れての水分摂取量の不足，運動量の不足などが原因となり慢性便秘を起こしやすく，食欲低下に拍車をかける．

扁平上皮乳頭腫 へんぺいじょうひにゅうとうしゅ
squamous cell papilloma

口腔粘膜の重層扁平上皮が過角化，錯角化をともないながら，表面

顆粒状または乳頭状に増殖した良性上皮性腫瘍で，慢性機械的刺激による反応性増殖物であることが多い．一方で，ヒトパピローマウイルス（human papillomavirus：HPV）感染によるものも報告されている．

扁平苔癬 へんぺいたいせん
lichen planus

皮膚や粘膜に炎症性，角化異常をともなう難治性，原因不明の慢性炎症性疾患．病変が口腔粘膜に発現するものを口腔扁平苔癬（oral lichen planus：OLP）とよぶ．皮膚病変は掻痒が主体で自然治癒することがあるが，OLPは非寛解性で疼痛を生じやすく食事摂取量が低下することがあるため，高齢者ではとくに注意が必要である．40〜50歳代以降に好発し，女性に多い．典型例では両側頰粘膜に網状の白斑として出現するが，紅斑やびらんを呈することもあり，多彩である．舌，歯肉，口唇などにも発生し，片側性の場合もある．病理組織像は皮膚病変と同様に，粘膜上皮の基底層の液状変性，粘膜下の帯状炎症性細胞浸潤がみられる．治療法としては，副腎皮質ステロイド外用剤が第一選択である．世界保健機構（WHO）が2017年に提唱した口腔潜在性悪性疾患（oral potentially malignant disorders：OPMDs）の1つでもある．近年，接触反応（金属アレルギー関連病変），薬剤反応（薬物アレルギー関連病変），GVHD，HCV，HBVの関与によって生じるものは，口腔扁平苔癬様病変（oral lichenoid lesions：OLL）とし区別されているが，病理組織学的に両者を明確に分けることはむずかしく，その定義や所見，癌化症例などについてはいまだ議論がある．臨床的に非典型像がある場合，たとえば病変が口蓋や口腔底にあったり，片側性であったり，びらんがあり症状が強い場合などはOLLを疑う．

ほ

房室伝導障害 ぼうしつでんどうしょうがい
atrioventricular conduction disturbance

心房・心室間における伝導障害．伝導障害の程度により第一度，第二度，第三度に分けられる．第一度ブロックは心電図PQ（R）時間が0.20秒を超えるものをいう．第二度ブロックはモービッツⅠ型（ウェンケバッハ型）とモービッツⅡ型に分けられる．前者はPQ（R）時間が徐々に延長し，QRSが脱落する．後者はPQ（R）時間は延長せず，突然，QRSが脱落する．第三度ブロックでは，心房から心室への伝導が完全に遮断され，P波とQRS波は完全

に独立する．モービッツⅡ型房室ブロック以上で，それによるめまいや失神などをともなう場合はペースメーカの適応となる．

訪問介護　ほうもんかいご
visiting long-term care

介護保険サービスのうちの居宅サービスの1つ．訪問介護員（ホームヘルパー）が居宅を訪れ，入浴・排泄・食事などの介護，調理・洗濯・掃除など日常生活のサポートを実施すること．

同義語 ホームヘルプサービス
関連語 介護サービス，在宅介護

訪問介護員　ほうもんかいごいん
home helper

介護保険制度において高齢や身体障害のために日常生活を営むのに支障がある者の自宅（広義の住まい）を訪問し，身体介護，生活援助サービスを行う専門職．ホームヘルパーともいう．訪問介護員としての業務に従事している者の資格は，介護福祉士，介護職員初任者研修修了者，実務者研修修了者，訪問介護員養成研修1級課程・2級課程修了者，介護職員基礎研修修了者など複雑である（3級は2013年に廃止）．現在，この資格を取得するには，各都道府県の指定を受けた事業者が実施する介護職員初任者研修（130時間）を受講し，修了証を得る必要がある．

同義語 ホームヘルパー

訪問看護　ほうもんかんご
visiting nursing

病状が安定期にある要介護者または要支援者が居宅で介護を受ける場合に，その居宅において，訪問看護ステーションや病院，診療所などから派遣される看護師，保健師，理学療法士，作業療法士などによって行われる，療養上の世話，必要な診療の補助などが行われている．もともとは，老人保健法の施行（1983年）に際し，退院後の寝たきり老人が入院中に受けていた看護を継続して受けられるように，訪問看護ステーションから看護サービスを提供される制度として始まった．その後，健康保健法の改正により，主治医の指示書に基づいて，老人医療受給者でなくても，また退院患者でなくてもこのサービスが受けられるようになり，さらに在宅医療推進の観点から対象者が拡大し続けて，訪問看護はすべての年齢の在宅療養者を含むようになった．

2000年の介護保険法の施行からは，訪問看護は居宅サービスの1つとして位置づけられ，それまでの健康保険による給付事業からむしろ介護保険の給付事業のほうに比重が移っている．

ほうもんか

関連語 ▶ 介護保険

訪問看護ステーション
ほうもんかんごすてーしょん
visiting nursing station

　訪問看護事業の拠点の1つ．居宅で療養する患者を訪問し，看護サービスを提供する．看護師だけでなく，理学療法士，作業療法士，言語聴覚士などが所属しているステーションもある．

訪問口腔衛生指導
ほうもんこうくうえいせいしどう
home-visit oral health instruction

➡ 同義語 訪問歯科衛生指導

訪問歯科衛生指導
ほうもんしかえいせいしどう
home-visit dental health instruction

　要介護者などを対象として歯科衛生士が行う訪問歯科保健指導のうち，医療保険あるいは介護保険法に基づく居宅療養管理指導の一環として行われる事業名．歯科医師による歯科訪問診療あるいは介護サービスとして歯科医師による居宅療養管理指導が行われたうえで，必要とみなされた場合に，おおむね月4回を限度として実施する．介護保険に基づく介護サービス計画のなかに歯科医師や歯科衛生士による居宅療養管理指導を組み入れるには，主治医の意見書の「訪問歯科診療」あるいは「訪問歯科衛生指導」の項目に「必要」と記載されることが重要である．自治体によって事業名が訪問口腔衛生指導，訪問歯科保健指導などと称される場合がある．

同義語 訪問口腔衛生指導，訪問歯科保健指導

訪問歯科診療
ほうもんしかしんりょう
homebound dentistry, home-visit dental treatment, dental home-visit treatment

➡ 同義語 歯科訪問診療

訪問歯科保健指導
ほうもんしかほけんしどう
home-visit dental health instruction

➡ 同義語 訪問歯科衛生指導

訪問指導
ほうもんしどう
home visiting health instruction

　要介護者や難病患者などを対象として，患者もしくは家族に対し，看護師や保健師，栄養士，薬剤師，歯科衛生士などが，生活の場あるいは施設において行う療養上の指導．そのほか，新生児訪問指導，妊婦訪問指導など母子保健法に基づく指導もある．

訪問診療 ほうもんしんりょう
home-visit medical treatment

　訪問診療とは，外来診療，入院診療と同様に診療形態を表すものである．なんらかの身体的理由により外来診療を受診することができない患者に対し，その患者のもとに出向いて診療を行う．したがって，診療計画に則って行い，患者からの要求で突発的に行う往診とは区別する必要がある．

訪問リハビリテーション
ほうもんりはびりてーしょん
home visit rehabilitation, visiting rehabilitation

　通院が困難な患者や利用者に対し，医師の指示により理学療法士，作業療法士，言語聴覚士が居宅を訪問しリハビリテーションを行うこと．

ボーエン病 ぼーえんびょう
Bowen disease

　表皮内有棘細胞癌の初期型で表皮内癌の一型．皮膚や外陰部に紅褐色の斑状ないし局面状皮疹がみられ，被覆部皮膚に単発することが多く，慢性湿疹や乾癬と間違えられることがある．外陰部の発症にはヒトパピローマウイルスの関与が考えられている．放置すると真皮内へ侵入することがあり，転移する危険がある．治療法としては放射線療法，外科的療法がある．

ホームヘルパー ほーむへるぱー
home helper
➡ 同義語 訪問介護員

ホームヘルプサービス
ほーむへるぷさーびす
home help service
➡ 同義語 訪問介護

ホーン・ヤールの重症度分類
ほーん・やーるのじゅうしょうどぶんるい
Hoehn-Yahr grading stage, Hoehn and Yahr scale

　1967年にHoehnとYahrがパーキンソニズムの重症度分類として用いた分類．日常生活動作の障害により以下の5つのstageから構成されている．stage Ⅰは症状が一側性であること，stage Ⅱは症状が両側性で，バランス障害がともなわないこと，stage Ⅲはバランス障害はあるが自立した生活が行えること，stage Ⅳは日常生活に介助を要すること，stage Ⅴは介助なしでは立つこともできない．

　この分類は簡便であるため，世界中で広く用いられているが，最近ではより詳細に8段階に分類した「修正ホーン・ヤールの重症度分類」を用いることも多い．

関連語 ▶ パーキンソン病

保健 ほけん
health, health care

　人々の健康増進と健康管理，疾病予防を目的とする組織的かつ系統的な取り組み．狭義の保健には，地域や事業所，学校などにおける環境の改善，母子，学齢，成人，老人などのライフステージに応じた保健事業，精神保健など，多様な領域がある．医療も含めて広義の保健とする場合もある．

関連語 ▶ 地域保健

保険 ほけん
insurance

　疾病，負傷，死亡，障害など，偶然遭遇する事故による損害を補償するために，加入者が互いに保険料を拠出し，必要が生じたときに保険金を受け取る制度．社会保険は，国の社会保障制度の1つであり，わが国では，医療保険，年金保険，雇用保険，労働者災害補償保険，介護保険が該当する．国や自治体または保険組合が保険者になり，該当する事態が起きたときに，被保険者の拠出を条件に，それに見合う給付を受ける制度である．いずれも原則として強制加入であるため，被保険者の階層は幅広く，財源は拠出した保険料のほかに，制度により国や地方自治体の負担，事業主の負担を含むこととなる．この制度は，収支のバランスが支出過多に傾きやすく，つねに制度改革が続けられている．一方，民間保険は生命保険と損害保険に大別され，民営による任意加入である．

関連語 ▶ 社会保障

保健・医療・福祉の統合 ほけん・いりょう・ふくしのとうごう
integration of health care, medical service and welfare service

　高齢社会を迎え，高齢者に対するサービスは，保健・医療・福祉が相互に連携して行う必要が生まれた．また，福祉の流れも，救貧的なものからノーマライゼーションの理念に立つ地域福祉の推進へと変化している．このため，サービスの受け手である一人ひとりの住民に，どのようなサービスがどの程度，誰によって提供されるのが適当かを検討し，各種のサービスを効率的に組み合わせて提供できる機能を求め，市町村を単位とした保健・医療・福祉の統合が必要となった．都道府県あるいは政令指定都市の保健所の指導を得て，市町村の保健センターと福祉事務所が一体となって市町村における総合相談窓口をつくり，さらに地域の医療機関を含めネットワーク化を図り，地域の実情に応じた取り組みができるようにする．最近では，従

来の保健所と福祉事務所を一緒にして，保健福祉事務所とした地方自治体もある．

保健機能食品　ほけんきのうしょくひん
food with health claims

国が設定した安全性や有効性の基準を満たした食品で，「保健機能食品」と表示しての販売が認められている．食品や機能などの違いにより個別許可制の特定保健用食品と，自己認証性の栄養機能食品の2つに加え，2015年より届出性の機能性表示食品が追加された．

関連語 ▶ 特定保健用食品，栄養機能食品

保健行動　ほけんこうどう
health behavior

狭義には「症状のない状態における病気予防や疾患の発見を目的として自覚症状のない段階で行う行動」であり，広義には「健康のあらゆる段階にみられる，健康保持，回復，増進を目的として，人々が行うあらゆる（医学的妥当性のないものまでを含めた）行動」のこと．保健行動のなかで，歯・口腔および顎機能についての病気と障害（異常）にかかわる心理，行動を包括して歯科保健行動（口腔保健行動）とよんでいる．

関連語 ▶ 行動変容

保健指導　ほけんしどう
health instruction

健康に対する関心や疾病の予防，療養上の能力を高めるために行うもので，学校や職場で行われる健康教育や個別指導，医療現場で医師や歯科医師が行う治療上の助言，在宅などの生活の場で保健師などが行う介護，療養上の指導などがある．歯科衛生士法の改正（1989年）により歯科保健指導は歯科衛生士の業務（名称独占）とされた．

保健所　ほけんじょ
health center

地域保健計画に基づいて，疾病の予防，健康増進，環境衛生などの地域保健活動を行う中心的な機関．2022年4月現在で，都道府県立352，政令市立93，特別区（23区）立23，合わせて468か所が全国に設置されている．地域保健法の規定により，1997年からは，保健所に関する規定が整備され，都道府県が設置する保健所を地域保健の広域的・専門的・技術的拠点として機能を強化するとともに，保健・医療・福祉の連携の促進を図る観点から二次医療圏などを考慮して保健所の所管区域を見直し，規模の拡大を図ることとされた．職員は，医師，歯科医師，保健師，獣医師，歯科衛生士，栄養士などで，所長は，医師であってか

つ3年以上公衆衛生の実務に従事した経験がある者であるか，国立保健医療科学院の専門課程を修了した者であるか，その有する技術または経験が前二者に匹敵する者でなければならない．歯科医師が勤務する保健所は少なく，歯科医師が保健所にいない県もある．

関連語 市町村保健センター

ホスピス　ほすぴす
hospice

おもにがんなどの治療不可能な疾患の終末期にあり，終末期の患者に対して心身のケアを行う施設のこと．患者だけでなく家族のQOL向上をめざし，単に延命治療を行うのではなく，痛みを緩和し，精神的なケアを行う場である．

関連語 緩和ケア

ポリメラーゼ連鎖反応法
ぽりめらーぜれんさはんのうほう
polymerase chain reaction
➡ **同義語** PCR法

ポンティック　ぽんてぃっく
pontic

歯の喪失した部分を補う人工歯で，支台装置と連結されるブリッジの構成要素の1つ．支台歯と連結することで，歯の喪失にともなう咀嚼，発音，審美性などを回復する．材質により金属ポンティック，レジン前装ポンティック，陶材焼付ポンティック，オールセラミックポンティックに分類される．

関連語 ブリッジ

ま

埋伏智歯　まいふくちし
impacted wisdom tooth

歯槽骨や歯肉に埋まっており，歯の一部あるいは全体が萌出していない状態の智歯．智歯は萌出するスペースが少なく，埋伏しやすい傾向がある．埋伏の状態によって半埋伏智歯や完全埋伏智歯などとよばれる．半埋伏の場合は清掃性が低下し，智歯および第二大臼歯のう蝕や炎症の原因となりうる．高齢者では下顎骨の緻密化や骨性癒着などで埋伏智歯の抜歯が困難となる場合がある．

末梢静脈栄養法
まっしょうじょうみゃくえいようほう
jugular intravenous feeding

点滴による栄養補給のことで，四肢の静脈を用いる栄養法．手技は簡便であるが，用いる血管が細いので，水分補給には十分であるが生命維持に必要な栄養分を補給することはできない．

関連語 中心静脈栄養法

摩耗（磨耗）（歯の） まもう（はの）
dental abrasion

咀嚼や歯ぎしりによる歯の接触以外の機械的作用により生じる表在性の歯の摩擦による実質欠損のこと．一般的にみられる摩耗は，歯ブラシの使い方の誤用，粒子の荒い歯磨剤の使用，不適合なクラスプによる摩擦によって起こる．そのほか，裁縫師やガラスのビン吹き職人などの職業的原因や，習慣性パイプ喫煙者のような習慣的原因による摩耗がある．臨床的に犬歯，小臼歯の唇側歯頸部の露出根面にくさび状，皿状または椀状の欠損として認められる．

関連語 トゥースウェア

慢性呼吸不全 まんせいこきゅうふぜん
chronic respiratory failure

慢性的に動脈血酸素分圧（Pao_2）が 60 mmHg 以下となり，正常な機能を営むことができなくなった状態．動脈血二酸化炭素分圧（$Paco_2$）が 45 mmHg 以下のⅠ型呼吸不全と 45 mmHg 以上のⅡ型呼吸不全に分けられる．Ⅰ型は間質性肺炎，肺気腫，肺水腫，肺炎，無気肺などに，Ⅱ型は肺気腫，慢性気管支炎，気管支喘息などにみられる．治療は基礎疾患のコントロールであり，必要に応じて酸素投与を行う．

関連語 COPD

慢性腎臓病 まんせいじんぞうびょう
chronic kidney disease（CKD）

腎臓病をより早期に発見・治療するために米国腎臓財団（National Kidney Foundation：NFK）により提唱された概念．具体的には，①尿異常，画像診断，血液，病理で腎障害の存在が明らかである（とくにタンパク尿の存在が重要），② GFR（糸球体濾過量）＜60 mL/分/1.73 m^2 のいずれか，または両方が 3 か月以上持続する，と定義される．CKD の重症度のステージは，G1，2，3a，3b，4，5 に分類され，5 は末期腎不全である．

同義語 CKD
関連語 腎不全

慢性閉塞性肺疾患
まんせいへいそくせいはいしっかん
chronic obstructive pulmonary disease（COPD）

➡ **同義語** COPD

ミールラウンド みーるらうんど
meal round

医師，歯科医師，管理栄養士，看護師，歯科衛生士，介護支援専門員そのほかの職種の者が，認知機能や摂食嚥下機能の低下をともなう入院または入所者に対し，机や椅子の高

さなどの食事の環境，食事の姿勢，食事のペースや一口量，食物の認知機能，食具の種類や使用方法，食事介助の方法，食事摂取量，食の嗜好を観察し，カンファレンスなどを行い入所者ごとに経口摂取の維持支援の充実を図ること．「多職種による食事の観察評価」ともいう．

2015年度の介護報酬改定では，経口維持加算の要件を変更して経口摂取の維持支援を充実させる観点より，多職種によるミールラウンドやカンファレンスなどの取り組みのプロセス，および咀嚼能力などの口腔機能を踏まえた経口維持のための支援を評価するようになった．

ミオペニア　みおぺにあ
myopenia

加齢以外の要因の筋力低下や筋肉量低下のこと．

味覚試験　みかくしけん
taste examination, test of taste

味覚異常の患者の診断の際に行われる味覚の検査法．広く用いられている方法には以下のようなものがある．全口腔法は各濃度の基本味溶液（甘味，酸味，塩味，苦味）をピペットなどで口腔に含ませ，味覚の閾値および味質を検査する．電気味覚試験は口腔内の各部位に電気味覚計などによって弱い電流を流し，その際に感じる金属味によって味覚の閾値と部位を検査する．ろ紙ディスク法は各種濃度の基本味溶液をろ紙にしみこませて舌面の各部位に当て，味覚の閾値，味質，部位を検査する．そのほか，血液検査により微量金属を定量する方法もある．また，心因性と思われる場合には心理テストも必要であり，口腔乾燥や感染症による味覚異常が疑われる場合には，それらの検査も必要である．

関連語　味覚障害

味覚障害　みかくしょうがい
taste disorder, dysgeusia

なんらかの原因で生じる味覚の減退から完全な味覚消失まで症状全般の味覚の異常のこと．その症状により，味覚減退（味が薄く感じる），味覚消失（味がまったくわからない），自発性異常味覚（食物がないにもかかわらず，いつも苦い味がする），解離性味覚障害（ある特定の味がわからない），悪味症（食物がいやな味になる），異味症（ある食物が本来とは異なった味がする），に分類される．血中の亜鉛濃度の低下，服用薬の副作用，全身疾患，口腔疾患，心因的な原因などにより生じる．全口腔法，電気味覚試験，ろ紙ディスク法などの味覚試験により，障害の程度と部位を評価し，原因に応じた治療を行う．

関連語 味覚試験

ミキサー食 みきさーしょく
mixed meal, blended meal, liquized meal, blender food

おもに咀嚼の機能が著しく不良であることを原因として食事の摂取が困難な嚥下障害患者に対して用いられる食品．必要に応じて水分を加えた食事をミキサーにかけて，均一な状態になったものを用いる．ブレンダー食，トロミ食ともよばれる．

同義語 トロミ食，ブレンダー食
関連語 嚥下調整食

未処置歯 みしょちし
decayed tooth

う蝕歯のうち，未治療の歯．う蝕の検出基準は，臨床的にはう窩の形成をもってするが，エナメル質下の脱灰，軟化底（壁）の存在を基準とすることが多い．通常，う蝕の深度により1～4度に分類する．そのうち，残根状態のう蝕4度の歯は，将来治療をする前提の「未」処置歯というよりも，機能を喪失している歯として喪失歯扱いにする場合がある．二次う蝕や，同一の歯で修復物とは別の部位にう蝕がある場合もここに含める．

関連語 DMF歯

水飲みテスト みずのみてすと
water swallowing test

被験者に一定量の水を飲ませ，その状況から嚥下機能，とくに誤嚥のリスクをスクリーニングする試験．わが国では30 mLの水を用いる窪田の方法が用いられてきたが，重症例に配慮した，3 mLを使用する才藤の改訂水飲みテストが広く用いられている．改訂水飲みテストは3 mLの冷水を口腔底に注ぎ，嚥下を指示する．その際，咽頭に直接流れ込まないようにシリンジで口腔底に注ぐ．評点が4点以上であれば，さらに2回繰り返し行い，もっとも悪い場合を評点する．

関連語 改訂水飲みテスト

看取り みとり
end of life care

疾病や老衰により生命の終末期にある者に対して，本人の希望と権利を最大限に尊重し，かつ本人の尊厳を保つように，安らかな死を迎えることができるよう，最良の医療・看護・介護・リハビリテーションを提供すること．終末期であるかどうかの判断は，対象者にかかわるすべての職種と家族の総合的判断によって決められる．

ミニメンタルステート検査
みにめんたるすてーとけんさ

mini-mental state examination
➡ 同義語 MMSE

ミネソタ多面人格目録
みねそたためんじんかくもくろく
Minnesota multiphasic personality inventory

　ミネソタ大学の心理学者 Hathaway と精神医学者 Mckinley によって考案発表された性格検査．臨床領域のみならず，企業や教育界でも使用されて，その利用範囲は多岐にわたる．550項目の質問から構成されており，被検者は「はい」「いいえ」「どちらともいえない」の3件法で回答する．検査尺度は，妥当性尺度4尺度，臨床尺度10尺度（心気症，抑うつ，ヒステリー，精神病質的偏奇，男子性・女子性，パラノイア，神経衰弱，統合失調症，軽躁病，社会的内向性）の合計14尺度よりなる．

同義語 MMPI テスト

脈圧　みゃくあつ
pulse pressure

　収縮期血圧と拡張期血圧の差のこと．脈圧は40～60 mmHg 程度といわれている．脈圧の増加は，大動脈弁逆流，大動脈硬化，重度の鉄欠乏性貧血，動脈硬化，甲状腺機能亢進などで発生する．脈圧の減少は，心不全，失血，大動脈弁狭窄症，心タンポナーデなどで発生する．また，脈圧は加齢とともに増大する．脈圧の増加は心疾患の増悪因子であり，10 mmHg 増加すると，心血管疾患リスクは20％増えるといわれている．

民生委員　みんせいいいん
social welfare commissioner

　地域住民の社会福祉の向上を目的として担当区域の住民に必要な援助を行うため，民生委員法に基づいて市区町村に置かれる無報酬の民間奉仕者．自治体の大きさによって100～400世帯に1名程度選任されている．民生委員の職務は，住民の生活状態の適切な把握，援助を必要とする者に関する相談，助言そのほかの援助の実施，福祉サービスに必要な情報の提供，社会福祉事業者などとの連携による事業活動の支援，福祉事務所の業務への協力などである．区域住民全体に対する細やかな目配りを必要とする立場であるが，とくに高齢者に関しては，介護保険制度対象者の把握や苦情の窓口としての役割がある．児童福祉法による児童委員を兼務する．

む

無歯顎　むしがく
edentulous jaw

上下顎において，すべての歯を喪失したか，歯が存在しない顎のこと．原因としては先天的欠損やう蝕，歯周疾患，外傷などがあげられる．無歯顎者では，咀嚼，発音，嚥下などの機能の変化や，歯根膜感覚受容器喪失による下顎運動調節機能の低下や異常口腔習癖の発現などが生じる．また，咬合高径の低下や歯列による口唇支持（リップサポート）の消失などによって，顔貌などの外観にも問題が生じる．

むせ　むせ
cough, choking

食品や唾液などにより，気管が刺激されると防御本能が働き，勢いよく空気を吐き出してその原因物質を体外に吐き出すこと．嚥下能力が低下した高齢者において，食品や水分を摂取する際，「むせてしまった」などの発言をよく耳にする．また，健常成人や幼児にも認められる状態である．嚥下時になんらかの原因で食物が肺に進入し，肺から排出させようとするときに発生する．とくに飲食物では，食事の姿勢や，食事量（一口量）の過多，食物の形態，硬さなどにより発生することが多い．

関連語　咳反射

MRONJ　むろんじぇ
medication-related osteonecrosis of the jaw

➡ 同義語　薬剤関連顎骨壊死

め

メタアナリシス　めたあなりしす
meta-analysis

過去に報告された複数の研究結果を統合して分析するための一連の手法，ならびにそこに含まれる統計解析のこと．ランダム化比較試験（RCT）のメタアナリシスは，根拠に基づく医療（EBM）においてもっとも質の高い根拠（エビデンス）とされる．そのため，メタアナリシス自体が厳密な基準に基づいて行われる必要があり，その骨子は2009年に発表された「PRISMA声明（the Preferred Reporting Items for Systematic Reviews and Meta-analyses Statement）」に，タイトル，抄録，緒言，方法，結果，考察，資金など7項目について27の細目が示されている．

同義語　メタ分析，メタ解析

メタ解析　めたかいせき
meta-analysis

➡ 同義語　メタアナリシス

メタ分析　めたぶんせき
meta-analysis

➡ 同義語　メタアナリシス

メタボリックシンドローム
めたぼりっくしんどろーむ
metabolic syndrome

　内臓肥満に，高血圧，高血糖，脂質代謝異常が併存することにより，心疾患や脳卒中などになりやすい病態．日本の診断基準（2005）は，腹囲が男性85cm，女性90cm以上で，血圧130/85mmHg以上，中性脂肪150mg/dL以上かつ/またはHDLコレステロール40mg/dL未満，空腹時血糖値110mg/dL以上の3項目のうち，2項目以上を満たす場合である．治療は肥満と同じである．

関連語 生活習慣病，BMI

メチシリン耐性黄色ブドウ球菌
めちしりんたいせいおうしょくぶどうきゅうきん
methicillin-resistant *Staphylococcus aureus*（MRSA）

　ペニシリン系の抗菌薬であるメチシリンに耐性をもつ黄色ブドウ球菌であり，メチシリンだけでなく多くの抗菌薬（アミノグリコシド系・マクロライド系・ニューキノロン系など）へも耐性をもつ多剤耐性菌．黄色ブドウ球菌は，病原性の低い常在菌（グラム陽性菌）であるため健常者では大きな問題を起こさないが，乳幼児や高齢者・術後患者などの易感染性宿主においては肺炎や肺膿瘍，胸膜炎，菌血症などの感染症を引き起こすことがある．抗菌薬のうちβラクタム系に属するペニシリン系やセフェム系の薬剤が多用されることにより出現しやすいため，最低限度の使用にとどめることが重要であるとともに薬剤感受性試験を行うなど，使用薬剤の検討を行いながら治療を行う必要がある．

同義語 MRSA

METs
めっつ
metabolic equivalents

　活動・運動を行ったときに安静状態の何倍のカロリーを消費しているかを示すものであり，身体活動の強さを示す単位．「健康づくりのための運動指針2006」からMETsは用いられており，METsと運動時間を掛け合わせた運動量を示す単位を，「エクササイズ」とした．身体活動レベルと時間の両項目より簡便に身体活動を評価できる特性があり，世界保健機関（WHO）の調査においても使用されている．

関連語 身体活動レベル

メディカルデバイス感染症
めでぃかるでばいすかんせんしょう
medical device infectious disease

　経管栄養法のためのチューブ，尿路のカテーテル，心臓の人工弁や強膜バックルなどの人工臓器など，医療を目的として生体内に留置される医療用具や医療材料が原因となって

引き起こされる難治性の感染症．たとえば感染性心内膜炎，複雑性尿路感染症などをさす．通常，生体とバイオフィルム内の細菌は共生関係にあり，比較的穏やかに経過しているが，いったん宿主側（生体）の抵抗力が低下すると，急性化し増悪する場合がある．バイオフィルムは免疫に抵抗し，抗菌薬などが浸透しにくく，除菌が困難なのが特徴で，医療用具に付着したバイオフィルムは機械的に除去するのがもっとも確実な方法と考えられている．口腔領域におけるデンチャープラークも同様のものと考えられ，デンタルデバイス感染症ともよばれている．

も

毛舌　もうぜつ
hairy tongue

糸状乳頭が過形成により伸展して舌背の表面に細かい毛が生えているようにみえる状態．着色のないものを毛舌とよび，黒色または黒褐色を呈するものを黒毛舌とよぶ．毛舌の色は細菌産生色素，食品や嗜好品中の色素などに由来する．全身状態の不調や抗菌薬服用による菌交代現象の結果として，色素産生菌が優位になることが原因である．真菌感染，喫煙，精神的ストレスも原因となることがある．治療法としては，原因となる薬剤の投与中止，誘因となる疾患の治療，口腔清掃の徹底などがある．

関連語 ▶ 黒毛舌

目標量（食事摂取基準の）　もくひょうりょう（しょくじせっしゅきじゅんの）
tentative dietary goal for preventing life-style related disease

食事摂取基準で設定されている生活習慣病の発症予防のために現在の日本人が当面の目標とすべき摂取量．脂質，炭水化物目標量で用いる％エネルギーとは，必要なエネルギーのうち何％をそれぞれの栄養素から摂るか示している．

関連語 ▶ 日本人の食事摂取基準（2020）

モニタリング　もにたりんぐ
monitoring

➡ **同義語** 生体情報モニタ

物忘れ　ものわすれ
forgetfulness

しばしば物事を忘れること．日常的に起こりうるものであるが，加齢による記憶力の低下，精神的ストレス，寝不足，薬物中毒が原因となることもある．また，脳梗塞，脳出血，アルツハイマー型認知症，脳腫瘍，慢性硬膜下血腫，水頭症，甲状腺機能低下，ビタミン欠乏症，うつ病などの疾患の症状としても生じる．疾

患によっては早期発見や適切な治療を行うことによって回復する場合や，アルツハイマー型認知症であっても適切な薬物選択や生活指導で症状の改善が認められることがある．

や

薬剤関連顎骨壊死
やくざいかんれんがっこつえし

medication-related osteonecrosis of the jaw（MRONJ）

　ビスホスホネート（BP）系薬剤関連顎骨壊死（BRONJ）が問題視され，さらに，デノスマブや抗VEGF抗体投与患者にも同様の顎骨壊死が発生したため，これらを一括して薬剤関連顎骨壊死とよぶようになった．薬剤関連顎骨壊死の発生頻度の詳細は，症例ごとに薬剤の種類，投与期間，口腔の状態，口腔衛生に対する意識と日常の口腔衛生管理などが異なるため調査はむずかしい．BP系薬剤やデノスマブなどの薬剤は多発性骨髄腫や乳がん，前立腺がんなどの骨転移に効果があるだけでなく，高齢者に多い骨粗鬆症に対しても有効である．わが国では骨粗鬆症患者は増加しており，とくに女性に対しては，閉経以降は軽度の症例であっても骨折予防の点から処方率は高い．薬剤関連顎骨壊死を発症する可能性がある上記薬剤の投与前には十分な口腔衛生管理が必要であり，投与中も自己管理と歯科での口腔衛生管理が求められる．抜歯などの観血処置が必要な場合はそれらの薬剤の休薬も選択肢であるが，重症の骨粗鬆症や骨転移症例に投与している場合は休薬ができないため，顎骨壊死発症も避けられないことがある．顎骨壊死部は骨髄炎を起こすことが多いので消炎療法を行い，顎骨壊死部，骨髄炎部の腐骨分離を待つ保存的治療がまず選択されるが，長期間の通院加療を必要とする．症例によっては腐骨除去を含む顎骨の部分的切除手術が適応となることもある．診断基準は骨吸収抑制薬関連顎骨壊死と同じであるのでそちらを参照．

同義語 MRONJ

関連語 ビスホスホネート系薬剤関連顎骨壊死（BRONJ），骨吸収抑制薬関連顎骨壊死（ARONJ）

薬剤コンプライアンス
やくざいこんぷらいあんす

drug compliance

　医療従事者が与える指示通りに患者が服薬できるかどうかをさし，服薬遵守ともいう．患者側の問題点として，処方に対する誤解や無関心，症状の軽減による自己中断などが，医療従事者側の問題点として複雑な処方計画や薬剤外観の類似，薬剤の味や形状などがあげられる．薬剤コ

ンプライアンスの低下により薬物治療の効果が左右される．高齢者では，指示内容を守ることが困難となり薬剤コンプライアンスが低下しがちなので注意が必要である．なお，コンプライアンスは患者が医師に一方的に従うパターナリズムの意味合いをもつため，世界保健機構（WHO）は，2001年にアドヒアランスを使用するよう推奨している．

関連語 アドヒアランス

薬疹 やくしん
drug eruption

体内に入った薬剤に対する過剰反応の結果生じた皮膚症状．多くはアレルギー反応である．薬剤を使い始めてから発疹するまでの時間，期間はさまざまで，即時型と遅延型に分けられる．即時型アレルギーの場合は数分から30分後に蕁麻疹の症状が出る．症状が重篤になるとアナフィラキシーショックに陥ることもある．全身に麻疹のような小さい赤みが多発する紅斑丘疹型薬疹がもっとも多くみられる．固定薬疹は薬疹に特異的な発疹型であり，ある特定の部分にのみ赤みや色素沈着が生じる．

やせ やせ
leanness

身長に対して体脂肪が少なく，かつ体重が著しく少ない状態．厚生労働省によるやせの基準はBMI 18.5未満である．やせは非特異的な所見である．60歳以降では体重は年あたり0.1〜0.2 kg減少することが知られている．

関連語 BMI

ゆ

有歯顎 ゆうしがく
dentulous jaw

上下顎に歯が存在している顎のことで，無歯顎に対する用語．すべての歯が存在している状態から，1歯残存までさまざまな状態がある．有歯顎の状態である者を有歯顎者という．

有病率 ゆうびょうりつ
prevalence rate

ある集団における，一時点での特定の疾患や病態を有する者（患者）の割合．

関連語 罹患率

有料老人ホーム
ゆうりょうろうじんほーむ
private residential home, private nursing home

本人との契約により高齢者を入居させ，入浴，排泄，食事の介護，食事の提供，そのほかの日常生活に必

要な便宜を供与する事業を行う施設．民間の創意工夫を生かし，高齢者の多様なニーズに応じて運営されることが期待されるため，設置主体に法律上の制限はなく，届出制である．入居者は，設置者との間で他者を交えない相対契約を結ぶことになるので，支払う金額と期待できるサービスとを慎重に検討する必要がある．介護保険制度からみると，給付を受けることのできる指定特定施設として施設がみずから介護を提供するもの，訪問介護や通所介護などの外部のサービスを受けるものなど多様化している．そのため国は運営指針を示し，有料老人ホームを特定施設入居者介護の指定を受けた介護付き有料老人ホームと，それ以外の施設に分けている．

> 関連語 ▶ 老人福祉施設

ユニバーサルデザイン
ゆにばーさるでざいん
universal design

「どこでも，誰でも，自由に，使いやすく」という考え方に基づくデザイン．ノースカロライナ州立ユニバーサルデザインセンターの Mace の提唱により障害者や高齢者を中心に世界的に広まった．

ユニバーサルデザインフード
ゆにばーさるでざいんふーど
universal design food

日本介護食品協議会が制定した規格に基づいて，区分1：容易にかめる，区分2：歯ぐきでつぶせる，区分3：舌でつぶせる，区分4：かまなくてよい，の4段階に分類した製品．そのほか液体に粘度をつける製品はとろみ調整，とろみ調整ゼリー状と表記しており，いずれもパッケージに同一のマークがついている．

> 関連語 ▶ 嚥下調整食，嚥下食ピラミッド

よ

要介護高齢者
ようかいごこうれいしゃ
dependent elderly, elderly with care needs, frail elderly

「介護保険法」において65歳以上（第1号被保険者）で要介護状態にある者．

> 関連語 ▶ 寝たきり老人，要介護者，要介護認定

要介護者
ようかいごしゃ
long-term care needed

「介護保険法」において65歳以上（第1号被保険者）で要介護状態にある者（要介護高齢者），または40歳以上65歳未満（第2号被保険者）で特定疾病（末期がん，関節リウマチ，ALS，脳血管疾患，COPDなど）によって要介護状態になった者．

関連語 要介護認定

要介護度 ようかいご
stage of long-term care need

　厚生労働省によって定められた介護サービスの必要度を表した指標．要支援1，要支援2，要介護1，要介護2，要介護3，要介護4，要介護5の7段階で判定される．この判定基準は，傷病などの症状の重症度ではなく，介護の手間（時間）の必要度によって決められている．要支援1から要介護5となるにしたがい，介護を要する度合が高くなる．要介護度の認定は，保険者である市町村に設置される介護認定審査会において判定される．

要介護認定 ようかいごにんてい
care need certification

　介護保険制度において，公的介護サービスの利用に先立って被保険者の介護適否，要介護度の審査を行い公的に認定する作業．被保険者が市区町村あるいは指定機関に申請を行い，介護認定調査員による訪問調査のデータなどによる一次判定が行われる．この判定の結果と，主治医意見書などを加えた情報をもとに介護認定審査会（保健，医療，福祉などの専門職で構成）で検討し，二次判定が行われ，この結果に基づき市区町村から申請者に認定区分が通知される．要介護認定は介護サービスの給付額に結びつくことから，その基準については全国一律に客観的に定める．

関連語 要介護者，要支援認定

養護老人ホーム ようごろうじんほーむ
nursing home for the elderly

　老人福祉施設の1つで，65歳以上の者であって，環境上や経済的な理由により居宅での生活が困難な者を入所させる施設で，施設への入所は，市町村の措置決定に基づく．特別養護老人ホームと違い，介護保険施設ではない．

関連語 老人福祉施設，老人ホーム

要支援者 ようしえんしゃ
long-term assist needed, long-term support needed

　65歳以上（第1号被保険者）で要支援状態にある者，または40歳以上65歳未満（第2号被保険者）で，特定疾病（末期がん，関節リウマチ，ALS，脳血管疾患，COPDなど）によって要支援状態になった者．介護保険予防給付でのサービス（口腔機能向上など）の対象であったが，訪問介護，通所介護について，市町村が地域の実情に応じた取り組みができる介護保険制度の地域支援事業へ移行する見直しがなされている．

要支援認定　ようしえんにんてい
support need certification

　介護保険制度において，常時介護の必要はないが，日常生活に見守りや支援を必要とする状態を意味する「要支援」であることを公的に認定する作業であり，その過程は要介護認定と同一である．2006年4月の介護保険制度改正で，要支援は要支援1，2の2区分となり，予防給付によってサービス提供が行われる．サービス内容は，要支援状態悪化防止（介護予防）に重点を置いた内容であり，地域包括支援センターが連絡調整を行う．自立性回復を目指す「介護予防」の対象とされるようになった．

> 関連語　要支援者，要介護認定，予防給付

要抜去歯　ようばっきょし
indicated tooth for extraction

　抜去が適応と判断された歯．高齢者においては，残根状態で保存不可能なもの，歯周病で動揺の激しいもの，舌や口唇を傷つけているもの，そのほか補綴治療のためにはその存在が大きな障害になるものなどがある．

抑うつ尺度　よくうつしゃくど
depression scale

　高齢者の精神保健問題として高頻度で認められる抑うつ状態を簡易に測定する指標．抑うつ尺度には以下のようなものがある．自己評価式抑うつ性尺度は20問からなる自記式の質問紙を用いる．もともと，青年から中年層を対象として作成された指標のため，高齢者に用いる場合の基準点（カットオフ点）の設定には注意を要する．うつ病自己評価尺度も疫学において抑うつ尺度として広く用いられ，高齢者への応用例も多い．この尺度は20項目の質問に対して点数を与え，その合計点を定められたカットオフ点で判定する．GDS（高齢者抑うつ尺度）は高齢者の抑うつ状態をスクリーニングするための尺度である．30問の質問で構成されており，はい/いいえで回答するので高齢者にとって回答が容易であるといわれる．同尺度には15問の短縮版があるが，質問を日本の文化や言語的妥当性から検討した，短縮版の日本版も作成されている．

> 関連語　うつ病自己評価尺度，GDS，自己評価式抑うつ性尺度，抑うつ状態

抑うつ状態　よくうつじょうたい
depressive state

　抑うつ気分，興味・喜びの喪失，意欲の低下，睡眠障害，食欲低下などの抑うつ症状が，ある期間以上持続した状態．生活のなかでのさまざ

まな要因によって起こり，老年期にしばしばみられる．

関連語 抑うつ尺度

予防給付　よぼうきゅうふ
preventive benefit

支援が必要と認められた者に対して給付される介護サービス．2006年4月に導入された新たなサービスで，介護給付に比べると実質上介護を提供するよりも，生活機能の維持や向上により重点が置かれている．今後は地域支援事業に移行する見直しがなされている．

関連語 要支援者

リウマチ性多発筋痛症
りうまちせいたはつきんつうしょう
polymyalgia rheumatica（PMR）

高齢者に発症し，肩や大腿部の疼痛を主徴とする炎症性疾患．朝のこわばりや上腕や大腿部の筋痛を主訴とすることが多い．筋痛はあるが筋酵素は正常であり，超音波検査上では滑液包炎や滑膜炎が認められる．2012年のヨーロッパリウマチ学会と米国リウマチ学会の合同分類基準では，①50歳以上，②両肩痛，③CRP上昇 and/or 赤沈亢進，を必須条件として，1）朝のこわばり，2）股関節の疼痛または運動制限，3）リウマトイド因子陰性か抗CCP抗体陰性，4）そのほかの関節症状がないこと，5）エコー所見，などでスコア化して診断する．治療は個々の患者に応じた最小限のステロイド薬使用が推奨されている．多くの場合，ステロイド治療を行うことがあり，口腔カンジダ症の発症や長期投与による薬剤性骨粗鬆症に対しての骨修飾薬の使用など口腔管理にも問題がある．

リエゾン外来　りえぞんがいらい
outpatient liaison

コンサルテーション・リエゾン診療の通称．コンサルテーションとは，精神科医が他科の要請で各科患者の精神医学領域の問題について助言や相談にのることを意味し，リエゾンとは，精神科医が患者と医師，患者と家族，医療スタッフ間などの診療上の関係を調整することとされている．すなわちコンサルテーション・リエゾンは，心身両面の総合的な立場から精神医学的な問題について診断を行いつつ，患者の対応に関する助言や医療スタッフ間の問題の解決や教育を含んだ広範囲なものとされている．おもな特徴としては，受診した科で精神科医の受診ができるので，精神科受診への患者の抵抗が少ないこと，身体面と精神面の両面から患者にアプローチできること，患

者と担当医との治療関係や家族との関係などに精神科医が関与できることがあげられる．

理学療法　りがくりょうほう
physical therapy

疾患などにより身体の機能が低下した場合に，基本的動作能力の回復，維持，改善を目的に行われる，運動，温熱，電気，水，光線などの物理的手段を用いて行われる治療法．

関連語 運動療法，作業療法，言語聴覚療法

理学療法士　りがくりょうほうし
physical therapist (PT)

「理学療法士及び作業療法士法」(1965年)により，厚生労働大臣の免許を受け，理学療法士の名称を用いて，医師の指示のもとに理学療法を行う専門職．理学療法は，身体に障害のある者あるいは障害の発生が予測される者に対し，その基本的動作能力の回復や維持を図るために行われ，運動療法やADLの訓練，電気的刺激マッサージ，温熱刺激などの物理的手段を加える療法などがある．高齢者のリハビリテーションには欠くことのできない専門職である．

同義語 PT
関連語 作業療法士

罹患率　りかんりつ
incidence rate, morbidity rate

ある特定の疾病の発生頻度を示す指標．ある集団においてある一定期間に新たに発生した患者数を単位人口あたりの割合として示す．通常，発病率と同義語として用いるが，morbidity rate は，本来，病気あるいは不健康な状態にある者の割合 (rate of illness) の意味であり，厳密には，発病率 (incidence rate) および有病率 (prevalence rate) を含む広い概念である．疾病の原因を探るために発生状況を問題にする疫学領域では，一定期間中の発病率を問題とし，蓄積性の疾患であるう蝕を対象とする歯科領域では，ある時点における有病率を問題にし，それぞれの場合に罹患率という言葉を使用したことから混乱を招いたため，歯科疾患の疫学においては，2つの意味をもつ罹患率という表現は避けるべきである．

リハビリテーション
りはびりてーしょん
rehabilitation

原義は権利や資格，名誉の回復，復権として社会に認知されることである．医学領域では，喪失した身体的機能の回復のみならず，精神的，社会的，職業的，経済的な能力が発揮できる状態にし，QOLや生活機

能を改善させる全人間的な復権を図ることが目標とされている．

同義語 機能訓練，機能回復訓練
関連語 医学的リハビリテーション

リビングウィル　りびんぐうぃる
living will

　欧米において，アジアでは台湾，韓国において，将来，自分が末期の状態になって自分の意思を表明できなくなったときのために，法律に基づいて医療における自己決定権を発揮できるように，おもに生命維持装置の使用について，あらかじめ書面によって表明しておく文書．わが国では法制化されていないが，尊厳死普及運動を進める団体に入会することや公証人による事実実験により作成することができる．

関連語 尊厳死

リベース　りべーす
rebase

　不適合になった義歯床を義歯床下粘膜に適合させる方法の1つ．適合を図る際に人工歯部以外の義歯床部を新しい床用材料に置き換える方法．義歯床粘膜面は不適合ではあるが，人工歯や咬合状態などにとくに問題がないことがリベースを行う際の基本的な条件である．

同義語 改床法
関連語 リライン

流涎　りゅうぜん
salivation

　唾液の分泌過剰の状態で，口腔内が唾液で溢れている，あるいは口の周囲，下顎が唾液で濡れている状態．大量の唾液をたえず嚥下しようとすることで，誤嚥による咳を頻発することもある．真の流涎過多は副交感神経が緊張するための唾液分泌亢進だが，唾液分泌亢進をともなわない見かけ上の流涎過多も多い．原因としては，薬剤，中枢神経障害，大量喫煙，口腔疾患，ストレスなどのほか，嚥下障害を引き起こす各種神経・筋疾患や喉咽頭疾患，球麻痺などがあげられる．

流動食　りゅうどうしょく
fluid diet, liquid diet

　外傷や意識レベルの低下などのように，咀嚼や嚥下の機能障害がある場合や消化器系器官の負担を軽減させるために用いられる．咀嚼せずに摂取できる流動性の高い治療食のこと．重湯，くず湯，牛乳，果汁，玉子，スープなどがある．流動食のみでは栄養不足になるため，高エネルギーの濃厚流動食やほかの方法による栄養補給が必要になる．経口摂取が不可能な場合には，経鼻経管栄養法の手段をとる場合がある．

関連語 常食，きざみ食，濃厚流動食

療育手帳　りょういくてちょう
intellectually disabled person's certificate, intellectually disabled person's handbook

　知的障害のある者が一貫した指導・相談や各種の福祉サービスを受けるために必要とされる手帳．療育手帳は，18歳未満の場合は児童相談所，18歳以上の場合は福祉事務所を経て，都道府県知事，政令指定都市市長に申請する（ただし本人に代わって保護者が申請できる）．なお，身体，知的，双方に障害がある場合は，療育手帳と身体障害者手帳の両方を取得できる．療育手帳のよび名は都道府県，政令指定都市によって異なる．

> 関連語　身体障害者手帳

療養病床　りょうようびょうしょう
long-stay bed(s), long-term care bed(s)

　長期にわたり療養を要する患者を入院させるための病床．療養病床の人員配置や施設基準は医療法で定められており，医療計画において二次医療圏単位で病床数が規定されている．医療保険による医療療養病床と，介護保険による介護療養病床があるが，両者の区分が不明確との指摘などもあり，2018年に介護医療院が新設された．介護療養型医療施設については2024年4月以降，ほかの介護保険施設への転換などにより廃止される予定である．

> 関連語　介護医療院，介護療養型医療施設

緑内障　りょくないしょう
glaucoma

　視神経乳頭の異常と特徴的な視野の狭窄の両方あるいはどちらかを有する疾患．眼球の前方を満たす房水が過剰に溜まった状態で，瞳が青みがかってみえる．視野狭窄がもっとも一般的な症状であるが，進行するまで自覚がなく，視力が低下したり，ときには失明することもある．わが国では40歳以上の人の20人に1人が罹患し，失明原因の上位にあがる疾患．急激に眼圧が上がった場合は目の痛み，充血，目のかすみのほかに頭痛や吐き気がすることもあり，手術が適応になる．慢性の場合は点眼薬による眼圧のコントロールが基本だが，奏効しなければレーザー治療や手術を行う．

リライン　りらいん
reline

　義歯床粘膜面および床縁の一部を新しい床用材料に置き換えて，義歯床の適合状態の改善を図ること．咬合関係に異常所見はなく，義歯床粘膜面の適合が不良な場合に適応される．義歯床用材料には硬質リライン

材と軟質リライン材がある．軟質リライン材は著しい顎堤吸収，骨鋭縁の存在，粘膜の菲薄化などが存在し，つねに咀嚼時疼痛を訴える難症例に対し適用される．方法は口腔内で直接圧接し筋圧形成を行いながら処置をする直接法と，粘膜調整やダイナミック印象などを行った後に義歯を預かって技工室で行う間接法がある．

関連語 リベース

れ

暦年齢 れきねんれい
chronological age

　法規的な尺度として使用されている個人の年齢．出生時を原点（0歳）として，その時点から経過した年数で表される．成長発育の正しい評価をするためには受精時を基準にしたほうが生理的であると考えられるが，社会的にこれを使用することは事実上不可能である．そのため一般的には便宜上，出生を基準とした暦年齢が使用されている．

関連語 生物学的年齢

レジン床義歯 れじんしょうぎし
resin base denture

　義歯床が床用レジンで製作された有床義歯．金属義歯に比べ，強度，装着感，設計の自由度などは劣るが，修理，追加，リベース，切削などが容易で，暫間義歯，治療用義歯などにも応用される．材料としてはアクリルレジンが多用されるが，射出成形レジンが用いられることもある．強度の補強のために補強線を埋入したり，屈曲あるいは鋳造の大連結子を併用したりすることも多い．

レスト れすと
rest

　部分床義歯のクラスプの鉤体部，義歯床，大連結子から突出し，支台歯のレストシートに適合する小突起のこと．義歯に加わる咬合力を歯軸方向に伝達し，義歯の沈下，横揺れ，食片圧入の防止，咬合接触の回復などの機能を有する．設置する部位によって咬合面レスト，舌面レスト，切縁レストに分類される．

関連語 支台装置

レビー小体型認知症
れびーしょうたいがたにんちしょう
dementia with Lewy bodies

　大脳皮質にレビー小体の出現を特徴とする神経変性疾患であり，全認知症患者の10〜20％を占める．発症と進行は緩徐であるが，認知機能が激しく変動する特徴がある．具体的で詳細な幻視に代表される特有の精神症状とパーキンソニズムを呈する．夜間睡眠時に悪夢をともなう大

声や体動を示すレム睡眠行動異常が高い頻度でみられる．自律神経障害により，転倒・失神を繰り返すことや一過性の意識障害を呈することがある．

関連語 認知症

ろ

老化 ろうか
ageing, aging, senescence, senility

性成熟に達した時期以降，死亡確率を増大させる進行性の生体機能の衰えのこと．老化の定義は研究者によって異なり，表現は多様であるが，その内容はほぼ同じである．老化は時間の経過とともに生物のすべての個体に起こる変化で，発育・成長・成熟に続いて起こる生体機能の低下をいう．広い意味では加齢と同じエイジングという言葉を使うが，狭義では加齢の場合は受精から死までの全過程をいい，老化は性成熟以降の衰退過程のみをいう．いかに環境条件が整っていても，暦年齢が進むにしたがって，ヒトには不可逆的に徐々に形態学的，生理学的な変化が進行し，死に至ることは避けられない．

老化は，「必ず起こる」という普遍性のほかに，発現が遺伝子により決定されている（内在性），徐々に進行し，後戻りはしない（進行性），生体に不利益をもたらす（有害性）という特徴をもっている．ただし，その進行は個人差が大きい．また，その原因はプログラム説，エラー蓄積説などがある．

関連語 加齢

老化度 ろうかど
senescence level, degree of senility

実際の年齢すなわち暦年齢に対して，加齢にともなう外見などの形態変化や運動能力などの機能的変化，すなわち老化の進行状態からみた生物学的年齢がどの程度進んでいるかあるいは遅れているかを評価する指標のこと．生物学的年齢に対する暦年齢の比で表す．

関連語 生物学的年齢，暦年齢

老研式活動能力指標
ろうけんしきかつどうのうりょくしひょう
Tokyo Metropolitan Institute of Gerontology (TMIG) index of competence

Lawtonらの考えに基づき，1987年に古谷野らによって高齢者の高次生活機能を評価する目的で開発された．13項目の質問票からなり，最初の5問はIADL，次の4問は知的ADL，最後の4問は社会的活動度を評価するものである．近年の急速な高齢化や生活環境の変化，高齢者の健康状態，ライフスタイルの変化

に応じ，当該指標を基盤にして「JST版活動能力指標」が開発され，その妥当性も確認されている．

関連語 IADL，ADL

老人　ろうじん
senescence, old age, advanced aged, elderly
→ **同義語** 高齢者

老人乾皮症　ろうじんかんぴしょう
senile xerosis
→ **同義語** 皮脂欠乏性皮膚炎

老人性結核　ろうじんせいけっかく
senile tuberculosis

　高齢者にみられる結核．若年者と比較して病歴が長く，病変の広がりが大きく，硬結性病巣を有するものが多い．低栄養状態により，結核菌がふたたび活性化して発病し，ツベルクリン反応が陰性のことがある．COPD，糖尿病，悪性腫瘍などに合併することが多い．全身倦怠，食欲不振，体重減少などの自覚症状は少なく進行も遅い．合併症が多く予後は必ずしも良好ではない．

老人性難聴　ろうじんせいなんちょう
presbycusis

　高齢者にみられる特徴ある難聴．聴力は加齢とともに生理的変化として徐々に低下する．小さい音に加え，高音領域が聞き取りづらくなる．そのほとんどは内耳障害によるもので，手術や薬剤の効果はほとんどない．最適な補聴器を選択し装用することで補聴が可能となるが，補聴器に慣れるまで訓練が必要である．老人性難聴は小さく聞こえるだけでなく，音が割れたり，過大に聞こえるなどの特徴がある．また，難聴により小さく聞こえるはずの電車や車の騒音が，本来よりはるかに大きく響くなどの補充現象も起こる．難聴者に接するときは，相手の顔をみて，ゆっくり明瞭な発音で話しかけるよう心がける．相手には自分の口をみながら話を聞くように促す．筆談も有効である．

関連語 難聴

老人病　ろうじんびょう
disease of old age, geriatric disease, geriatrics
→ **同義語** 老年病

老人福祉施設　ろうじんふくししせつ
welfare facility for the elderly

　いかなる状態にある高齢者でも，安心して健康的な生活を送るために必要な支援を行うための施設．法的には老人福祉法により規定されており，老人デイサービスセンター，老人短期入所施設，養護老人ホーム，特別養護老人ホーム，軽費老人ホー

ム，老人福祉センター，老人介護支援センターが含まれる（老人福祉法，第5条の3）．このうち老人デイサービスセンターは介護保険における通所介護事業所，特別養護老人ホームは介護保険における介護福祉施設に該当し，老人短期入所施設を含めて，利用にあたっては介護保険が適用される．

関連語 老人福祉法

老人福祉センター
ろうじんふくしせんたー
welfare center for the elderly

地域に居住する高齢者を対象に無料または低額な料金で，明るく健康な生活を送るために必要な各種の相談に応じるとともに，健康の増進，教育の向上およびレクリエーションのための便宜を総合的に供与することを目的とする施設．老人福祉法に基づく老人福祉施設の1つ（第20条の7）．特A型，A型，B型の3種類があり，それぞれに運営主体や機能に違いをもたせている．

関連語 老人福祉施設，老人福祉法

老人福祉法
ろうじんふくしほう
act on social welfare for the elderly

1963年に制定公布された，「老人の福祉に関する原理を明らかにするとともに，老人の心身の健康の保持，生活の安定のために必要な措置を講じ，もって老人の福祉を図ることを目的とする」（第1条）法律である．老人福祉の業務を担当する者や機関は，社会福祉主事，福祉事務所，保健所などである．福祉の措置としては，老人ホームへの収容，老人家庭奉仕員による世話，そのほか老人福祉の増進のための事業を行う．老人福祉対策は，①高齢者の生活を維持する生活保障の問題，②高齢者の必然現象としての肉体的衰弱を含む健康保障の問題，③社会や家族の中から孤立するという社会的または心理的問題，④高齢者の生きがいの問題など，多面的な方向から総合的に考えなければならない．

老人ホーム
ろうじんほーむ
home for the aged

高齢者を対象とした福祉施設．老人福祉法に規程された長期居住を目的とした施設には，特別養護老人ホーム，養護老人ホーム，軽費老人ホームがあり，それぞれ入所条件や入所にかかる費用が異なる．特別養護老人ホームは，老人福祉法に定められた介護施設であり，常時介護が必要な65歳以上の者が対象で，歩行，排泄，食事，入浴，着脱衣のうち，1つの項目はまったくできず，2つの項目で介助が必要な者，という基準がある．養護老人ホームは介護施設ではないが居宅での生活が困

難な者の入所施設であり，軽費老人ホームは60歳以上で低所得，ADL自立の者の入所施設である．そのほか，民間の施設である有料老人ホームがあり，福祉施設の入所条件に合わない者や，多様なニーズを満たそうとする高齢者が入居している．

関連語 老人福祉施設，有料老人ホーム，特別養護老人ホーム，養護老人ホーム，軽費老人ホーム

老人保健福祉圏域
ろうじんほけんふくしけんいき

health and welfare service area for the elderly

市町村の老人保健福祉計画の達成を支援するために，広域的な見地から，施設の整備量の目標を定めるために設定された圏域．通常，保健・医療・福祉の総合の観点からは，医療計画に基づく二次医療圏に合致させることが望ましいと考えられる．しかしながら，同一の市が2つの二次医療圏に分割されているような場合は，老人保健福祉圏を1つに扱ったり，逆に，二次医療圏が広範囲な場合には，複数の老人保健福祉圏に分けられることもある．

関連語 医療圏

老人保健法　ろうじんほけんほう
health and medical service law for the aged, health and medical service law for the elderly

国民の老後における健康の保持と適切な医療の確保を図るため，疾病の予防，治療，機能訓練などの保健事業を総合的に実施し，もって国民保健の向上および老人福祉の向上を図ることを目的とした法律．この老人保健法は，1986年以降，数次にわたる法改正が行われ，老人保健事業の体系化が図られてきたが，2008年度にはこれに代わって「高齢者の医療の確保に関する法律」が施行されることになった．

関連語 後期高齢者医療制度，高齢者医療確保法

老年医学的総合評価
ろうねんいがくてきそうごうひょうか

comprehensive geriatric assessment

➡ **同義語** 高齢者総合機能評価

老年学　ろうねんがく
gerontology

老年についての科学的研究のことで，老年医学，老年社会学，老年心理学などを総合して加齢，老化にかかわる諸問題を探求する学問分野．この学問の始まりは米国で，Nascherが1909年に初めてgeriatricsという言葉を用いて，老化の現象をおもに医学的方面から研究し，1914年には『Geriatrics（老年病学）』とい

う著書を発行した．しかし，高齢者に対する研究は医学的方面だけでは解決できない問題が多く，社会，経済，心理，さらに老化に関する問題など各分野はともにつながりがあり同時に考える必要があるため，上記の分野を含めて総合的に探求する必要がある．日本では，1920年に入澤が『老年病学』という著書を発表し，1926年にはわが国最大の養老施設，財団法人浴風会が東京都杉並区に設立され，この分野における研究が系統的に開始されるに至った．その後，1972年に東京都が養育院に，東京都老人医療センターと東京都老人総合研究所を設立した．今日の高齢社会の到来を予測し，将来の高齢者医療のあり方について老化や老年病の研究および教育を行う施設である．以来，わが国の老化の研究は，老年医学を中心に推進された．1959年日本老年医学会と日本老年社会科学会が発足し，その後2年ごとに日本老年学会総会を開催している．現在は，基礎老化学会，日本老年歯科医学会，日本老年精神医学会，日本ケアマネジメント学会，日本老年看護学会の7部門に拡大され，2年ごとに合同の学術集会を開催し，活発に研究が行われている．

老年化指数　ろうねんかしすう
aging index

人口統計の指数の1つで，年少人口（0〜14歳）に対する，老年人口（65歳以上）の比率を表したものである．この指数は，年少人口の減少と老年人口の増加が同時に進んでいるわが国では変化が著しく，1950年の14.0から25年後の1975年には32.6へ増加し，さらに25年後の2000年には119.1，2021年現在では245.0と加速している．1950〜1975年の増加は出生率の低下によるものであり，1975〜2000年の増加は死亡率の低下が寄与したとする分析もある．

老年看護　ろうねんかんご
gerontological nursing

高齢者を対象にした一連の看護の過程．日本看護協会で定める専門看護師の一分野であり，2001年に専門看護領域として認定されている．老年看護の専門看護師資格を有する看護師は，高齢者が入院・入所・利用する施設において，認知症や嚥下障害などをはじめとする複雑な健康問題をもつ高齢者のQOLを向上させるために水準の高い看護を提供することができる看護師であることが認定されている．

老年期認知症　ろうねんきにんちしょう
senile dementia

老年期に出現する脳の変性疾患

で，進行性の認知症を主症状とする．正常に発達した知能が低下した状態である．認知症の原因となる器質性脳障害は，変性，虚血，炎症，中毒，腫瘍，代謝障害など種々の原因により生じる．老年期認知症はアルツハイマー病および脳血管性認知症に代表される．認知症の原因となる疾患としては，早発性アルツハイマー病，ピック病，進行性核上麻痺，クロイツフェルト・ヤコブ病などである．認知症の中心症状は，知的機能の低下で，記憶，抽象思考，判断，見当識などが障害され，それらにともなって感情，意欲，行動，人格などの障害も現れる．症状の現れ方と経過は原因疾患ごとに異なる．変性疾患の場合，一般的に早期に発症するほど症状は重く，進行も速い．通常の高齢者が体験する「物忘れ」は体験の一部分を忘れるだけであって，進行することはない．また，日常生活に支障をきたすことは少ない．ところが老年期認知症は体験全体を忘れる全般性の健忘である．物忘れにとどまらずに判断障害，計算力の低下，失見当などの知識障害へと進行する．日常生活に支障をきたすことが多くなり，自分の欠陥状態に気がつかず，周囲の事柄に対して正確に認識できなくなり，混乱して問題行動を起こすこともある．

関連語 認知症，若年性認知症

老年歯科医学 ろうねんしかいがく
gerodontology, geriatric dentistry

高齢者の歯科保健，医療，福祉の分野における科学と技術に関する教育，研究および臨床の推進を目的とする学問領域．一般に高齢者は生活習慣病をはじめとするなんらかの疾病に罹患している者が多く，歯科治療にあたっては，服用している薬剤の影響や，加齢あるいは疾病による身体的なハンディキャップやパーソナリティの変化などについて，治療を行う患者の状態を十分に把握しておかなければならない．このように高齢者の加齢にともなう身体的，精神的な特徴や，歯科治療を行ううえでの留意点についての研究および教育が対象となる．

同義語 高齢者歯科医学

老年歯科医療 ろうねんしかいりょう
gerodontics, geriatric dentistry

老年期（おおむね65歳以上）にある高齢者を対象とした歯科医療．慢性状態も含めなんらかの全身疾患を有する割合が高く，かつ加齢にともなう心身機能の変化による生活機能の低下をきたしやすい高齢者の特殊性を踏まえた全人的歯科医療を提供する専門領域．歯科疾患に対する保存・補綴処置による形態の回復に加えて，摂食機能・発音機能などの口腔機能の維持回復，口腔衛生状態

の維持改善といった包括的な口腔健康管理を行うことを目的としている．

同義語 高齢者歯科医療

老年者　ろうねんしゃ
elderly, geriatrics, old age, older adults

➡ **同義語** 高齢者

老年症候群　ろうねんしょうこうぐん
geriatric syndrome

高齢者に頻度が高く，治療と同時にケアが必要となる一連の症状所見．多臓器にまたがる症状であり，日常生活動作（ADL）を下げる要因となる．大きく3つに分けられる．①おもに急性疾患に付随する症候で，若年者と同程度の頻度で起きるが，対処方法は高齢者では若年者と違って工夫が必要な症候群，②おもに慢性疾患に付随する症候で，65歳以上75歳未満の前期高齢者から徐々に増加する症候群，③75歳以上の後期高齢者に急増する症候で，ADLの低下と密接な関連をもち，介護が重要となる一連の症候群．加齢にともない，ほぼすべての臓器において形態的・機能的変化が生じ，生理機能も直線的に低下するといわれているが，その程度は，臓器によって異なり，また，個人差も大きい．さらに疾患発症の「閾値」の低下や抵抗力（予備力）の低下が加わり，老年症候群を惹起する要因となる．

老年人口　ろうねんじんこう
aged population, aging population, (elderly population)

人口統計において，15歳と65歳を境界として年齢を3区分し，15歳未満を年少人口，15歳以上65歳未満を生産年齢人口としたとき，65歳以上の人口を老年人口という．この数値を用いて，老年人口割合，老年人口指数，老年化指数などの人口統計指数を求める．

老年人口指数　ろうねんじんこうしすう
aged dependency ratio

人口統計の指数の1つで，生産年齢人口（15〜64歳）を100としたときの，老年人口（65歳以上）の比率を表したもの．社会が高齢者を養うときの負担の大きさを示す．老年人口指数は1970年に10.2だったが，その後増加の一途をたどり，2019年現在47.8となっている．少子高齢社会といわれるわが国においては，単に老年人口のみに着目するのではなく，生産年齢に対する従属人口（年少人口と老年人口の和）にも同時に目配りする必要がある．従属人口指数は，1970年から約30年間は40台で推移していたが，これは，その間増加した老年人口に対して，年少人口が低下して相殺した結

果である．1990年代になると老年人口の増加が年少人口の低下よりも優勢になったため，従属人口指数は増加し始めている．2021年現在，68.5であり，今後さらに増加することが見込まれる．

老年人口比率 ろうねんじんこうひりつ
ratio of the aged, population of people aged 65 and over
➡ 同義語 老年人口割合

老年人口割合 ろうねんじんこうわりあい
ratio of the aged, population of people aged 65 and over

　ある集団における老年人口（65歳以上）の総人口に占める割合．マスコミなどで，一般に用いられる高齢化率と同じである．わが国の場合，1970年に7.1％，1995年に14.6％，2010年に23.0％，2021年に29.1％であり，世界中でもっとも急激に高齢化率が上昇した．将来推計によれば，今後30～40年間は増加が続き，およそ38％に達するとされる．

同義語 高齢化率，老年人口比率

老年病 ろうねんびょう
geriatric disease, senile disease

　老化の進行とともにさまざまな疾病に対する有病率が高くなり，高齢者特有の疾病として出現する病気の総称．高齢者は，一般成人と比較して生理機能が低下している．しかし，機能低下が検査結果に現れない場合でも予備能力が低下していることが多い．老化の進行については個人差が大きく，個人の臓器についても老化の程度に差がみられる．また，1人で複数の疾患を有している．さらに，健忘，尿失禁，視覚障害，聴覚障害，睡眠障害，運動障害，便秘，褥瘡など多彩な状態を示し，またそれぞれ慢性的に続き，日常生活に大きな影響を与える．

同義語 老人病

老老介護 ろうろうかいご
elder-to-elder nursing (care)

　高齢者が高齢者を介護すること．その関係は夫婦，兄弟さらに親子であることもある．老年人口割合の高い国家（地域）でよくみられる．介護する側も高齢により身体が衰え，介護が大きな身体的負担となる．また，介護の協力者となりうる家族や親類が周りにいないことで精神的負担も負いやすい．高齢者のみの世帯には経済的な負担や不安もともなう．日本では65歳以上同士の老老介護の割合は5割を超え（2016年）今後も増加傾向にある．また認知症高齢者が認知症高齢者を介護している状態をさす「認認介護」も課題となっている．

ろこもてぃ

ロコモティブシンドローム
ろこもてぃぶしんどろーむ

locomotive syndrome

日本整形外科学会が提唱した，加齢や生活習慣などの影響による運動器の障害による要介護の状態や要介護リスクの高い状態．和文は運動器症候群．

（付録）まぎらわしい用語の解説

一次医療圏，二次医療圏と三次医療圏
- **一次医療圏**…日常的な医療サービスが充足できる圏域．
- **二次医療圏**…総合病院，救急医療など専門的な医療サービスが充足できる圏域．
- **三次医療圏**…がんセンター，脳外科など高度専門医療が充足できる圏域．

一次予防，二次予防と三次予防
- **一次予防**…疾病になる前の段階のいわゆる予防（狭義の予防）．
- **二次予防**…治療を中心とした医療（早期発見・早期治療，障害の拡大防止）．
- **三次予防**…疾病により失った機能を回復するためのリハビリテーション．

健康教育，健康相談と保健指導
- **健康教育**…健康や疾病についての関心とともに予防の重要性に対する認識を高め，その具体的な方法や知識を広めることで，講演会や健康教室，放送や出版物を通じて不特定多数を対象とするもの．
- **健康相談**…健康や疾病についての関心とともに予防の重要性に対する認識を高め，その具体的な方法や知識を広めるとともに，特定のリスクや疾患，不安を有する者を対象として個別に行うもの．
- **保健指導**…健康に対する関心や疾病の予防，療養上の能力を高めるために行うもの．学校や職場で行われる健康教育や個別指導，医療現場で医師や歯科医師が行う治療上の助言，在宅などの生活の場で保健師・歯科衛生士などが行う介護，療養上の指導などがある．

口腔ケアと口腔健康管理

「口腔ケア」は口腔清掃を主とした口腔環境の改善を表す用語として一般によく用いられてきたが，医療職のなかでは，これに摂食嚥下などの口腔機能の回復や維持・増進をめざした行為すべてを含むものとして使用することもあり，定義づけることは容易でなかった．現在では，口腔清掃を含む口腔環境の改善など口腔衛生にかかわる行為を「口腔衛生管理」，口腔の機能の回復および維持・増進にかかわる行為を「口腔機能管理」とし，この両者を含む行為は「口腔健康管理」と定義している．

口腔健康管理			
口腔機能管理	口腔衛生管理	口腔ケア	
		口腔清潔など	食事への準備など
項目例		項目例	
う蝕処置 感染根管処置 口腔粘膜炎処置 歯周関連処置＊ 抜歯 ブリッジや義歯などの処置 ブリッジや義歯などの調整 摂食機能療法 など	バイオフィルム除去 歯間部清掃 口腔内洗浄 舌苔除去 歯石除去など など	口腔清拭 歯ブラシの保管 義歯の清掃・着脱・保管 歯磨き など	嚥下体操指導 （ごっくん体操など） 唾液腺マッサージ 舌・口唇・頰粘膜 ストレッチ訓練 姿勢調整 食事介助 など

＊歯周関連処置と口腔衛生管理には重複する行為がある
「口腔ケア」に関する検討委員会にて取りまとめた口腔健康管理についての表（平成27年6月16日付）
（日本歯科医学会より引用）

口腔保健センターと歯科保健センター

- **口腔保健センター**…障害者（児）の歯科治療や休日歯科診療などを行う施設として自治体や歯科医師会あるいはその両者が共同して管理運営する施設．
- **歯科保健センター**…市町村が独自に設置して住民の健康診査や保健指導，在宅老人の歯科診療などを行う施設．

在宅医療と在宅ケア

- **在宅医療**…療養が長期にわたるうえに通院が困難な高齢者や難病患者などに対して，家庭で行う専門的な療養支援や訪問診療などを総称するもの．
- **在宅ケア**…医師，保健師，看護師，ヘルパーなどが共同して家族による療養を支援する動きで，在宅における保健・医療・福祉サービスが連携した取り組みを総称する場合もある．

デイサービスとデイケア

- **デイサービス（通所介護）**…自宅で生活する高齢者のうち，介護や援助が必要な人や若年性認知症の人を，デイサービスセンターなどにおいて昼間だけ預かり，入浴や食事の提供とそれにともなう介護，軽い運動やレクリエーション，手芸などの趣味的活動をして過ごしてもらうこと．
- **デイケア（通所リハビリテーション）**…病状が安定期にある在宅の要介護高齢者を，計画的な医学的管理のもとに介護老人施設，病院，診療所などに連れて行き，心身の機能の維持回復を図り，日常生活の自立を助けるために必要なリハビリテーションを行うこと．

発病率，有病率と罹患率

- **発病率**…ある疾病の一定期間内（通常は1年）の人口あたり新規発症者の割合．
- **有病率**…ある疾病の特定の時点における人口に占める患者の割合．
- **罹患率（罹病率）**…一般医科では発病率の意味で使用している教科書が多いが，歯科領域では有病率を示す言葉として慣習的に用いられてきた．本来は双方を総称して疾病の罹患状況を示すあいまいな概念であるため，特定の指標としての使用は避けたほうが好ましい．

パラデンタル（パラメディカル）とコデンタル（コメディカル）

- **パラデンタル（パラメディカル）**…歯科医師，医師以外の医療従事者を，「周辺的」「擬似的」「副」の意味をもつ"para-"をつけてよぶ．現在は蔑称用語とされ，用いられることが少ない．
- **コデンタル（コメディカル）**…歯科医師，医師以外の医療従事者を，「共に」「等しく」「パートナー」の意味をもつ"co-"をつけてよぶ．

老化と加齢（老化も加齢も英語で表現した場合は aging に相当する）

- **老化**…固体の身体的成長が終了し，成熟期を迎えた後の変化をさす．
- **加齢**…受精とともに始まり，生涯にわたる時間的経過にともなう生体の緩慢な変化をさす．

一般食品と保健機能食品

　健康食品も含め，一般の食品に健康への働き（機能性）を表示することは，医薬品との誤認を防ぐため医薬品医療機器法（旧薬事法）で禁止されている．ただし，食品表示法に基づく食品表示基準で，特定保健用食品（トクホ）と栄養機能食品，機能性表示食品の3つに限り認められている．

・特定保健用食品は国が商品の安全性や機能性を1つずつ審査し，表示内容を許可する．許可を得た商品は1,000点を超えている．
・栄養機能食品はビタミン・ミネラルなど20成分に限り，国の基準を満たした商品がその働きを表示できる．
・機能性表示食品には審査がなく，成分の制限もない．食品事業者は，機能性や安全性の科学的根拠を示す資料をそろえて消費者庁に届け出て，受理されれば販売できるが，後で問題が判明したときは届出撤回を求められることもある．

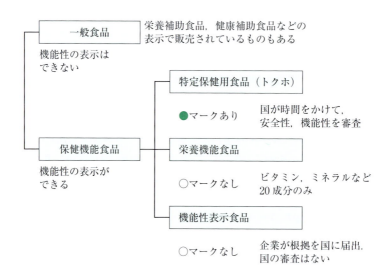

高齢化と人口指標

　総人口に占める65歳以上人口の割合が増加していくことを，人口高齢化という．わが国の老年人口割合は1960年の5.7％から，1970年で7.1％，1995年は14.6％，そして2020年には28.8％と急激に増加している．この値は今後も増加し続け，2060年には39.9％に達するものと予想されている．また，わが国では1997年にはじめて老年人口が年少人口を上回り，老年化指数が100を超え102.0を示し，現在も増加傾向にある．このような人口の年齢構成を示す各種人口指標とその算出法を以下に示す．

$$\text{老年人口割合} = \frac{\text{老年人口}}{\text{総人口}} \times 100$$

$$\text{老年人口指数} = \frac{\text{老年人口}}{\text{生産年齢人口}} \times 100$$

$$\text{老年化指数} = \frac{\text{老年人口}}{\text{年少人口}} \times 100$$

$$\text{従属人口指数} = \frac{(\text{年少人口}) + (\text{老年人口})}{\text{生産年齢人口}} \times 100$$

$$\text{年少人口指数} = \frac{\text{年少人口}}{\text{生産年齢人口}} \times 100$$

索引

あ

RRS ………………………………… 1
RSST ……………………………… 1, 250
IADL … 1, 28, 113, 155, 181, 295
ICF ………………………………… 1, 116
ICD-10 …………………………… 1, 116
アイヒナーの分類………… 1, 102
悪液質 …………………… 2, 56, 127
悪性症候群 …………………………… 2
アクティブガイド ……………… 2, 86
亜酸化窒素吸入鎮静法 …… 2, 183
アタッチメント ………………… 3, 144
アタッチメントロス ………… 3, 140
アテローム硬化 ……………… 3, 155
アドバンスケアプランニング
 ………… 3, 10, 28, 131, 171, 221
アドヒアランス …………… 3, 285
アフタ性口内炎 …………………… 4
アブフラクション ………… 75, 225
アポトーシス …………………… 4
アミロイドβ …………………… 4
アルツハイマー病 …… 5, 169, 235
アルブミン ………………………… 81
アルマ・アタ宣言 ………… 5, 263
ARONJ ………………… 6, 119, 284
安静時唾液 …………… 6, 135, 204
安楽死 ……………………… 6, 202

い

EEG ……………………………… 7, 241
EMG ……………………………… 7, 75
eGFR …………………………… 7, 176
ECG ……………………………… 7, 174
EAT-10 ……………………………… 7
医学的リハビリテーション
 …………………………………… 7, 291
胃管 ………………………………… 8
易感染性 ………………………… 17
易感染性患者 …………………… 8
生きがい ……………………… 8, 70
息こらえ嚥下 ……………………… 9
移行義歯 …………………… 9, 63
椅坐位 ………………………… 202

意識障害 ……………………………… 9
意思決定支援 ……………… 3, 10
維持歯 …………………… 10, 144
萎縮性胃炎 ……………………… 10
萎縮性舌炎 ……………………… 10
異食（症）……………………… 10
一次医療 ……… 10, 13, 128, 233
一次医療圏 ……………… 13, 303
一次予防 …… 11, 128, 203, 233
一次予防事業対象者 ………… 11
一般病床 ………………………… 11
移動歯科診療車 ………… 11, 134
異味症 …………………………… 11
医療 …………………………… 12
医療介護総合確保推進法… 12, 212
医療過誤 ………………………… 13
医療計画 …………… 13, 15, 118
医療圏 …… 11, 13, 128, 233, 297
医療事故 ………………………… 13
医療ソーシャルワーカー …… 13
医療費適正化計画 …………… 14
医療法… 11, 13, 14, 15, 118, 212,
 215, 228
医療保険 …………… 15, 117, 256
医療連携 …………… 15, 212, 215
イレウス ………………………… 16
胃瘻 ……………………… 16, 267
胃瘻造設術 ………………… 16, 78
印象材 …………………………… 16
印象採得 ………………………… 17
咽頭ケア ………………………… 17
院内感染 ………………… 17, 102
インフォームドコンセント
 …………………………… 18, 131
インプラント …………… 18, 109
インプラント義歯 ……… 18, 109
インプラント周囲炎 … 19, 109
インフルエンザ ………………… 19

う

ウェクスラー式知能検査法（成人
 用）………………………………… 19
ウェルナー症候群 ……… 19, 198

ウェルビーイング …………… 20
うがい薬 ………………………… 60
う蝕症 ………………………… 20
う蝕病原菌 ……………………… 20
う蝕誘発性食品 ………………… 21
うつ病 …………………………… 21
うつ病自己評価尺度
 ……………………… 21, 129, 288
運動器症候群 ………………… 302
運動療法 …………………… 22, 290

え

鋭縁（歯の）…………………… 22
AIDS …………… 22, 23, 24, 107
HIV ………………………… 22, 23
HDS-R …………………… 24, 48
栄養アセスメント ……… 24, 161
栄養過剰 ………………………… 24
栄養機能食品 ……… 25, 229, 275
栄養ケアマネジメント……25, 160
栄養サポートチーム ……… 25, 30
栄養士 …………………… 26, 61
栄養指導 ………………… 25, 26
栄養状態 ………………… 26, 31
栄養素等摂取量 ………… 26, 117
栄養方法 …………… 26, 78, 79
栄養補助食品 …………… 27, 126
AED ……………… 27, 146, 165
ASO ……………………… 27, 267
ALS ……………………… 27, 73
ACP ……………………… 3, 28
ADL …… 1, 28, 56, 68, 113, 181,
 186, 233, 242, 295
液体歯磨剤 ……………………… 195
エクササイズ ………………… 282
SRP ……………………………… 28
SAS ……………………… 28, 178
ST ……………………… 29, 87
SDS …………………… 29, 137
SDM …………………… 29, 131
SpO$_2$ ……………………… 29, 80
エックス線透過像 ……………… 29
エナメル質 ……………………… 29

308

エナメル上皮腫	29	
NST	26, 30	
NM スケール	30	
NCD(s)	30, 181	
N 式老年者用精神状態尺度	30	
NSAID(s)	30, 254	
エピテーゼ	54	
エブーリス	30	
MRSA	31, 282	
MSQ	31	
MNA	31	
MMSE	31, 183, 280	
MMPI テスト	32, 280	
MOF	32, 210	
MCI	32, 79	
MWST	32, 48	
遠隔医療	32	
嚥下	32, 57	
嚥下圧測定	32	
嚥下訓練	32	
嚥下訓練食	34	
嚥下サポートチーム	33	
嚥下障害	33, 57	
嚥下食	33, 34	
嚥下食ピラミッド	34, 286	
嚥下性肺炎	34, 114	
嚥下造影検査	34, 255	
嚥下調整食	33, 34, 44, 279, 286	
嚥下痛	34	
嚥下内視鏡検査	34, 257	
嚥下反射	34, 48	
嚥下補助床	35	
嚥下補助食品	35	
嚥下補助装置	35	
嚥下誘発試験	35	
エンドオブライフケア	36	
延命治療	36	

お

往診	36, 123	
嘔吐反射	37	
OE 法	37, 58	
OT	37, 125	
オーバーデンチャー	37	
オーバーレイデンチャー	37	
OHAT	38	

オーラルジスキネジア	38, 141, 142	
オーラルセルフケア	38, 194	
オーラルディアドコキネシス	38	
オーラルフレイル	39, 95, 264	
オーラルリハビリテーション	39	
オタワ憲章	39, 268	
オリーブ橋小脳萎縮症	209	
音波歯ブラシ	39, 249	

か

ガーグルベースン	40	
カーテン徴候	40	
臥位	202	
概形印象	17	
介護	40, 45	
介護医療院	41, 46, 292	
開口器	41	
開口障害	41, 51	
介護サービス	42, 45, 271	
介護サービス計画	42, 43, 78, 156	
介護支援専門員	43, 78	
介護食	34, 43	
介護認定審査会	44	
介護福祉士	44, 149	
介護保険	40, 42, 44, 45, 46, 73, 76, 55, 214, 215, 220, 272	
介護保険施設	45, 46, 47, 215	
介護保険法	41, 43, 44, 45, 47, 72, 143, 155, 213	
介護予防	11, 45, 46, 83, 113	
介護予防・生活支援サービス事業対象者	46, 229	
介護療養型医療施設	41, 45, 46, 143, 292	
介護療養病床	46, 46	
介護老人福祉施設	45, 46, 47, 143, 215, 230	
介護老人保健施設	45, 46, 47, 143	
改床法	47, 291	
疥癬	47	
外側翼突筋	47, 201	
改訂長谷川式簡易知能評価スケール	24, 31, 32, 47, 183	

改訂 BDR 指標	48, 97	
改訂水飲みテスト	32, 48, 279	
潰瘍性大腸炎	48	
解離性味覚障害	12	
下顎位	49	
下顎運動	49	
下顎骨骨折	49	
かかりつけ医	10, 50	
かかりつけ医機能	50	
かかりつけ歯科医	50	
かかりつけ歯科医機能	50	
かかりつけ歯科医機能強化型歯科診療所	50, 51	
牙関緊急	42, 51	
架橋義歯	51, 264	
顎炎	51, 106	
角化症	51	
顎間固定	52	
顎関節	52, 221	
顎関節雑音	52, 76, 77	
顎関節症	52, 179	
顎関節脱臼	52	
顎関節痛	53	
顎顔面骨折	50, 53, 144	
顎顔面補綴装置	54, 109	
顎義歯	54	
喀痰吸引	54	
顎堤	54, 143	
顎堤吸収	143	
顎堤形成術	54, 143	
架工義歯	55, 264	
鵞口瘡	55, 93	
過食症	190	
仮性口臭症	103	
片麻痺	55	
過鎮静	55	
顎骨嚢胞	55	
活性酸素	55	
カッツ指数	56	
可撤性義歯	3, 56, 63	
可撤性補綴装置	56, 63, 144	
カヘキシア	2, 56	
ガマ腫	56	
粥食	56, 232	
通いの場	46, 56, 113	

空嚥下……………………57, 250	機能回復訓練……………68, 291	グラスアイオノマーセメント…75
加齢………………………57, 294	機能訓練…………………68, 291	クラスプ……………………76
間欠的口腔食道経管栄養法	機能歯………………………68	クリック音………………52, 76
37, 57, 78, 80	機能性表示食品…………275, 306	グループホーム……………76
観血的整復法………………58	機能的イレウス……………16	クレアチニン……………7, 77
看護…………………………58	機能的下顎運動……………49	クレアチニンクリアランス……77
看護必要度…………………58	機能的残気量……………68, 116	クレチン症…………………105
間質性肺疾患…………58, 137	機能的自立度評価法	クレピタス音……………52, 77
間接訓練……………33, 59, 218	68, 242, 257	クレピテーション…………77
間接的安楽死………………6	偽囊胞……………………241	クロイツフェルト・ヤコブ病…77
関節リウマチ…………59, 137	揮発性硫黄化合物………68, 104	
感染根管治療………59, 121, 122	基本チェックリスト………69	**け**
感染性心内膜炎……………60	偽膜性カンジダ症…………93	ケアカンファレンス………43
含嗽剤………………60, 195	偽膜性大腸炎………………69	ケアハウス………………77, 80
眼底血圧……………………60	虐待………………69, 112, 113	ケアプラン………………43, 78
乾皮症………………………254	逆流性食道炎………………70	ケアマネジメント…………78
顔面神経麻痺………………60	吸引器……………………70, 92	ケアマネジャー…………43, 78
管理栄養士…………25, 26, 61	QOL…9, 70, 171, 182, 185, 252	経管栄養法
緩和ケア……61, 62, 154, 202, 276	球麻痺………………………70	…8, 16, 27, 57, 58, 78, 79, 80
緩和ケアチーム……………61	仰臥位……………………203	経口栄養法…………………27
緩和精神安定薬…………62, 183	橋義歯……………………71, 264	経静脈栄養法………………27
	狭心症……………………71, 72	形成充塡……………………153
き	胸部エックス線検査………71	携帯用歯科診療機器………78
記憶力減退…………………88	局所麻酔……72, 170, 223, 256	経腸栄養法………………27, 79
機械的イレウス……………16	局部（床）義歯…………72, 260	軽度認知障害……………32, 79
気管チューブ………………62	虚血性心疾患……71, 72, 168	経鼻経管栄養法…58, 78, 79
気管（内）カテーテル……62	虚弱………………………72, 264	経皮的動脈血酸素飽和度
気管（内）カニューレ……62	拒食…………………………72	……29, 80, 249
きざみ食…………62, 158, 291	拒食症……………………190	経皮内視鏡的胃瘻造設術…80, 267
義歯………56, 63, 64, 196, 260	居宅介護サービス………72, 73	軽費老人ホーム…77, 78, 80, 297
義歯安定剤…………………63	居宅介護支援……………73, 73	頸部郭清術…………………80
義歯修理……………………64	居宅サービス……………42, 72	頸部聴診……………………80
義歯床……………64, 260, 293	居宅サービス計画…………42	傾眠…………………………9
義歯性潰瘍…………………64	居宅療養管理指導…………73	血圧………………………73, 81
義歯性口内炎……………65, 93	起立性低血圧………………73	血液検査……………………81
義歯性線維腫……………65, 66	筋萎縮性側索硬化症……28, 73	血清アルブミン（値）……81
義歯性線維症………………65	菌血症………………………73	血清クレアチニン…………77
義歯清掃……………………65, 67	筋減少症…………………74, 127	血糖値………………………81
義歯洗浄剤…………………66	菌交代現象…………………118	下痢…………………………82
義歯調整……………………66	筋骨格器障害………………74	減感作療法…………………210
義歯粘着剤…………………63	金属床義歯…………………74	現金給付……………………15
義歯不適合…………………66	筋電図……………………7, 74	健康教育…………………82, 85
義歯用ブラシ………………66		健康指標……………………82
基礎疾患……………………67	**く**	健康寿命……………………82
基礎代謝量…………………67	くさび状欠損………………75	健康寿命延伸プラン………83
気道確保……………………67	クモ膜下出血………………75	健康診査……………83, 84, 87, 132

健康診断………… 83, 84, 87, 132	口腔乾燥症……… 89, 94, 208, 230	抗真菌薬………………… 105
健康増進法…………… 82, 84, 117	口腔機能………………………… 94	抗精神病薬……………… 105
健康相談……………… 82, 84, 85	口腔機能維持管理加算………… 94	向精神薬………………… 106
健康づくりのための睡眠指針	口腔機能管理………… 92, 94, 96	口底炎…………………… 106
2014 ……………… 85, 177	口腔機能低下症………… 38, 95	公的扶助……………… 106, 182
健康手帳………………… 82, 85	口腔機能の向上プログラム…… 95	抗てんかん薬…………… 107
健康日本21 ………… 84, 85, 86	口腔ケア………………… 95, 197	後天性拘縮……………… 104
健康日本21（第二次）	口腔健康管理…… 92, 94, 96, 197	後天性免疫不全症候群…… 23, 107
…………………… 2, 84, 85, 86, 199	口腔湿潤剤……………… 96, 99	咬頭嵌合位……………… 49
健康余命………………………… 83	口腔清掃…………… 96, 136, 263	喉頭侵入………………… 107
言語障害………………………… 86	口腔清掃指数…………………… 96	行動変容…………… 107, 275
言語聴覚士…………………… 29, 86	口腔清掃自立度判定基準…… 48, 97	高トリグリセリド血症…… 121
言語聴覚療法…………… 87, 125, 290	口腔清掃補助用具……………… 97	更年期障害……………… 108
現在歯…………………………… 87	口腔清掃用具…………………… 97	抗パーキンソン薬……… 108
健診……………………… 83, 84, 87	口腔前庭拡張術………………… 97	広範囲顎骨支持型装置…… 108
検診…………………… 87, 132	口腔内装置…… 97, 178, 180, 267	紅斑丘疹型薬疹………… 285
見当識…………………………… 87	口腔剥離上皮膜……… 98, 253	紅板症…………………… 109
現物給付………………………… 15	口腔保健行動…………… 275	紅斑性カンジダ症……… 93
健忘症…………………………… 87	口腔保健支援センター…… 98, 133	抗ヒスタミン薬………… 109
権利擁護………………………… 88	口腔保健センター…… 99, 134	硬膜外麻酔……………… 72
	口腔保湿剤……………… 96, 99	硬膜下血腫……………… 109
こ	高血圧…………… 81, 99, 100	咬耗（歯の）…………… 109
誤飲…………………… 88, 114	高血圧性脳症…………… 99	高リポタンパク血症…… 110
降圧薬…………………………… 88	咬合…………………… 100	高齢化…………………… 307
高LDLコレステロール血症	咬合異常……………… 100	高齢化社会……… 110, 112, 218
…………………………… 121	咬合器………………… 100	高齢化率……………… 111, 301
構音障害……………… 88, 247	咬合挙上……………… 101	高齢者……………… 111, 295, 300
口蓋垂軟口蓋咽頭形成術…… 89	咬合高径……………… 101	高齢者医療確保法…… 14, 111, 297
口角炎…………………………… 89	咬合採得……………… 101	高齢社会……………… 111, 218
口角びらん……………………… 89	咬合支持…………… 2, 101	高齢社会対策基本法…… 112
口渇…………………… 89, 243	咬合性外傷…………… 139	高齢者虐待……… 70, 112, 113
後期高齢者…………… 90, 194	呼吸………………… 102	高齢者虐待の防止，高齢者の養護
後期高齢者医療広域連合…… 90	高コレステロール血症…… 121	者に対する支援等に関する法律
後期高齢者医療制度…… 90, 91, 297	交叉感染…………… 17, 102	……………………………… 112
後期高齢者医療費……………… 91	抗酸化物質…………… 102	高齢者虐待防止法…… 69, 112
後期高齢者健康診査…………… 91	鉤歯………………… 102, 144	高齢者歯科医学……… 113, 299
後期高齢者歯科健康診査……… 91	高次脳機能…………… 103	高齢者歯科医療……… 113, 300
抗凝固薬………………………… 91	高次脳機能障害……… 103	高齢者住まい法………… 122
咬筋………………………… 92, 201	口臭……………… 69, 103	高齢者総合機能評価
抗菌薬…………………………… 92	口臭恐怖症…………… 103	………………… 113, 129, 297
口腔咽頭吸引………… 70, 92	公衆衛生…………… 104, 214	高齢者の医療の確保に関する法律
口腔衛生管理…… 92, 94, 96, 253	後縦靱帯骨化症……… 104	……………………………… 111
口腔がん………………………… 92	拘縮…………………… 104	高齢者の居住の安定確保に関する
口腔観察………………………… 93	溝状舌………………… 104	法律 ………………………… 122
口腔カンジダ症…… 55, 93, 109	甲状腺機能亢進症……… 105	高齢者の保健事業と介護予防の
口腔乾燥感……………………… 94	甲状腺機能低下症……… 105	一体的な実施……… 57, 113

311

誤嚥	88, 113
誤嚥性肺炎	34, 114, 243
コーネル・メディカル・インデックス	114, 129
GOHAI	115
5期モデル	115
呼吸機能検査	68, 115, 179
呼吸困難	116
呼吸サポートチーム	116
国際疾病分類	1
国際障害分類	116
国際生活機能分類	1, 116, 148, 181
国民医療費	116
国民健康・栄養調査	26, 117
国民健康保険	15, 117, 256
国民年金	117, 237
黒毛舌	118, 283
5疾病・5事業	13, 15, 118
骨塩	118, 120
骨塩定量検査	120
骨吸収抑制薬関連顎骨壊死	6, 118, 255, 284
骨粗鬆症	119, 120
骨多孔症	119
骨密度	119
骨ミネラル	118, 120
骨無機質	118, 120
固定性義歯	63
誤認防止	120
COVID-19	120, 168
コレステロール値	120, 139
根管充填	153
根管治療	60, 121
混合濃厚流動食	239
昏睡	9
根尖膿瘍	144
根尖病変	121
コンプライアンス	122
コンポジットレジン	122
昏迷	9
根面う蝕	122, 138

さ

| サービス付き高齢者向け住宅 | 122 |

坐位	202
最終義歯	63, 123
再石灰化	123
在宅医療	36, 37, 123
在宅介護	73, 123, 271
在宅介護支援センター	123
在宅ケア	73, 124
在宅酸素療法	124
在宅療養支援歯科診療所	51, 124
在宅療養支援診療所	124
サイトカイン	124
再発性アフタ性口内炎	4
作業療法	87, 125, 290
作業療法士	37, 125, 290
サクセスフルエイジング	125
嗄声	125
刷掃	126
刷掃指導	126, 221, 249, 263
サプリメント	27, 126
サポーティブペリオドンタルセラピー	126
サルコペニア	74, 126, 127
サルコペニア肥満	127
酸化防止剤	102
暫間義歯	63, 127
残気量	68
残根歯	127
三叉神経痛	127
三次医療	11, 13, 128, 233
三次医療圏	13, 303
残食	128
酸蝕症（歯の）	128, 170, 225
三次予防	11, 128, 203, 233
残存歯	87

し

GI	129, 147
CES-D	22, 129
CMI	115, 129
COPD	30, 124, 129, 244, 277
CKD	129, 277
CGA	113, 129
CDR	129
GDS	130, 288
CPI	130
死因	130

シェアード・ディシジョン・メイキング	3, 18, 29, 131
シェーグレン症候群	131, 137, 208
歯科インプラント	18
歯科衛生士	131, 132
歯科往診車	132, 134
歯科技工士	132
視覚障害	132
歯科健診	132
歯科検診	132
歯科口腔保健の推進に関する基本的事項	132, 133
歯科口腔保健の推進に関する法律	133
歯科口腔保健法	98, 133
歯科心身症	133
歯科診療車	11, 132, 134
歯科訪問診療	134, 272
歯科保健行動	275
歯科保健センター	99, 134
歯科補綴学	134
歯間空隙	134
歯冠修復	135
歯間ブラシ	135
刺激唾液	6, 135, 204, 208
刺激唾液分泌量	135, 136, 209
歯原性腫瘍	136
歯原性嚢胞	241
歯垢	136, 261
歯垢指数	136, 262
歯口清掃	96, 136
自己尊厳	136, 193
自己評価式抑うつ性尺度	29, 136, 288
自己免疫疾患	59, 137
歯根嚢胞	137
歯根膜	137
歯根面う蝕	20, 122, 138
歯根露出	138
歯式	138
脂質異常症	139, 217
歯周炎	139
歯周疾患	139
歯周疾患指数	139, 250
歯周膿瘍	139

歯周病……………………139	歯磨剤……………………147	消極的安楽死………………6
歯周病原菌……………140, 261	シャイ・ドレーガー症候群	症候性起立性低血圧………73
歯周ポケット…………140, 171	……………………148, 209	常食………………………158, 291
歯髄………………………140	社会関係資本………………199	床副子……………………258
歯髄萎縮…………………140	社会参加……………………148	静脈内鎮静法……………158, 183
歯髄炎……………………141, 248	社会参画……………………148	ショートステイ…………159, 212
歯髄結石…………………141, 188	社会福祉……………………148	食育基本法………………159
ジスキネジア………38, 141, 260	社会福祉協議会……………149	食介護……………………159
死生学……………………142	社会福祉士………………44, 149	食形態……………………164
歯性上顎洞炎………………142	社会福祉士及び介護福祉士法	食事介護…………………159
歯石………………………142	……………………149	食事介助…………………160
歯石除去……28, 143, 165, 178	社会福祉事業法………………150	食事記録法………………160, 162
施設サービス……………46, 143	社会福祉主事………………149	食事指導…………………26, 160
施設サービス計画……………42	社会福祉審議会……………150	食事診断…………………24, 161
指尖容積脈波………………143	社会福祉法………………149, 150, 258	食事箋……………………161
歯槽骨吸収…………………143	社会福祉法人………………150	食事調査…………………160, 161
歯槽堤……………………54, 143	社会保険……………………150	食事動作自助具……………162
歯槽堤形成術………………55, 143	社会保障…………………151, 274	食事バランスガイド
歯槽突起骨折………………143	弱視………………………132	……………162, 163, 258
歯槽膿瘍…………………144	灼熱感……………………151, 243	食事療法…………………162
自尊心……………………144, 193	若年性認知症……………152, 299	食生活……………………163
死体検案書…………………130	周術期……………………152	食生活指針………………162, 163
支台歯…………………10, 102, 144	重症筋無力症………………152	褥瘡………………………163
支台装置……3, 76, 144, 260, 293	従属人口指数………………307	褥瘡性潰瘍………………65, 163
市町村保健センター………144, 276	充塡………………………153	食品交換表…………………164
歯痛………………………145	修復処置……………………153	食品摂取受容………………164
失禁………………………145, 234	修復治療……………………153	食物形態…………………27, 164
失見当識……………………87	周辺症状……………………236	食物残渣…………………164
失語症……………………145	終末期……………………153, 154, 202	食物繊維…………………164
実質欠損（歯の）…………145	終末期医療……36, 61, 154, 202	除細動器…………………27, 165
湿声………………………146	終末期介護………………154, 202	除石………………………143, 165
湿性嗄声……………………146	主観的健康感………………154	処置歯……………………165, 221
疾病および関連保健問題の国際統	粥状硬化…………………3, 154	食塊………………………166
計分類………………………1	主治医意見書……………155, 156	食塊移送…………………166
疾病負荷……………………146	手段的日常生活活動作……1, 155	食塊形成…………………166
指定難病……………………232	受療率………………………155	ショック…………………166
自動体外式除細動器………27, 146	障害………………155, 156, 241	シルバーサービス……………167
歯内療法……………………146	障害高齢者の日常生活自立度	心エコー検査………………167
歯肉炎………………………140	……………………28, 156, 236	新オレンジプラン……………167
歯肉縁下歯石………………142	障害者………156, 157, 173, 241	新型コロナウイルス感染症
歯肉炎指数………………129, 146	障害者基本法………………156	……………………120, 168
歯肉縁上歯石………………142	障害者虐待防止法……………157	心機能検査…………………168
歯肉退縮……………………147	障害者自立支援法……………157	心筋梗塞…………………72, 168
自発性異常味覚………………12	障害者総合支援法……………157	神経機能検査………………168
死亡診断書…………………130	障害調整生命年……………157, 212	神経性過症…………………190
死亡率………………………147	上顎洞………………………158	神経性無食欲症………………190

313

神経変性疾患	169
人工呼吸	169
人工歯	169, 196, 260
進行性核上性麻痺	169, 242
人工唾液	99, 169
人工濃厚流動食	239
心疾患	170, 175
心室細動	27, 165, 170, 174
浸潤麻酔	72, 170
侵蝕症（歯の）	128, 170
心身症	170
人生会議	3, 171
真性口臭症	103
真性ポケット	140, 171
人生満足度スケール	171
振戦	171, 260
心臓突然死	171, 174
心臓弁膜症	172
身体介護	172, 181
身体活動レベル	172, 282
身体障害	172, 173
身体障害者	173
身体障害者手帳	173, 173, 292
シンチグラフィー	173
心電図	7, 168, 173
心内膜炎	174
心肺停止	165, 174
心肥大	174, 244
心不全	170, 174
腎不全	175, 277
心房細動	175
診療報酬包括払い制度	175

す

推算糸球体濾過量	7, 176
推奨量（栄養素の）	176
推定エネルギー必要量	176
推定平均必要量（栄養素の）	
	176
水分出納	176
水分補給	177
睡眠関連呼吸障害	177, 178, 267
睡眠指針	85, 177
睡眠時無呼吸症候群	
	28, 89, 98, 177
睡眠障害	178

スクラビング法	263
スクラブ法	263
スケーラー	178
スケーリング	143, 178
スタンダードプリコーション	
	178, 256
スティーブンス・ジョンソン	
症候群	178, 237
スパイログラム	116, 179
スパイロメータ	179
スピーチエイド	179, 253
スプリント療法	179
スポンジブラシ	180
スリープスプリント®	98, 180
スワン・ガンツ・カテーテル	
	180

せ

生活援助	172, 181
生活介助	181
生活機能	1, 28, 181, 186
生活習慣病	30, 181, 282
生活の質	70, 182
生活不活発病	182, 245
生活保護	107, 182
生活保護法	182
精神機能検査	182
精神障害	183
精神障害者保健福祉手帳	183
精神鎮静法	
	3, 62, 158, 159, 183, 219
精神保健	183
生存曲線	184
生体情報モニタ	184, 283
生体情報モニタリング	184
正中離開	134
静的アセスメント	24
成年後見制度	185
生物学的年齢	185, 293, 294
精密印象	17
生命の質	70, 185
生命表	185, 266
整容動作	186
生理的口臭	103
脊髄小脳変性症	186
脊柱管狭窄症	186

咳反射	187, 281
舌圧	187, 188
舌圧子	187
舌圧測定器	187, 188
舌炎	10, 188
石灰変性（歯髄の）	141, 188
積極的安楽死	6
摂食意欲	189
摂食嚥下障害	33
摂食嚥下リハビリテーション	
	189, 190
摂食機能訓練	59, 189, 218
摂食機能障害	190
摂食機能療法	189, 190, 218
摂食障害	190
舌清掃	190, 192
舌接触補助床	187, 191, 250
舌苔	190, 191, 192
絶対的頰堤形成術	55
舌痛症	191
舌突出癖	192
舌乳頭萎縮	192
舌ブラシ	191, 192
セメント質	193
セメント質増殖症	193
セルフ・エスティーム	
	136, 144, 193
セルフケア	38, 194
線維腫	194
線維性骨異形成症	194
遷延性窒息	217
前期高齢者	90, 194
全健忘	87
洗口液	195
全口腔法	278
洗口剤	60, 194
線条体黒質変性症	209
全身管理	195
全身性エリテマトーデス	
	137, 195
全身的偶発症	195
先天性拘縮	104
前頭側頭葉変性症	196
線副子	196, 258
全部床義歯	196, 198
喘鳴	196

せん妄		197
全盲		132
専門的口腔ケア		197
前立腺肥大症		197

そ

総義歯	196,	197
双極性障害		198
象牙質		198
象牙粒		141
喪失歯	198,	221
相対的顎堤形成術		54
瘙痒症		254
早老症	20,	198
ソーシャル・キャピタル		199
ソーシャルサポート		199
側臥位		203
即時義歯	63,	199
側頭筋	199,	201
咀嚼		200
咀嚼機能判定	200,	201
咀嚼機能評価	164,	200
咀嚼筋 47, 92, 199, 200,	201,	231
咀嚼効率		201
咀嚼障害		201
咀嚼能率		201
咀嚼能力 200,	201,	202
尊厳死 7,	202,	291

た

ターミナルケア 61, 154,		202
ターミナルステージ 154,		202
体位		202
第一次予防	11,	203
体格指数	203,	250
第三次予防	128,	203
帯状疱疹	203,	268
退職者医療制度		15
耐糖能	204,	226
ダイナペニア	127,	204
第二次予防	204,	233
耐容上限量		204
唾液		204
唾液減少症 94,	204,	208
唾液腺		205
唾液腺萎縮	205,	208

唾液潜血反応		206
唾液腺腫瘍		206
唾液腺造影法		206
唾液粘稠度		207
唾液分泌障害		
94, 131, 205,	206,	207
唾液分泌促進剤		208
唾液分泌量	136,	208
多系統萎縮症	148,	209
多剤耐性菌		209
多剤投与	4,	209
多職種連携		210
唾石症		210
多臓器不全	32,	210
脱感作		210
脱水		211
多尿		245
多発性硬化症	137,	211
多発性ニューロパチー		234
タフトブラシ		211
WHO プローブ		130
DALY	158,	211
短期入所	159,	212
短期入所生活介護	159,	212
短期入所療養介護	159,	212
端坐位		202
単純萎縮		140
単純疱疹		268
単ニューロパチー		234

ち

地域医療		213
地域医療構想	13,	212
地域医療支援病院	15,	212
地域医療ビジョン		212
地域ケア会議		213
地域支援事業		213
地域における医療及び介護の総合		
的な確保を推進するための関係		
法律の整備等に関する法律		12
地域包括ケアシステム		
123,	213,	214
地域包括ケア病棟		213
地域包括支援センター	124,	214
地域保健 104,	214,	274
地域保険		15

地域保健法		214
地域密着型介護老人福祉施設		
45, 47,		215
地域密着型サービス	76,	215
地域連携クリティカルパス		215
チーム医療		215
知覚運動検査		216
智歯周囲炎	106,	216
地図状舌		216
窒息		216
遅発性ジスキネジア		141
中心静脈栄養法	217,	276
中枢性顔面神経麻痺		60
中性脂肪		217
超音波歯ブラシ		
217, 223,	224,	249
聴覚障害	217,	232
超高齢者		111
超高齢社会 111,	112,	218
長坐位		202
聴診		218
直接訓練 33,	59,	218
治療用義歯	63,	218

つ

鎮静薬	183,	219
鎮痛薬	219,	254
通院困難者		219
通院者率		219
通所介護	220,	222
通所介護事業所	220,	222
通所サービス		220
通所リハビリテーション		
	220,	222

て

TIA	221,	238
DNAR 指示	3,	221
DMF 歯 165, 198,	221,	279
TMJ	52,	221
低位咬合	101,	221
TBI	126,	221
低 HDL コレステロール血症		
		121
低栄養		221
デイケア	220,	222

デイサービス……………… 220, **222**	内側翼突筋……………… 201, **231**	濃厚流動食……………… **239**, 291
デイサービスセンター…… 220, **222**	軟口蓋挙上装置…… **231**, 251, 253	脳死………………………………… **239**
データヘルス計画……………… **222**	軟食………………………………… **231**	脳出血……………………………… **240**
電解質異常……………………… **222**	難聴……………… 218, **232**, 295	脳塞栓……………………………… **240**
電気味覚試験…………………… 278	難病…………… 49, 169, **232**	脳卒中……………………… 238, **240**
電子歯ブラシ………………… **222**, 224		脳波……………………………… 7, **240**
伝達麻酔…………………………… **223**	**に**	囊胞………………………………… **241**
デンタルデバイス感染症……… 283	二次医療………… 11, 13, 128, **233**	ノーマライゼーション………… **241**
デンタルフロス…………………… **223**	二次医療圏………………… 13, 303	ノロウイルス……………………… **241**
デンチャープラーク…………… **223**	二次性高血圧……………………… 99	
転倒………………………………… **224**	二次予防………… 11, 128, 204, **233**	**は**
電動歯ブラシ…… 217, 223, **224**, 249	2025 年問題……………… 91, **233**	パーキンソン病…… 169, **242**, 274
天然濃厚流動食……………… 239	日常生活動作……………… 28, **233**	パーキンソン病関連疾患…… **242**
	日光角化症………………………… 51	バーセル指数………… 68, **242**, 250
と	日本人の食事摂取基準（2020）	バーニングマウス症候群
トゥースウェア	………… 26, 176, 203, 204, **233**, 283	……………………………… 152, **242**
………… 110, 128, 146, **225**, 277	ニューロパチー………………… 234	排液法……………………………… 6
統合失調症……………………… **225**	尿失禁…………………… 145, **234**	肺炎………………………… 59, **243**
疼痛管理………………………… **225**	尿素窒素………………………… **234**	バイオフィルム……………… **243**, 261
動的アセスメント……………… 24	認知機能………………………… **235**	徘徊…………………………………… **243**
導尿……………………………… **225**	認知症…… 5, 79, 88, 152, 167, 168,	肺気腫……………………… 129, **244**
糖尿病	196, **235**, 238, 244, 256,	肺水腫……………………………… **244**
…30, 82, 137, 204, **226**, 227, 268	294, 299	肺性心……………………………… **244**
糖尿病性神経障害……… **226**, 227	認知症高齢者の日常生活自立度	バイタルサイン………………… **245**
糖尿病性腎症…………………… **226**	……………………………………… 235	排尿障害…………………………… **245**
糖尿病性網膜症………………… **227**	認知症施策推進大綱………… 235	廃用萎縮…………………………… **245**
糖負荷試験……………………… **227**	認知症治療薬…………………… 236	廃用症候群………………… 182, **245**
動脈硬化……………… 139, 155, **227**		白内障……………………………… **245**
動脈瘤…………………… 75, **227**	**ね**	白板症……………………… 109, **246**
動揺歯…………………………… **228**	ネクローシス……………………… 4	橋本病……………………………… **246**
特定機能病院…………………… **228**	寝たきり度………………… 156, **236**	長谷川式簡易知能スケール…… 48
特定健康診査………………… **228**, 229	寝たきり老人……… **236**, 286, 287	破折（歯の）……………………… **246**
特定高齢者……………………… **228**	ネブライザー…………………… 237	8020 運動………………………… **247**
特定保健指導………………… 228, **229**	粘液囊胞………………………… 237	発音障害…………………… 89, **247**
特定保健用食品…… 25, **229**, 275	年金……………………… 118, 237	白血病……………………………… **247**
特別養護老人ホーム	粘膜調整材……………………… 237	抜歯………………………………… **247**
………………… 47, 215, **230**, 297	粘膜皮膚眼症候群………… 179, 237	抜髄………………………………… **248**
特別用途食品…………………… **230**		発病率……………………………… 305
吐出法……………………………… 6	**の**	歯ブラシ… 40, 211, 223, 224, **248**
ドライアイ……………………… **230**	脳虚血発作………………… 221, **238**	歯磨き指導………………… 126, **249**
ドライマウス………………… 94, **230**	脳血管疾患…… 40, 55, 71, 75, 88,	バリアフリー…………………… **249**
トロミ食………………………… **230**, 279	238, **239**, 240	パルスオキシメータ………… 80, **249**
トロンボ試験…………………… 230	脳血管障害……………………… 238	半昏睡……………………………… 9
	脳血管性認知症………… 235, **238**	半坐位……………………………… 202
な	脳血栓……………………………… 239	反復唾液嚥下テスト… 1, 57, **250**
内臓脂肪………………………… **231**	脳梗塞……………… 238, **239**, 240	

ひ

BI ·················· *242*, **250**
PI ·················· *139*, **250**
PHC ················ **250**, *263*
PAP ················ *191*, **250**
BMI ··· *176*, *203*, **250**, *255*, *282*, *285*
PMTC ··············· **250**, *252*
PLP ················ *231*, **251**
BOP ······················ **251**
PCR ······················ **251**
PCR 法 ············· **251**, *276*
PGC モラールスケール ··· **251**
PT ················· **252**, *290*
PT-INR ············ **252**, *266*
PTC ················ **251**, *252*
BPSD ····················· *257*
鼻咽腔閉鎖機能 ········ *179*, **252**
非観血的整復法（顎顔面骨折に対する） ···················· **253**
非感染性疾患 ················· *30*
非経口摂取患者の口腔粘膜処置 ·························· **253**
肥厚性カンジダ症 ············· *93*
鼻呼吸 ···················· *102*
皮脂欠乏性皮膚炎 ··· **253**, *255*, *295*
非歯原性嚢胞 ··············· *241*
非ステロイド系抗炎症薬 ·············· *30*, *219*, **254**
ビスホスホネート系薬剤関連顎骨壊死 ········ *119*, **254**, *266*, *284*
ビデオ嚥下造影検査 ············ *9*, *34*, **255**, *257*
皮膚瘙痒症 ············ *254*, **255**
肥満 ······················ **255**
被用者保険 ········ *15*, *117*, **255**
標準予防策 ············ *178*, **256**
病診連携 ·················· *15*
病的口臭 ·················· *103*
表面麻酔 ················· **256**
日和見感染 ················ **256**
貧血 ····················· **256**
頻尿 ····················· *245*

ふ

FAST 分類 ················ **256**
VE ················· *34*, **257**
FEES ··············· *34*, **257**
VF ············· *9*, *255*, **257**
VFSS ·············· *255*, **257**
FIM ················ *68*, **257**
フードテスト ··············· **257**
FOIS ···················· **257**
腹臥位 ···················· *203*
副子 ················ *196*, **257**
福祉事務所 ················ **258**
副食 ····················· **258**
福利 ······················ *20*
不顕性感染 ················ **258**
不顕性誤嚥 ················ **259**
腐骨 ····················· **259**
不随意運動 ·········· *142*, **259**
不整脈 ··················· **260**
部分健忘 ··················· *87*
部分床義歯 ·········· *72*, **260**
プラーク ······ *136*, *142*, **260**, *262*
プラークコントロール ··· *126*, **261**
プラーク指数 ·········· *136*, **262**
プライマリケア ·············· **262**
プライマリヘルスケア ·············· *5*, *6*, *250*, **262**
ブラッシング ·········· *96*, **263**
ブラッシング指導 ······ *126*, **263**
フラビーガム ······· *66*, **263**, *264*
フラビーティッシュ ····· *263*, **264**
ブリッジ ···· *51*, *55*, *71*, **264**, *276*
フレイル ····· *39*, *72*, *83*, *113*, **264**
ブレンダー食 ········ **264**, *279*
プロービングデプス ··········· **264**
プロセスモデル ·············· **265**
プロダクティビティ ··········· **265**
フロッシング ········· *223*, **265**
プロテーゼ ················· *54*
プロトロンビン時間国際標準比 ·················· *252*, **266**
BRONJ ········ *119*, *255*, **266**, *284*

へ

平滑舌 ··············· *188*, *192*
平均寿命 ········· *83*, *186*, **266**
平均余命 ········· *83*, *186*, **266**
閉塞性睡眠時無呼吸 ·················· *177*, *178*, **266**
閉塞性動脈硬化症 ········ *27*, **267**
ペースメーカ ··············· **267**
PEG ············ *16*, *80*, **267**
HbA1c ·············· *226*, **267**
ヘルスプロモーション ····· *39*, **268**
ヘルペス ·················· **268**
変形性関節症 ··············· **268**
偏食 ····················· **269**
便秘 ····················· **269**
扁平上皮乳頭腫 ············· **269**
扁平苔癬 ············ *109*, **270**
片麻痺 ···················· *238*

ほ

房室伝導障害 ·············· **270**
房室ブロック ··············· *271*
乏尿 ····················· *245*
訪問介護 ····· *123*, *124*, *172*, **271**, *273*
訪問介護員 ·········· **271**, *273*
訪問看護 ················· **271**
訪問看護ステーション ········· **272**
訪問口腔衛生指導 ··········· **272**
訪問歯科衛生指導 ··········· **272**
訪問歯科診療 ········ *134*, **272**
訪問歯科保健指導 ··········· **272**
訪問指導 ················· **272**
訪問診療 ············ *37*, **273**
訪問リハビリテーション ······ **273**
ボーエン病 ················ **273**
ホームヘルパー ······ *271*, **273**
ホームヘルプサービス ··· *271*, **273**
ホームリライナー ············· *64*
ホーン・ヤールの重症度分類 ·························· **273**
保健 ··············· *104*, **274**
保険 ····················· **274**
保健・医療・福祉の統合 ······ **274**
保健機能食品 ········ *25*, *229*, **275**
保健行動 ············ *108*, **275**
保健指導 ················· **275**
保健所 ············· *145*, **275**
ホスピス ·················· **276**
ポリメラーゼ連鎖反応法 ·················· *251*, **276**
本態性高血圧 ················ *99*
ポンティック ··············· **276**

317

ま

マイナートランキライザー… 106
埋伏智歯………………………… 276
末梢静脈栄養法………… 217, 276
末梢性顔面神経麻痺…………… 60
摩耗（磨耗）（歯の）………… 277
慢性呼吸不全…………………… 277
慢性腎臓病……………… 129, 175, 277
慢性閉塞性肺疾患……… 129, 277

み

ミールラウンド………………… 277
ミオペニア……………… 127, 278
味覚試験………………… 278, 279
味覚障害………………………… 278
味覚消失………………………… 12
ミキサー食……… 230, 264, 279
未処置歯………………… 221, 279
水飲みテスト…………………… 279
看取り…………………………… 279
ミニメンタルステート検査
………………………………… 32, 279
ミネソタ多面人格目録…… 32, 280
脈圧……………………………… 280
民生委員………………………… 280

む

無歯顎…………………………… 280
むせ……………………………… 281
無尿……………………………… 245
無味症…………………………… 12
MRONJ………………… 119, 281, 284

め

メジャートランキライザー… 106
メタアナリシス………………… 281
メタ解析………………………… 281
メタ分析………………………… 281
メタボリックシンドローム
………… 30, 181, 231, 250, 255, 282
メチシリン耐性黄色ブドウ球菌
……………………………… 31, 282
METs…………………… 172, 282
メディカルデバイス感染症… 282
免疫療法………………………… 210

も

盲………………………………… 132
毛舌……………………… 118, 283
網様萎縮………………………… 140
目標量（食事摂取基準の）… 283
モニタリング…………………… 283
物忘れ…………………………… 283

や

薬剤関連顎骨壊死
………………… 119, 255, 281, 284
薬剤コンプライアンス
………………………… 4, 122, 284
薬疹……………………………… 285
やせ……………………………… 285

ゆ

有歯顎…………………………… 285
有床義歯………………………… 63
誘発筋電図……………………… 75
有病率…………………………… 285
有料老人ホーム………… 285, 297
ユニバーサルデザイン………… 286
ユニバーサルデザインフード
……………………………… 34, 286

よ

要介護高齢者…………… 236, 286
要介護者………………… 286, 287
要介護度………………………… 287
要介護認定……… 44, 286, 287, 288
養護老人ホーム………… 287, 297
要支援…………………………… 288
要支援者………… 287, 288, 289
要支援認定……………… 287, 288
要抜去歯………………………… 288
抑うつ尺度……… 130, 137, 288, 289
抑うつ状態……………………… 288
予後栄養アセスメント………… 24
予備呼気量……………………… 68
予防……………………………… 11
予防給付………………… 288, 289

り

リウマチ性多発筋痛症………… 289
リエゾン外来…………………… 289

理学療法………… 22, 87, 125, 290
理学療法士……… 125, 252, 290
理学療法士及び作業療法士法
………………………………… 125
罹患率…………………… 285, 290
立位……………………………… 202
リハビリテーション… 8, 68, 290
リビングウィル………… 202, 291
リベース……… 47, 64, 291, 293
流涎……………………………… 291
流動食…………… 158, 239, 291
療育手帳………………… 173, 292
療養病床………………… 11, 46, 292
緑内障…………………………… 292
リライン……… 64, 237, 291, 292

れ

暦年齢…………… 185, 293, 294
レジン床義歯…………………… 293
レスト…………………………… 293
レビー小体型認知症…… 235, 293

ろ

老化………………………… 57, 294
老化度…………………………… 294
老研式活動能力指標…………… 294
老人……………………… 111, 295
老人乾皮症……………… 254, 295
老人性角化症…………………… 51
老人性結核……………………… 295
老人性難聴……………… 218, 232, 295
老人病…………………… 295, 301
老人福祉施設
………… 230, 286, 287, 295, 296
老人福祉センター……………… 296
老人福祉法……………… 80, 123, 296
老人ホーム……… 80, 230, 287, 296
老人保健福祉圏域……………… 297
老人保健法……………… 111, 297
老年医学的総合評価…… 113, 297
老年学…………………………… 297
老年化指数……………………… 298
老年看護………………………… 298
老年期認知症…………… 79, 298
老年歯科医学…………… 113, 299
老年歯科医療…………… 113, 299

老年者	*111*, **300**
老年症候群	**300**
老年人口	**300**
老年人口指数	**300**
老年人口比率	**301**
老年人口割合	*111*, **301**
老年病	*295*, **301**
老齢基礎年金	*117*
老老介護	**301**
ロコモティブシンドローム	**302**

数字・ギリシャ文字

2025 problem	233
5 stage model	115
8020 movement	247

A

ability of masticatory	202
absolute pocket	171
abuse	69
abutment tooth	10, 102, 144
accidental fall	224
accidental ingestion	88
ACP	3, 28
acquired immunodeficiency syndrome	22, 107
act concerning the promotion of community healthcare and caregiving	12
act concerning the promotion of dental and oral health	133
act on assurance of medical care for elderly people	111
act on social welfare for the elderly	296
act on the comprehensive support for the daily and social life of persons with disabilities	157
act on the prevention of abuse for persons with disabilities and support for caregivers	157
act on the prevention of elder abuse	112
active guide	2
active life expectancy	82
active oxygen	55
activities of daily living	28, 233
additional fee for maintenance and management of oral function	94
adherence	3
ADL	28
adult guardianship system	185
advance care planning	3, 28
advanced aged	295
advanced treatment hospital	228
advocacy for rights	88
AED	27
aged dependency ratio	300
aged population	300
aged society	111
ageing	57, 294
aging	57, 294
aging index	298
aging population	300
aging society	110
AID	137
AIDS	22
airway management	67
Alma Ata declaration	5
ALS	27
alveolar abscess	144
alveolar bone resorption	143
alveolar ridge	54, 143
alveoloplasty	54, 143
Alzheimer's disease	5
ameloblastoma	29
amnesia	87
amyloid-β	4
amyotrophic lateral sclerosis	27, 73
analgesic	219
anemia	256
aneurysm	227
angina pectoris	71
angular cheilitis	89
angular stomatitis	89
anti-resorptive agents-related osteonecrosis of the Jaw	6, 118
antibacterial	92
antibacterial drug	92
anticoagulant(drug)	91
anticonvulsant	107
antidementia drugs	236
antidementia medicine	236
antiepileptic	107
antifungal drug	105
antihistamine	109
antihypertensive drug	88
antimicrobial	92
antioxidant	102
antiparkinson drug	108
antiparkinsonian	108
antipsychotic drug	105
aphasic	145
aphthous stomatitis	4
apical lesion	121
apoptosis	4
ARONJ	6, 118, 284
arrhythmia	260
arteriosclerosis	227
arteriosclerosis obliterans	27, 267
arteriosclerotic obliteration	27, 267
arthralgia	53
arthrodynia	53
articulation	100
articulation disorder	88
articulator	100
artificial respiration	169
artificial saliva	169
artificial tooth	169
ASO	27, 267
aspiration	113
aspiration pneumonia	34, 114
aspirator	70
assessment of independence for brushing	48, 97
atherosclerosis	3, 154
atrial fibrillation	175
atrioventricular conduction disturbance	270
atrophic gastritis	10
atrophic glossitis	10
atrophy of lingual papillae	192
atrophy of salivary gland	205
attachment	3

attachment loss	3	
attrition	109	
auscultation	218	
autoimmune disease	137	
automated external defibrillator	27, 146	
auxiliary appliance for swallowing	35	
average life expectancy	266	
average life span	266	

B

bacteremia	73
bacterial coating of tongue	191
bad breath	103
barrier free	249
Barthel index	242, 250
basal metabolic rate	67
basic act for persons with disabilities	156
basic act on measures for the aging society	112
basic act on Shokuiku (food and nutrition education)	159
basic check list	69
basic matters for oral health promotion	132
BDR index	48
bed-bound elderly	236
bedridden degree	236
bedridden elderly	236
beds for general patients	11
bedsore	163
behavior modification	107
behavioral change	107
benign prostatic hyperplasia	197
BI	242, 250
biofilm	243
biological age	185
bipolar affective disorder	198
bisphosphonate-related osteonecrosis of the jaw	254, 266
bite raising	101
bite taking	101
black hairy tongue	118
bleeding on probing	251

blended meal	230, 264, 279
blender food	230, 264, 279
blood examination	81
blood glucose	81
blood pressure	81
blood test	81
blood urea nitrogen	234
BMD	119
BMI	250
BMS	242
body mass index	203, 250
body position	202
bone anchored device for wide edentulous area	108
bone density	119
bone mineral	118, 120
bone mineral density	119
bone-salt	118
BOP	251
Bowen disease	273
BPAD	198
BPSD	257
brain death	239
brain infarction	239
bridge	51, 55, 71, 264
BRONJ	119, 254, 266, 284
bulbar paralysis	70
BUN	234
burning mouth syndrome	242
burning sensation	151

C

cachexia	2, 56
cardiac disease	170
cardiac disorder	170
cardiac failure	174
cardiac function test	168
cardiac hypertrophy	174
cardiopulmonary arrest	174
care	40
care food	43
care house	77
care management	78
care manager	43, 78
care need certification	287
care of disabled	172

care plan	42, 78
care service	42
cariogenic bacteria	20
cariogenic potential food	21
cataract	245
cause of death	130
CDR	129
cementum	193
cementum hyperplasia	193
center for epidemiologic studies depression scale	21, 129
cerebral apoplexy	240
cerebral embolism	240
cerebral hemorrhage	240
cerebral infarction	239
cerebral thrombosis	239
cerebrovascular dementia	238
cerebrovascular disease	238
cerebrovascular disorder	238
certification committee of needed long-term care	44
certified care worker	44
certified social worker	149
cervical auscultation	80
CES-D	21, 129
CGA	113, 129
chest X-ray examination	71
chewing	200
choking	216, 281
cholesterol level	120
chopped meal	62
chronic kidney disease	129, 277
chronic obstructive pulmonary disease	129, 277
chronic respiratory failure	277
chronological age	293
cibophobia	72
CKD	129, 277
clasp	76
cleaning of tongue	190
click	76
clicking	76
climacteric syndrome	108
clinical dementia rating	129
closed reduction for fracture of maxillofacial bone	253

CMI ················ 114, 129
cognitive function ············· 235
committee for social service ··· 150
common meeting place for
　long-term care prevention ··· 56
community based care service
　················ 215
community care conference ··· 213
community cooperation clinical path
　················ 215
community cooperation critical path
　················ 215
community health ············· 214
community health act ············· 214
community health and care support
　center for elderly ············· 214
community health care support hospital ················ 212
community health care vision ··· 212
community health center ········· 144
community periodontal index ··· 130
community support projects ··· 213
community-based integrated care
　system ················ 213
complete denture ············· 196, 197
compliance ················ 122
composite resin ················ 122
comprehensive geriatric assessment ················ 113, 129, 297
compromised patient ············· 8
conduction anesthesia············· 223
constipation ················ 269
consultation rate ················ 155
contracture················ 104
cooperation of multidisciplinary
　team················ 210
COPD················ 129, 277
cor pulmonale ················ 244
Cornell Medical Index ······ 114, 129
coronavirus disease 2019
　················ 120, 168
cough ················ 281
cough reflex ················ 187
council of social corporation ··· 149
COVID-19 ················ 120
CPA················ 174

CPI ················ 130
creatinine ················ 77
creatinine clearance············· 77
crepitation ················ 77
crepitus ················ 77
Creutzfeldt-Jakob disease ······ 77
cross infection ················ 102
crown restoration ················ 135
curtain sign ················ 40
cutaneous pruritus ············· 255
cyst ················ 241
cyst of the jaw ················ 55
cytokine ················ 124

D

DALY ················ 211
data health plan ················ 222
day care ················ 220, 222
day service ················ 220, 222
day service center ········ 220, 222
death rates················ 147
death with dignity ················ 202
decayed tooth ················ 279
decubitus ················ 163
decubitus ulcer ················ 163
deep sedation ················ 55
defibrillator················ 165
definitive denture ················ 123
deglutition ················ 32
degree of senility ················ 294
dehydration ················ 211
delirium ················ 197
dementia ················ 235
dementia with Lewy bodies······ 293
dental abrasion ················ 277
dental attrition ················ 109
dental calculus ················ 142
dental caries ················ 20
dental checkup for older adults
　aged 75 and over ················ 91
dental clinic for home care support
　················ 124
dental clinic with enhanced dental
　care by family dentist ········ 51
dental erosion ············· 128, 170
dental examination ············· 132

dental floss ················ 223
dental formula ················ 138
dental health center ················ 134
dental health examination ······ 132
dental home-visit treatment
　················ 134, 272
dental hygienist················ 131
dental plaque················ 136, 260
dental psychosomatic disease
　················ 133
dental rinse ················ 194
dental technician ················ 132
dentifrice ················ 147
dentin ················ 198
dentulous jaw ················ 285
denture ················ 63
denture adjustment ············· 66
denture base ················ 64
denture brush ················ 66
denture cleaner················ 66
denture cleaning ················ 65
denture cleanser ················ 66
denture fibroma················ 65
denture for defected jaw ········ 54
denture plaque················ 223
denture stabilizer ················ 63
denture stomatitis················ 65
denture ulcer ················ 64
denture wearing ············· 48, 97
dependent elderly················ 286
depression················ 21
depression scale ················ 288
depressive state ················ 288
depressor drug ················ 88
desensitization ················ 210
deviated food habit ············· 269
diabetes ················ 226
diabetes mellitus ················ 226
diabetic nephropathy ············· 226
diabetic neuropathy ············· 226
diabetic retinopathy ················ 227
diagnosis procedure combination/
　per-diem payment system ··· 175
diarrhea ················ 82
dietary assessment ················ 24
dietary counseling ············· 160

dietary examination	161	
dietary fiber	164	
dietary guidance	160	
dietary guidelines	163	
dietary habits	163	
dietary life	163	
dietary recipe	161	
dietary record	160	
dietary reference intakes for Japanese (2020)	233	
dietary survey	161	
dietetics	162	
dietitian	26	
dipsesis	89	
direct therapy	218	
disability	155	
disability adjusted life years	157, 211	
disability and health	1, 116	
disability of food intake function	190	
disabled person	156	
disease burden	146	
disease of old age	295	
dislocation of temporomandibular joint	52	
disorder	155	
disturbance	155	
disturbance of consciousness	9	
disturbance of mouth opening	41	
disturbance of saliva secretion	207	
disuse atrophy	245	
disuse syndrome	182, 245	
DMF teeth	221	
DN	226	
do not attempt resuscitation order	221	
domiciliary care service	72	
domiciliary health care	123	
drug compliance	284	
drug eruption	285	
dry eye	230	
dry mouth	230	
dry swallow	57	

dryness of mouth	94	
dynapenia	204	
dysarthria	88	
dysgeusia	278	
dyskinesia	141	
dyslipidemia	139	
dysphagia	33	
dysphagia diet	33, 34	
dysphagia diet pyramid	34	
dysphagia rehabilitation	189, 190	
dyspnea	116	
dysrhythmia	260	
dysuria	245	

E

EAR	176	
EAT-10	7	
eating disorder	190	
eating dysfunction	190	
eating functional training	189	
eating habits	163	
ECG	7, 173	
echocardiography	167	
edentulous jaw	280	
EEG	7, 240	
EER	176	
eGFR	7	
Eichner's classification	1	
eighty-twenty movement	247	
elder abuse	112	
elder-to-elder care	301	
elder-to-elder nursing	301	
elderly	295, 300	
elderly population	300	
elderly with care needs	286	
electric toothbrush	224	
electrocardiogram	7, 173	
electroencephalogram	7, 240	
electrolyte imbalance	222	
electromyogram	7, 74	
electronic tooth brush	222	
EMG	7, 74	
employment insurance	255	
enamel	29	
end of life care	36, 279	
end of life care meeting	171	

endocarditis	174	
endodontics	146	
enteral nutrition	79	
epulis	30	
epulis fissuratum	65	
erythroplakia	109	
estimated average requirement	176	
estimated energy requirement	176	
estimated glomerular filtration rate	7, 176	
euthanasia	6	
examination of masticatory function	200	
examination of mental function	182	
exodontia	247	
expenses of medical care system for older senior citizens	91	
exposure of tooth root	138	

F

facial palsy	60	
family dentist	50	
family dentist function	50	
family doctor	50	
family doctor function	50	
feeding assistance	160	
feeding care	159	
feeling of oral dryness	94	
FEES	257	
fiberoptic endoscopic evaluation of swallowing	257	
fibroma	194	
fibrous dysplasia of bone	194	
field block	223	
filled tooth	165	
filling	153	
FIM	68, 257	
fissured tongue	104	
five diseases and five healthcare services	118	
fixed partial denture	51, 71, 264	
flabby gum	263, 264	
flabby tissue	263, 264	

flossing	265	
fluid diet	291	
FOIS	257	
food bolus	166	
food bolus formation	166	
food bolus transport	166	
food debris	164	
food for special dietary uses	230	
food for specified health uses	229	
food guide pyramid	162	
food intake and food acceptance	164	
food style	164	
food substitution table	164	
food test	257	
food with health claims	275	
food with nutrient function claims	25	
forgetfulness	283	
fracture of alveolar process	143	
fracture of mandible	49	
fracture of maxillofacial bone	53	
fracture of tooth	246	
frail elderly	286	
frailty	72, 264	
frontotemporal lobar degeneration	196	
FT	257	
full denture	196, 197	
functional assessment staging	256	
functional independence measure	68, 257	
functional oral intake scale	257	
functional recovery training	68	
functional residual capacity	68	
functional test of nervous system	168	
functional therapy	22	
functional tooth	68	
functional training	68

G

gag reflex	37
gargle	60
gargle basin	40

gastric fistula	16
gastric tube	8
gastrostomia	16
gastrostomy	16
GDS	130
General Oral Health Assessment Index	115
geographic tongue	216
geriatric dentistry	113, 299
geriatric depression scale	130
geriatric disease	295, 301
geriatric syndrome	300
geriatrics	295, 300
gerodontics	113, 299
gerodontology	113, 299
gerontological nursing	298
gerontology	297
GI	129, 146
gingival index	129, 146
gingival recession	147
glass ionomer cement	75
glaucoma	292
glossalgia	191
glossitis	188
glossodynia	191
glucose tolerance	204
glucose tolerance test	227
GOHAI	115
group home	76
guide for healthy sleep	177
guide for healthy sleep 2014	85

H

hairy tongue	283
halitosis	103
handicap	155
handicapped person	156
Hasegawa's dementia scale revised	24, 48
Hashimoto disease	246
HbA1c	267
HDS-R	24, 48
health	274
health and medical service law for the aged	297
health and medical service law for the elderly	297
health and welfare service area for the elderly	297
health behavior	275
health care	274
health care facility for the care of the elderly	47
health care handbook	85
health center	275
health checking	83, 84
health checkup for older adults aged 75 and over	91
health consultation	84
health counseling	84
health education	82
health examination	83, 84, 87
health expectancy	82
health index	82
health instruction	275
Health Japan 21 (1st term)	85
Health Japan 21 (2nd term)	86
health promotion	268
health promotion act	84
health testing	84
healthy life expectancy	82
hearing impaired	217
hearing impairment	232
heart failure	174
hemiplegia	55
hemoglobin A1c	267
herpes	268
herpes zoster	203
heterogeusia	11
high blood pressure	99
high-risk elderly	228
higher brain function	103
higher cerebral dysfunction	103
histamine antagonist	109
HIV	23
hoarseness	125
Hoehn–Yahr grading scale	273
Hoehn and Yahr scale	273
home care	124
home care management and guidance	73
home care service	72

323

home care support ·············· 73	Ikigai ···························· 8	interim denture ················· 127
home care support center ······ 123	ileus ···························· 16	intermaxillary fixation ········ 52
home for the aged ············· 296	ill-fitting denture ················ 66	intermittent oro-esophageal feeding
home for the elderly with a	immediate denture ············· 199	································ 37
moderate fee ·················· 80	impacted wisdom tooth ········ 276	intermittent oro-esophageal tube
home health care ················ 123	impairment ······················ 155	feeding ························ 57
home help service ········ 123, 273	implant ·························· 18	international classification of
home help support center ······ 123	implant denture ················· 18	diseases ························ 1
home helper ··············· 271, 273	impression material ············ 16	international classification of
home oxygen therapy ··········· 124	impression taking ··············· 17	functioning ··············· 1, 116
home treatment ·················· 123	inapparent infection ············ 258	interstitial lung disease ········ 58
home visit ························ 36	incidence rate ··················· 290	intractable disease ············· 232
home visit rehabilitation ········ 273	incontinence ···················· 145	intravenous hyperalimentation
home visiting health instruction	independence degree of daily living	································ 217
·································· 272	for the demented elderly ······ 235	intravenous sedation ············ 158
home-visit dental health instruction	independence degree of daily living	involuntary movement ··········· 259
·································· 272	for the disabled elderly ······ 156	ischemic heart disease ········· 72
home-visit dental treatment	indicated tooth for extraction ··· 288	itch ································ 47
····························· 134, 272	indirect therapy ················· 59	
home-visit medical treatment ··· 273	infected root canal treatment ··· 59	**J**
home-visit oral health instruction	infective endocarditis ············ 60	jaw inflammation ················ 51
·································· 272	infiltration anesthesia ············ 170	jugular intravenous feeding ······ 276
homebound dentistry ······ 134, 272	inflammation of mouth floor ··· 106	
hospice ·························· 276	inflammation of oral floor ········ 106	**K**
hospital and health planning ··· 13	influenza ························ 19	Katz index ······················ 56
hospital infection ················ 17	informed consent ················ 18	keratosis ························· 51
hospital ward for community-based	infraocclusion ···················· 221	
integrated care system ······ 213	institutional service ·············· 143	**L**
HOT ···························· 124	instrumental activities of daily living	laryngeal penetration ············ 107
house call ························ 36	····························· 1, 155	late-stage medical care system for
housing for the elderly with	instruments for mouth cleaning	the elderly ···················· 90
home-care services ············ 122	································ 97	lateral pterygoid muscle ········ 47
human immunodeficiency virus	insurance ························ 274	leanness ·························· 285
·································· 23	integrated facility for medical and	leukemia ·························· 247
hypercementosis ················· 193	long-term care ················· 41	leukoplakia ······················ 246
hyperlipoproteinemia ············ 110	Integrated implementation of health	level of need for nursing care ···· 58
hypertension ······················ 99	services and care prevention for	lichen planus ···················· 270
hypertensive encephalopathy ··· 99	senior citizens ················· 113	life satisfaction index ············ 171
hyperthyroidism ················· 105	integration of health care ········ 274	life span ·························· 266
hypotensive drug ················ 88	intellectually disabled person's	life support ······················ 181
hypothyroidism ··················· 105	certificate ······················ 292	life support service ·············· 46
	intellectually disabled person's	life table ·························· 185
I	handbook ······················ 292	life-prolong treatment ············ 36
IADL ························ 1, 155	interdental brush ················ 135	life-style related disease ········ 181
ICD-10 ··························· 1	interdental space ················ 134	life-support treatment ············ 36
ICF ·························· 1, 116	interdisciplinary team ············ 210	life-sustaining treatment ········ 36

limitation of mouth opening ……… 41
liquid diet ……………………… 291
liquized meal ……… 230, 264, 279
livelihood protection …………… 182
living function ………………… 181
living will ……………………… 291
local anesthesia ………………… 72
locomotive syndrome ………… 302
long-stay bed(s) ……………… 292
long-term assist needed ……… 287
long-term care bed(s) … 46, 292
long-term care facility ………… 45
long-term care insurance ……… 44
long-term care insurance act … 45
long-term care needed ……… 286
long-term care prevention …… 45
long-term care service at home or home care ……………………… 123
long-term support needed …… 287
LSI ……………………………… 171

M

malocclusion …………………… 100
mandibular movement ………… 49
mandibular position …………… 49
masseter muscle ……………… 92
mastication …………………… 200
masticatory disorder ………… 201
masticatory efficiency ………… 201
masticatory muscle …………… 201
maxillary sinus ………………… 158
maxillofacial prosthesis ………… 54
maxillomandibular registration
………………………………… 101
MCI …………………………… 32, 79
meal round …………………… 277
mean life expectancy ………… 266
measurement of masticatory function ……………………… 200
medial pterygoid muscle ……… 231
medical accident ……………… 13
medical care …………………… 12
medical care act ……………… 14
medical care area ……………… 13
medical care expenditure regulation plan ……………………… 14

medical care insurance ………… 15
medical care zone ……………… 13
medical care-getting rate …… 155
medical check-up ……………… 83
medical cooperation …………… 15
medical device infectious disease
………………………………… 282
medical examination … 83, 84, 87
medical expense insurance …… 15
medical institution for long-term care ……………………………… 46
medical insurance ……………… 15
medical insurance system for late elderly people ………………… 90
medical rehabilitation …………… 7
medical service and welfare service
………………………………… 274
medical service area …………… 13
medical services ……………… 12
medical social worker ………… 13
medical treatment insurance … 15
medication-related osteonecrosis of the jaw ………………… 281, 284
membranous substances in the oral cavity ………………………… 98
menopausal syndrome ……… 108
mental disorder ……………… 183
mental health ………………… 183
mental status questionnaire … 31
mentally disabled person's certificate ……………………… 183
mentally disabled person's handbook …………………… 183
mercy killing …………………… 6
meta-analysis ………………… 281
metabolic equivalents ………… 282
metabolic syndrome ………… 282
metal base denture …………… 74
metal plate denture …………… 74
methicillin-resistant *Staphylococcus aureus* …………………… 31, 282
METs …………………………… 282
mild cognitive impairment … 32, 79
mini nutritional assessment … 31
mini-mental state examination
…………………………… 31, 280

Minnesota multiphasic personality inventory ………………… 32, 280
minor tranquilizer ……………… 62
missing tooth ………………… 198
mixed meal ……… 230, 264, 279
MMSE ………………………… 31
MNA …………………………… 31
mobile dental clinic … 11, 132, 134
mobile dental van ……… 11, 132, 134
mobility tooth ………………… 228
modified diet for dysphagic persons
…………………………… 33, 34
modified water swallowing test
…………………………… 32, 48
MOF …………………… 32, 210
monitoring …………………… 283
morbidity rate ………………… 290
mortality ……………………… 147
mouth breathing ……………… 102
mouth cleaning ………………… 96
mouth cleaning aids …………… 97
mouth cleaning auxiliary instrument
………………………………… 97
mouth gag ……………………… 41
mouth moisturizer ……………… 96
mouth rinse …………………… 194
mouth rinse solution ………… 194
mouth rinsing ……………… 48, 97
mouth wash ………………… 194
MRONJ ……………… 119, 281, 284
MRSA …………………… 31, 282
MSA …………………………… 209
MSQ …………………………… 31
MSW …………………………… 13
muco-cutaneo-ocular syndrome
………………………………… 237
mucous cyst ………………… 237
multidrug-resistant bacteria … 209
multiple organ failure …… 32, 210
multiple sclerosis …………… 211
multiple system atrophy …… 209
municipal health center ……… 144
muscular skeletal disability …… 74
MWST ………………… 32, 48
myasthenia gravis …………… 153
myocardial infarction ………… 168

| 325

myopenia ... 278

N

nasal tube feeding ... 79
national health and nutrition survey ... 117
national health expenditure ... 116
national health insurance ... 117
national medical care expenditure ... 116
national pension ... 117
natural span ... 266
NCD(s) ... 30
nebulizer ... 237
neck dissection ... 80
neurodegenerative disease ... 169
neuroleptic malignant syndrome ... 2
neuropathy ... 234
neutral fat ... 217
New Orange Plan ... 167
nitrous oxide inhalation sedation ... 2
NM Scale ... 30
non-communicable disease(s) ... 30
non-steroidal anti-inflammatory drug(s) ... 30, 254
normalization ... 241
norovirus ... 241
NSAID(s) ... 30, 254
NST ... 25, 30
nursing ... 58
nursing care meal ... 43
nursing health care facility for the elderly ... 47
nursing home for the elderly ... 287
nursing welfare facility for the elderly ... 46
nursing welfare facility for the elderly in the community ... 215
nutrition care management ... 25
nutrition counselling ... 26
nutrition education ... 26
nutrition guidance ... 26
nutritional assessment ... 24

nutritional status ... 26
nutritional supplementary food ... 27, 126
nutritional support team ... 25, 30
nutritionist ... 26

O

OA ... 268
obesity ... 255
obstructive sleep apnea ... 266
occlusal support ... 101
occlusal vertical dimension ... 101
occlusal wear ... 109
occlusion ... 100
occupational therapist ... 37, 125
occupational therapy ... 125
OD ... 38
odontectomy ... 247
odontogenic maxillary sinusitis ... 142
odontogenic tumor ... 136
odynophagia ... 34
OHAT ... 38
old age ... 295, 300
old old ... 90
older adults ... 111, 300
older people ... 111
oligoptyalism ... 204
oligosialia ... 204
open reduction ... 58
ophthalmic artery pressure ... 60
opportunistic infection ... 256
oral appliance ... 97
oral breathing ... 102
oral cancer ... 92
oral candidiasis ... 93
oral care ... 95
oral cleaning ... 96
oral diadochokinesis ... 38
oral dyskinesia ... 38
oral frailty ... 39
oral function ... 94
oral function improvement program ... 95
oral health assessment tool ... 38
oral health care ... 92, 95, 96

oral health center ... 99
oral health support center ... 98
oral hygiene aids ... 97
oral hygiene care ... 92
oral hygiene index ... 96
oral hypofunction ... 95
oral inspection ... 93
oral malodor ... 103
oral moisturizer ... 96, 99
oral moisturizing gel ... 96
oral moisturizing jell ... 96
oral mucosal treatment of parenteral patients ... 253
oral prophylaxis ... 96, 136
oral rehabilitation ... 39
oral rehabilitation and functional care ... 94
oral respiration ... 102
oral self care ... 38
oral thrush ... 93
ordinary diet ... 158
orientation ... 87
oropharyngeal suction ... 92
orthostatic hypotension ... 73
OSA ... 266
ossification of posterior longitudinal ligament ... 104
osteoarthritis ... 268
osteoporosis ... 119
OT ... 37, 125
Ottawa charter ... 39
outpatient liaison ... 289
outpatient rate ... 219
outpatient services ... 220
overlay denture ... 37
overnutrition ... 24

P

pacemaker ... 267
pain control ... 225
PAL ... 172
palatal augmentation prosthesis ... 191, 250
palatal lift prosthesis ... 231, 251
palliative care ... 61
palliative care team ... 61

PAP ··················· 191, 250
Parkinson's disease ············· 242
Parkinson's disease and related
　　disorders ····················· 242
partial denture ············· 72, 260
patient decision support system
　　································ 10
patient monitor ················· 184
patient monitoring ··············· 184
patients having a condition that it is
　　difficult to visit to the clinic ··· 219
PCR ···························· 251
PD ····························· 264
PDI ····························· 139
PEG ···························· 267
pension ························· 237
percutaneous endoscopic
　　gastrostomy ············ 80, 267
percutaneous oxygen saturation
　　···························· 29, 80
periapical lesion ················· 121
pericoronitis of the wisdom tooth
　　······························ 216
periimplantitis ··················· 19
periodontal abscess ············· 139
periodontal disease ············· 139
periodontal disease index ······ 139
periodontal index ········· 139, 250
periodontal ligament ············· 137
periodontal membrane ········· 137
periodontal pocket ············· 140
periodontopathic bacteria ······ 140
perioperative period ············· 152
person with disabilities ········· 156
person with special needs ······ 156
personal appearance activity ··· 186
persons with physical disabilities
　　······························ 173
pharynx care ····················· 17
PHC ······················ 250, 262
Philadelphia Geriatric Center
　　morale scale ················ 252
physical activity level ··········· 172
physical disability ·············· 172
physical handicap ·············· 172
physical therapist ·········· 252, 290

physical therapy ················ 290
physically disabled person ······ 173
physically disabled person's
　　certificate ···················· 173
physically disabled person's
　　handbook ···················· 173
PI ·························· 139, 250
pica ······························ 10
plan for extending healthy life
　　expectancy ··················· 83
plaque ······················ 136, 260
plaque control ·················· 261
plaque control record ·········· 251
plaque index ············· 136, 262
plethysmogram ················ 143
plicated tongue ················· 104
PLP ························ 231, 251
PMR ··························· 289
PMTC ·························· 250
pneumonia ····················· 243
polymerase chain reaction
　　························ 251, 276
polymyalgia rheumatica ········ 289
polypharmacy ·················· 209
pontic ·························· 276
population of people aged 65 and
　　over ··························· 301
poriomania ····················· 243
portable dental equipment ······ 78
position ························· 202
postural hypotension ··········· 73
premature dementia ············ 152
presbycusis ···················· 295
present tooth ···················· 87
prevalence rate ················ 285
preventing false recognition ··· 120
preventive benefit ·············· 289
primary care ··················· 262
primary doctor judgement on
　　long-term care ·············· 155
primary health care ······· 250, 262
primary medical care ············ 10
primary prevention ········ 11, 203
private nursing home ·········· 285
private residential home ········ 285
probing depth ················· 264

process model ·················· 265
productivity ···················· 265
professional mechanical tooth
　　cleaning ····················· 250
professional oral health care ··· 197
professional tooth cleaning ······ 252
progeria ························ 198
progressive supranuclear palsy
　　······························ 169
proportion of people aged 65 and
　　over ···························· 111
prosthetic appliance for swallowing
　　disorders ······················ 35
prosthetic dentistry ············· 134
prosthodontics ·················· 134
prothrombin time-international
　　normalized ratio ········ 252, 266
PSD ····························· 170
pseudomembranous colitis ······ 69
psychoactive drug ··············· 106
psychosedation ················· 183
psychosomatic disease ········· 170
psychotropic drug ··············· 106
PT ························· 252, 290
PT-INR ························ 252
PTC ···························· 252
public assistance ··············· 106
public assistance act ··········· 182
public health ··················· 104
pulmonary edema ············· 244
pulmonary emphysema ········ 244
pulmonary function test ······· 115
pulp ···························· 140
pulp atrophy ···················· 140
pulp extirpation ················ 248
pulp stone ····················· 141
pulpal calcification ·············· 188
pulpectomy ···················· 248
pulpitis ························· 141
pulse oximeter ················· 249
pulse pressure ················· 280
purpose in life ···················· 8

Q

QOL ····························· 70
quality of life ········· 70, 182, 185

| 327

quantity of nutrient intake	26

R

radicular cyst	137
radiolucency	29
ranula	56
rapid response system	1
rate of receiving medical care	155
ratio of the aged	301
RDA	176
reactive oxygen species	55
reason for living	8
rebase	47, 291
recalcification	123
recommended dietary allowance	176
reflux esophagitis	70
registered dietitian	61
regular diet	158
rehabilitation	68, 290
reline	292
remineralization	123
remnants of meal	128
removable dental prosthesis	56
removable denture	56
removable partial denture	72, 260
removal of calculus	143
renal failure	175
repair of denture components	64
repetitive saliva swallowing test	1, 250
residual ridge	54, 143
resin base denture	293
respiration disturbance	116
respiratory function test	115
respiratory support team	116
respite care unit	159, 212
rest	293
resting saliva	6
restorative treatment	153
retainer	144
rheumatoid arthritis	59
rice gruel	56
rinsing agent	194
root canal treatment	121
root caries	122, 138

root surface caries	122, 138
RRS	1
RSST	1, 250
RST	116

S

SAH	75
saliva	204
saliva stimulating agent	208
salivary flow rate	208
salivary gland	205
salivary gland tumor	206
salivary secretion rate	208
salivation	291
salivolithiasis	210
sarcopenia	74, 126
sarcopenia obesity	127
SAS	28, 177
scabies	47
scaler	178
scaling	143, 165, 178
scaling and root planing	28
SCD	171, 186
schizophrenia	225
scintigraphy	173
scrotal tongue	104
SDM	29, 131
SDS	29, 136, 148
secondary medical care	233
secondary prevention	204, 233
sedative drug	219
sedative medicine	219
self care	194
self esteem	136, 144, 193
self help aid for feeding	162
self help device for feeding	162
self-rating depression scale	29, 136
senescence	294, 295
senescence level	294
senile dementia	298
senile disease	301
senile tuberculosis	295
senile xerosis	295
senility	294
sensory-motor examination	216

sequester	259
sequestrum	259
serum albumin	81
shared decision making	29, 131
sharpened edge of tooth	22
shock	166
short stay	159, 212
short-term admission for daily life long-term care	212
short-term admission for recuperation	212
Shy-Drager syndrome	148
sialogogue	208
sialography	206
sialoma	206
sialotic occult blood test	206
side diet	258
side dishes	258
silent aspiration	259
sitio (sito) phobia	72
Sjögren syndrome	131
SLE	195
sleep apnea syndrome	28, 177
sleep disorder	178
sleep related breathing disorders	177
Sleep Splint®	180
social capital	199
social insurance	150
social participation	148
social security	151
social support	199
social welfare	148
social welfare act	150
social welfare commissioner	280
social welfare corporation	150
social welfare office	258
social welfare officer	149
soft-diet	231
sonic tooth brush	39
sonic wave tooth brush	39
special nursing home for the elderly	230
specific health guidance	229
specific medical check up	228
speech aid	179

speech disorder ·········· 247	adults and other related matters	tertiary medical care ········· 128
speech disturbance ········· 86	························ 112	tertiary prevention········· 128, 203
speech lauguege pathologyst··· 86	support need certification ····· 288	test of taste ················ 278
speech pathologyst ········· 86	support system for the elderly ··· 167	thanatology ················ 142
speech therapist ·········· 29, 86	supportive periodontal therapy	The 10-item Eating Assessment
speech-language-hearing therapy	························ 126	Tool ·························· 7
·························· 87	supraglottic swallow ············ 9	the Framework for Promoting
spinal canal stenosis ········· 186	surface anesthesia ············ 256	Dementia Care ············ 235
spinocerebellar degeneration ··· 186	survival curve ················ 184	the ratio of the aged··········· 111
spirogram ···················· 179	swallowing ···················· 32	thick liquid diet ·············· 239
splint ·················· 196, 257	swallowing disorders ·········· 33	thirst ························· 89
splint therapy················ 179	swallowing manometry ········ 32	thrombo test ················ 230
SpO$_2$ ························ 29	swallowing reflex ············· 34	thrush ······················· 55
sponge brush ················ 180	swallowing support team········ 33	TIA ····················· 221, 238
SPT························ 126	swallowing training ·········· 32	tissue conditioner ············ 237
sputum sucking················ 54	swallowing-provocation test ··· 35	tissue conditioning material ··· 237
sputum suction················ 54	Swan-Ganz catheter ········· 180	TMIG index of competence······ 294
squamous cell papilloma········· 269	synthetic saliva ··············· 169	TMJ························ 52, 221
SRBD ······················· 177	systemic complications ········ 195	Tokyo Metropolitan Institute of
SRP ························· 28	systemic lupus erythematosus	Gerontology index of competence
ST ······················ 29, 86	························ 195	························ 294
stage of long-term care need··· 287	systemic management············ 195	tolerable upper intake level ····· 204
standard precautions ······ 178, 256	SZ ························ 225	tongue brush ················ 192
Stevens-Johnson syndrome ··· 178		tongue cleaner ··············· 192
stimulated saliva ············· 135	**T**	tongue coating ··············· 191
stimulated salivary flow rate ··· 136	tartar ························ 142	tongue depressor ············· 187
stridor ······················· 196	taste disorder················· 278	tongue plaque ················ 191
stroke ······················ 240	taste examination ············· 278	tongue pressure ·············· 187
stump of tooth ··············· 127	TBI ····················· 126, 221	tongue pressure measuring device
subarachnoid hemorrhage ······ 75	team medical care ··········· 215	························ 188
subdual hematoma ············ 109	telemedicine ·················· 32	tongue thrust················· 192
subjective health status ········ 154	temporal muscle ·············· 199	tooth brush··················· 248
subjects with long-term care	temporomandibular joint ··· 52, 221	tooth brushing ··············· 263
prevention ················ 46	temporomandibular joint disorders	tooth brushing instruction
subjects with primary prevention for	························ 52	············ 126, 221, 249, 263
long-term care ············ 11	temporomandibular joint noise	tooth decay ················· 20
successful aging ·············· 125	························ 52	tooth defect ················· 145
suction apparatus··············· 70	temporomandibular joint pain ··· 53	tooth erosion ············ 128, 170
sudden cardiac death ·········· 171	temporomandibular joint sound	tooth extraction ··············· 247
suffocation ··················· 216	························ 52	tooth loosening ··············· 228
super aged society ············ 218	tentative dietary goal for preventing	tooth mobility················· 228
supplementary food for swallowing	life-style related disease······ 283	tooth wear ··················· 225
························ 35	terminal care ············ 154, 202	toothache ··················· 145
support clinic of home health care	terminal medicine ············· 154	toothpaste ··················· 147
························ 124	terminal phase ··············· 153	topical anesthesia··············· 256
support for caregivers of older	terminal stage ·········· 153, 202	tracheal cannula ··············· 62

329

tracheal catheter 62	VE 34, 257	water balance 176
tracheal tube 62	velopharyngeal function 252	water supply 177
transient ischemic attack ... 221, 238	ventricular fibrillation 170	water swallowing test 279
transitional denture 9	vertical dimension increase ... 101	way of nutrition 26
treatment denture 218	vestibular extension 97	Wechsler Adult Intelligence Scale
tremor 171	vestibuloplasty 97	 19
trigeminal neuralgia 127	VF 170, 255, 257	wedge shaped defect 75
trismus 41, 51	VFSS 257	welfare center for the elderly ... 296
tube feeding 78	videoendoscopic evaluation of swal-	welfare facility for the elderly ... 295
tuft brush 211	lowing 34, 257	well-being 20
	videofluorographic swallowing study	Werner syndrome 20
U	 257	wet voice 146
UL 204	videofluoroscopic examination of	wheeze 196
ulcerative colitis 48	swallowing 34, 255, 257	wheezing 196
ultrasonic tooth brush 217	visceral fat 231	wide area unions for the late-stage
unbalanced diet 269	viscosity of saliva 207	medical care system for the
underfeeding 221	visiting long-term care 271	elderly 90
underlying disease 67	visiting nursing 271	will of eating 189
underlying medical condition ... 67	visiting nursing station 272	WSD 75
undernutrition 221	visiting rehabilitation 273	
universal design 286	visual disability 132	**X**
universal design food 286	visual impairment 132	xerosis 253
UPPP 89	vital signs 245	xerostomia 94
urethral catheterization 225	volatile sulfur compounds 68	
urinary incontinence 234	VPF 252	**Y**
uvulopalatopharyngoplasty 89		young old 194
	W	
V	WAIS 19	
valvular heart disease 172	wandering behavior 243	

老年歯科医学用語辞典 第3版	ISBN978-4-263-45899-0

2008年3月20日　第1版第1刷発行
2016年3月25日　第2版第1刷発行
2023年3月25日　第3版第1刷発行

編　集　一般社団法人
　　　　日本老年歯科医学会

発行者　白　石　泰　夫

発行所　医歯薬出版株式会社

〒113-8612　東京都文京区本駒込1-7-10
TEL.(03)5395-7638(編集)・7630(販売)
FAX.(03)5395-7639(編集)・7633(販売)
https://www.ishiyaku.co.jp/
郵便振替番号　00190-5-13816

乱丁,落丁の際はお取り替えいたします　　印刷・教文堂／製本・榎本製本

© Ishiyaku Publishers, Inc. 2008, 2023. Printed in Japan

本書の複製権・翻訳権・翻案権・上映権・譲渡権・貸与権・公衆送信権(送信可能化権を含む)・口述権は,医歯薬出版(株)が保有します.

本書を無断で複製する行為(コピー,スキャン,デジタルデータ化など)は,「私的使用のための複製」などの著作権法上の限られた例外を除き禁じられています.また私的使用に該当する場合であっても,請負業者等の第三者に依頼し上記の行為を行うことは違法となります.

JCOPY <(社)出版者著作権管理機構　委託出版物>

本書をコピーやスキャン等により複製される場合は,そのつど事前に出版者著作権管理機構(電話 03-5244-5088, FAX 03-5244-5089, e-mail：info@jcopy.or.jp)の許諾を得てください.